Honoré de Balzac

La Peau de chagrin (1831)

Collection dirigée par
Marc Robert et Henri Marguliew

Notes et dossier
Marie-Ève Thérenty
agrégée de lettres modernes

LA PEAU DE CHAGRIN

LIRE L'ŒUVRE

L'ŒUVRE DANS L'HISTOIRE

Conception graphique :
C-album, Jean-Baptiste Taisne, Rachel Pfleger
Principe de couverture : Double
Mise en pages : Chesteroc International Graphics
Suivi éditorial : Christine Ligonie

© Hatier, Paris 2011
ISBN : 978-2-218-95880-9

LA PEAU DE CHAGRIN

STERNE, *Tristram Shandy*, chapitre CCCXXII

represent la course de le vie

À Monsieur Savary

Membre de l'Académie des Sciences [1]

L'édition de référence de *La Peau de chagrin* est la dernière publiée du vivant de Balzac par l'éditeur Furne. Elle date de 1845. On y ajoute traditionnellement les dernières corrections souhaitées par Balzac et apportées à la main dans son exemplaire personnel dit « le Furne corrigé ».

---

1. *À monsieur {…} ch. CCCXXII* : le dessin qui sert d'épigraphe au roman représente le mouvement que fait décrire à son bâton le caporal Trim pour commenter la liberté du célibataire. Dans le roman, comme l'explique Philarète Chasles dans son introduction (voir p. 284), cette ligne représente sans doute « la vie avec ses ondulations bizarres, avec sa course vagabonde et son allure *serpentine*. »

Le Talisman

Vers la fin du mois d'octobre dernier[1], un jeune homme entra
dans le Palais-Royal[2] au moment où les maisons de jeu s'ouvraient, conformément à la loi qui protège une passion essentiellement imposable. Sans trop hésiter, il monta l'escalier du tripot
désigné sous le nom de numéro 36.

— Monsieur, votre chapeau, s'il vous plaît ? lui cria d'une voix
sèche et grondeuse un petit vieillard blême, accroupi dans
l'ombre, protégé par une barricade, et qui se leva soudain en
montrant une figure moulée sur un type ignoble.

Quand vous entrez dans une maison de jeu, la loi commence par
vous dépouiller de votre chapeau. Est-ce une parabole[3] évangélique
et providentielle ? N'est-ce pas plutôt une manière de conclure un
contrat infernal avec vous en exigeant je ne sais quel gage ? Serait-ce
pour vous obliger à garder un maintien respectueux devant ceux qui
vont gagner votre argent ? Est-ce la police, tapie dans tous les égouts
sociaux, qui tient à savoir le nom de votre chapelier ou le vôtre, et si
vous l'avez inscrit sur la coiffe ? Est-ce, enfin, pour prendre la mesure
de votre crâne et dresser une statistique instructive sur la capacité
cérébrale des joueurs ? Sur ce point, l'administration garde un
silence complet. Mais, sachez-le bien, à peine avez-vous fait un pas
vers le tapis vert, déjà votre chapeau ne vous appartient pas plus que
vous ne vous appartenez à vous-même : vous êtes au jeu, vous, votre

---

1. *Vers la fin du mois d'octobre dernier* : le roman est paru en août 1831. Il s'agit de la fin du mois
d'octobre 1830. \ **2.** *Palais-Royal* : résidence de la famille d'Orléans qui louait les galeries de
bois à des maisons closes, à des librairies et à des maisons de jeux. \ **3.** *Parabole* : récit comprenant un enseignement religieux ou moral.

fortune, votre coiffe, votre canne et votre manteau. À votre sortie, le JEU vous démontrera, par une atroce épigramme[1] en action, qu'il vous laisse encore quelque chose en vous rendant votre bagage. Si toutefois vous avez une coiffure neuve, vous apprendrez à vos dépens qu'il faut se faire un costume de joueur.

L'étonnement manifesté par le jeune homme en recevant une fiche numérotée en échange de son chapeau, dont heureusement les bords étaient légèrement pelés, indiquait assez une âme encore innocente ; aussi le petit vieillard, qui sans doute avait croupi dès son jeune âge dans les bouillants plaisirs de la vie des joueurs, lui jeta-t-il un coup d'œil terne et sans chaleur, dans lequel un philosophe aurait vu les misères de l'hôpital, les vagabondages des gens ruinés, les procès-verbaux d'une foule d'asphyxies, les travaux forcés à perpétuité, les expatriations au Guazacoalco[2]. Cet homme, dont la longue face blanche n'était plus nourrie que par les soupes gélatineuses de Darcet[3], présentait la pâle image de la passion réduite à son terme le plus simple. Dans ses rides, il y avait trace de vieilles tortures, il devait jouer ses maigres appointements le jour même où il les recevait. Semblable aux rosses sur qui les coups de fouet n'ont plus de prise, rien ne le faisait tressaillir ; les sourds gémissements des joueurs qui sortaient ruinés, leurs muettes imprécations, leurs regards hébétés, le trouvaient toujours insensible. C'était le JEU incarné. Si le jeune homme avait contemplé ce triste Cerbère[4], peut-être se serait-il dit : « Il n'y a plus qu'un jeu de cartes dans ce cœur-là ! » L'inconnu n'écouta pas ce conseil vivant, placé là sans doute par la Providence, comme elle a mis le dégoût à la porte de tous les mauvais lieux. Il entra résolument dans la salle, où le son de l'or exerçait une éblouissante fascination sur les sens en pleine convoitise. Ce jeune homme était probablement poussé là par la plus logique de toutes les éloquentes phrases de Jean-Jacques Rousseau, et dont voici, je crois, la triste pensée : *Oui, je conçois*

---

1. *Épigramme :* raillerie mordante. \ **2.** *Guazacoalco :* région du Mexique, territoire de colonisation sous la Restauration. \ **3.** *Darcet :* Jean-Pierre-Joseph Darcet (1725-1801), chimiste des os. Il a tenté de tirer de la gélatine un aliment nutritif et économique pour les nécessiteux. \ **4.** *Cerbère :* chien gardien des Enfers dans la mythologie grecque.

qu'un homme aille au jeu, mais c'est lorsque entre lui et la mort il ne voit
plus que son dernier écu [1].

Le soir, les maisons de jeu n'ont qu'une poésie vulgaire, mais
dont l'effet est assuré comme celui d'un drame sanguinolent. Les
salles sont garnies de spectateurs et de joueurs, de vieillards
indigents qui s'y traînent pour s'y réchauffer, de faces agitées,
d'orgies commencées dans le vin et décidées à finir dans la Seine.
Si la passion y abonde, le trop grand nombre d'acteurs vous
empêche de contempler face à face le démon du jeu. La soirée est
un véritable morceau d'ensemble où la troupe entière crie, où
chaque instrument de l'orchestre module sa phrase. Vous verriez là
beaucoup de gens honorables qui viennent y chercher des distractions et les payent comme ils payeraient le plaisir du spectacle, de
la gourmandise, ou comme ils iraient dans une mansarde acheter
à bas prix de cuisants regrets pour trois mois [2]. Mais comprenez-
vous tout ce que doit avoir de délire et de vigueur dans l'âme un
homme qui attend avec impatience l'ouverture d'un tripot ? Entre
le joueur du matin et le joueur du soir il existe la différence qui
distingue le mari nonchalant de l'amant pâmé sous les fenêtres de
sa belle. Le matin seulement arrivent la passion palpitante et le
besoin dans sa franche horreur. En ce moment vous pourrez
admirer un véritable joueur qui n'a pas mangé, dormi, vécu,
pensé, tant il était rudement flagellé par le fouet de sa martingale [3],
tant il souffrait travaillé par le prurit [4] d'un coup de *trente et*
quarante [5]. À cette heure maudite, vous rencontrerez des yeux dont
le calme effraie, des visages qui vous fascinent, des regards qui
soulèvent les cartes et les dévorent. Aussi les maisons de jeu ne
sont-elles sublimes qu'à l'ouverture de leurs séances. Si l'Espagne
a ses combats de taureaux, si Rome a eu ses gladiateurs, Paris
s'enorgueillit de son Palais-Royal dont les agaçantes roulettes

---

1. *« Oui, je conçois {…} dernier écu »* : réécriture d'un passage du livre IV de *L'Émile*.
\ **2.** *… cuisants regrets pour trois mois* : allusion aux maladies vénériennes que l'on pouvait attra-
per chez les prostituées. \ **3.** *Martingale* : système de jeu fondé sur des considérations de pro-
babilités et qui doit permettre, souvent en rejouant la même combinaison, de gagner dans
les jeux de hasard. \ **4.** *Prurit* : vive démangeaison causée par une éruption. \ **5.** *Trente et qua-*
rante : jeu qui se joue entre le banquier et un nombre indéterminé de joueurs.

donnent le plaisir de voir couler le sang à flots, sans que les pieds du parterre[1] risquent d'y glisser. Essayez de jeter un regard furtif sur cette arène, entrez... Quelle nudité! Les murs couverts d'un papier gras à hauteur d'homme n'offrent pas une seule image qui puisse rafraîchir l'âme. Il ne s'y trouve même pas un clou pour faciliter le suicide. Le parquet est usé, malpropre. Une table oblongue occupe le centre de la salle. La simplicité des chaises de paille pressées autour de ce tapis usé par l'or annonce une curieuse indifférence du luxe chez ces hommes qui viennent périr là pour la fortune et pour le luxe. Cette antithèse humaine se découvre partout où l'âme réagit puissamment sur elle-même. L'amoureux veut mettre sa maîtresse dans la soie, la revêtir d'un moelleux tissu d'Orient, et la plupart du temps il la possède sur un grabat. L'ambitieux se rêve au faîte du pouvoir tout en s'aplatissant dans la boue du servilisme[2]. Le marchand végète au fond d'une boutique humide et malsaine, en élevant un vaste hôtel, d'où son fils, héritier précoce, sera chassé par une licitation[3] fraternelle. Enfin, existe-t-il chose plus déplaisante qu'une maison de plaisir? Singulier problème! Toujours en opposition avec lui-même, trompant ses espérances par ses maux présents, et ses maux par un avenir qui ne lui appartient pas, l'homme imprime à tous ses actes le caractère de l'inconséquence et de la faiblesse. Ici-bas rien n'est complet que le malheur.

Au moment où le jeune homme entra dans le salon, quelques joueurs s'y trouvaient déjà. Trois vieillards à têtes chauves étaient nonchalamment assis autour du tapis vert ; leurs visages de plâtre, impassibles comme ceux des diplomates, révélaient des âmes blasées, des cœurs qui depuis longtemps avaient désappris de palpiter, même en risquant les biens paraphernaux[4] d'une femme. Un jeune Italien aux cheveux noirs, au teint olivâtre, était accoudé tranquillement au bout de la table, et paraissait écouter ces pressentiments secrets qui crient fatalement à un joueur : – Oui. – Non! Cette tête méridionale respirait l'or et le feu. Sept ou huit

---

1. *Parterre* : spectateurs assis au théâtre derrière les fauteuils d'orchestre. \ 2. *Servilisme* : abaissement (néologisme). \ 3. *Licitation* : vente aux enchères par les copropriétaires d'un bien indivis. \ 4. *Biens paraphernaux* : apport de l'épouse non compris dans la dot.

spectateurs, debout, rangés de manière à former une galerie, attendaient les scènes que leur préparaient les coups du sort, les figures des acteurs, le mouvement de l'argent et celui des râteaux. Ces désœuvrés étaient là, silencieux, immobiles, attentifs comme l'est le peuple à la Grève[1] quand le bourreau tranche une tête. Un grand homme sec, en habit râpé, tenait un registre d'une main, et de l'autre une épingle pour marquer les passes[2] de la Rouge ou de la Noire. C'était un de ces Tantales[3] modernes qui vivent en marge de toutes les jouissances de leur siècle, un de ces avares sans trésor qui jouent une mise imaginaire ; espèce de fou raisonnable qui se consolait de ses misères en caressant une chimère, qui agissait enfin avec le vice et le danger comme les jeunes prêtres avec l'Eucharistie[4], quand ils disent des messes blanches[5]. En face de la banque, un ou deux de ces fins spéculateurs, experts des chances du jeu, et semblables à d'anciens forçats qui ne s'effraient plus des galères, étaient venus là pour hasarder trois coups et remporter immédiatement le gain probable duquel ils vivaient. Deux vieux garçons de salle se promenaient nonchalamment les bras croisés, et de temps en temps regardaient le jardin par les fenêtres, comme pour montrer aux passants leurs plates figures, en guise d'enseigne. Le *tailleur* et le *banquier* venaient de jeter sur les ponteurs[6] ce regard blême qui les tue, et disaient d'une voix grêle : — « Faites le jeu ! » quand le jeune homme ouvrit la porte. Le silence devint en quelque sorte plus profond, et les têtes se tournèrent vers le nouveau venu par curiosité. Chose inouïe ! les vieillards émoussés, les employés pétrifiés, les spectateurs, et jusqu'au fanatique Italien, tous en voyant l'inconnu éprouvèrent je ne sais quel sentiment épouvantable. Ne faut-il pas être bien malheureux pour obtenir de la pitié, bien faible pour exciter une sympathie, ou d'un bien sinistre aspect pour faire frissonner les

---

1. *Grève* : ancien nom de la place de l'Hôtel-de-Ville, où se déroulaient les exécutions capitales jusqu'en 1831. \ **2.** *Passes* : mises que doit faire un joueur. \ **3.** *Tantale* : roi mythologique condamné par Zeus à être placé sous un rocher qui menace de l'écraser. \ **4.** *Eucharistie* : dans la religion catholique, sacrement essentiel de la communion. \ **5.** *Messe blanche* : messe pratiquée par un jeune prêtre à titre d'exercice, sans célébration. \ **6.** *Ponteurs* : joueurs. Le *tailleur* tourne les cartes ; le *banquier* paie les gains et encaisse les mises perdues.

âmes dans cette salle où les douleurs doivent être muettes, où la misère est gaie, et le désespoir décent ? Eh bien, il y avait de tout cela dans la sensation neuve qui remua ces cœurs glacés quand le jeune homme entra. Mais les bourreaux n'ont-ils pas quelquefois pleuré sur les vierges dont les blondes têtes devaient être coupées à un signal de la Révolution ?

Au premier coup d'œil les joueurs lurent sur le visage du novice quelque horrible mystère, ses jeunes traits étaient empreints d'une grâce nébuleuse, son regard attestait des efforts trahis, mille espérances trompées ! La morne impassibilité du suicide donnait à ce front une pâleur mate et maladive, un sourire amer dessinait de légers plis dans les coins de la bouche, et la physionomie exprimait une résignation qui faisait mal à voir. Quelque secret génie scintillait au fond de ces yeux voilés peut-être par les fatigues du plaisir. Était-ce la débauche qui marquait de son sale cachet cette noble figure jadis pure et brûlante, maintenant dégradée ? Les médecins auraient sans doute attribué à des lésions au cœur ou à la poitrine le cercle jaune qui encadrait les paupières, et la rougeur qui marquait les joues, tandis que les poètes eussent voulu reconnaître à ces signes les ravages de la science, les traces de nuits passées à la lueur d'une lampe studieuse. Mais une passion plus mortelle que la maladie, une maladie plus impitoyable que l'étude et le génie, altéraient cette jeune tête, contractaient ces muscles vivaces, tordaient ce cœur qu'avaient seulement effleuré les orgies, l'étude et la maladie. Comme, lorsqu'un célèbre criminel arrive au bagne, les condamnés l'accueillent avec respect, ainsi tous ces démons humains, experts en tortures, saluèrent une douleur inouïe, une blessure profonde que sondait leur regard, et reconnurent un de leurs princes à la majesté de sa muette ironie, à l'élégante misère de ses vêtements. Le jeune homme avait bien un frac [1] de bon goût, mais la jonction de son gilet et de sa cravate était trop savamment maintenue pour qu'on lui supposât du linge. Ses mains, jolies comme des mains de femme, étaient d'une douteuse propreté : enfin depuis deux jours il ne portait plus de gants ! Si le

---

1. *Frac* : habit masculin de cérémonie, noir, à basques étroites.

tailleur et les garçons de salle eux-mêmes frissonnèrent, c'est que les enchantements de l'innocence florissaient par vestiges dans ces formes grêles et fines, dans ces cheveux blonds et rares, naturellement bouclés. Cette figure avait encore vingt-cinq ans, et le vice paraissait n'y être qu'un accident. La verte vie de la jeunesse y luttait encore avec les ravages d'une impuissante lubricité. Les ténèbres et la lumière, le néant et l'existence s'y combattaient en produisant tout à la fois de la grâce et de l'horreur. Le jeune homme se présentait là comme un ange sans rayons, égaré dans sa route. Aussi tous ces professeurs émérites de vice et d'infamie, semblables à une vieille femme édentée, prise de pitié à l'aspect d'une belle fille qui s'offre à la corruption, furent-ils près de crier au novice : « Sortez ! » Celui-ci marcha droit à la table, s'y tint debout, jeta sans calcul sur le tapis une pièce d'or qu'il avait à la main et qui roula sur Noir ; puis, comme les âmes fortes, abhorrant de chicanières incertitudes, il lança sur le tailleur un regard tout à la fois turbulent et calme. L'intérêt de ce coup était si grand que les vieillards ne firent pas de mise ; mais l'Italien saisit avec le fanatisme de la passion une idée qui vint lui sourire, et ponta[1] sa masse d'or en opposition au jeu de l'inconnu. Le banquier oublia de dire ces phrases qui se sont à la longue converties en un cri rauque et inintelligible : « Faites le jeu ! – Le jeu est fait ! – Rien ne va plus. » Le tailleur étala les cartes, et sembla souhaiter bonne chance au dernier venu, indifférent qu'il était à la perte ou au gain fait par les entrepreneurs de ces sombres plaisirs. Chacun des spectateurs voulut voir un drame et la dernière scène d'une noble vie dans le sort de cette pièce d'or ; leurs yeux arrêtés sur les cartons fatidiques étincelèrent ; mais, malgré l'attention avec laquelle ils regardèrent alternativement et le jeune homme et les cartes, ils ne purent apercevoir aucun symptôme d'émotion sur sa figure froide et résignée. – « Rouge, pair, passe », dit officiellement le tailleur. Une espèce de râle sourd sortit de la poitrine de l'Italien lorsqu'il vit tomber un à un les billets pliés que lui lança le banquier. Quant au jeune homme, il ne comprit sa ruine qu'au moment où le râteau

---

1. *Ponta* : misa.

s'allongea pour ramasser son dernier napoléon[1]. L'ivoire fit rendre un bruit sec à la pièce qui, rapide comme une flèche, alla se réunir au tas d'or étalé devant la caisse. L'inconnu ferma les yeux doucement, ses lèvres blanchirent ; mais il releva bientôt ses paupières, sa bouche reprit une rougeur de corail, il affecta l'air d'un Anglais pour qui la vie n'a plus de mystères, et disparut sans mendier une consolation par un de ces regards déchirants que les joueurs au désespoir lancent assez souvent sur la galerie. Combien d'événements se pressent dans l'espace d'une seconde, et que de choses dans un coup de dé !

— Voilà sans doute sa dernière cartouche, dit en souriant le croupier après un moment de silence pendant lequel il tint cette pièce d'or entre le pouce et l'index pour la montrer aux assistants.

— C'est un cerveau brûlé qui va se jeter à l'eau, répondit un habitué en regardant autour de lui les joueurs qui se connaissaient tous.

— Bah ! s'écria le garçon de chambre en prenant une prise de tabac.

— Si nous avions imité monsieur ? dit un des vieillards à ses collègues en désignant l'Italien.

Tout le monde regarda l'heureux joueur dont les mains tremblaient en comptant ses billets de banque.

— J'ai entendu, dit-il, une voix qui me criait dans l'oreille : Le Jeu aura raison contre le désespoir de ce jeune homme.

— Ce n'est pas un joueur, reprit le banquier, autrement il aurait groupé son argent en trois masses pour se donner plus de chances.

Le jeune homme passait sans réclamer son chapeau ; mais le vieux molosse, ayant remarqué le mauvais état de cette guenille, la lui rendit sans proférer une parole ; le joueur restitua la fiche par un mouvement machinal, et descendit les escaliers en sifflant *Di tanti palpiti*[2] d'un souffle si faible, qu'il en entendit à peine lui-même les notes délicieuses.

---

1. *Napoléon* : pièce française de vingt francs Germinal, soit environ 69 euros. \ **2.** *Di tanti palpiti* : premier vers d'un air célèbre qui se trouve dans l'opéra *Tancrède* de Rossini. L'œuvre fut créée au Théâtre-Italien en 1813 et reprise régulièrement avec un succès soutenu. Elle était jouée en septembre 1827 à l'Odéon.

Il se trouva bientôt sous les galeries du Palais-Royal, alla jusqu'à la rue Saint-Honoré, prit le chemin des Tuileries et traversa le jardin d'un pas indécis. Il marchait comme au milieu d'un désert, coudoyé par des hommes qu'il ne voyait pas, n'écoutant à travers les clameurs populaires qu'une seule voix, celle de la mort ; enfin perdu dans une engourdissante méditation, semblable à celle dont jadis étaient saisis les criminels qu'une charrette conduisait du Palais à la Grève, vers cet échafaud, rouge de tout le sang versé depuis 1793.

Il existe je ne sais quoi de grand et d'épouvantable dans le suicide. Les chutes d'une multitude de gens sont sans danger, comme celles des enfants qui tombent de trop bas pour se blesser ; mais quand un grand homme se brise, il doit venir de bien haut, s'être élevé jusqu'aux cieux, avoir entrevu quelque paradis inaccessible. Implacables doivent être les ouragans qui le forcent à demander la paix de l'âme à la bouche d'un pistolet. Combien de jeunes talents confinés dans une mansarde s'étiolent et périssent faute d'un ami, faute d'une femme consolatrice, au sein d'un million d'êtres, en présence d'une foule lassée d'or et qui s'ennuie. À cette pensée, le suicide prend des proportions gigantesques. Entre une mort volontaire et la féconde espérance dont la voix appelait un jeune homme à Paris, Dieu seul sait combien se heurtent de conceptions, de poésies abandonnées, de désespoirs et de cris étouffés, de tentatives inutiles et de chefs-d'œuvre avortés. Chaque suicide est un poème sublime de mélancolie. Où trouverez-vous, dans l'océan des littératures, un livre surnageant qui puisse lutter de génie avec cet entrefilet :

Hier, à quatre heures, une jeune femme s'est jetée dans la Seine du haut du Pont des Arts.

Devant ce laconisme parisien, les drames, les romans, tout pâlit, même ce vieux frontispice[1] : *Les lamentations du glorieux roi de Kaërnavan, mis en prison par ses enfants* ; dernier fragment d'un livre perdu, dont la seule lecture faisait pleurer ce Sterne[2], qui lui-même délaissait sa femme et ses enfants.

---

1. *Frontispice* : titre imprimé en grandes lettres sur la première page d'un livre. \ **2.** *Sterne* : Laurence Sterne (1713-1768), romancier excentrique anglais, auteur notamment de *Vie et Opinions de Tristram Shandy* dont un extrait a fourni l'épigraphe de *La Peau de chagrin*.

L'inconnu fut assailli par mille pensées semblables, qui passaient en lambeaux dans son âme, comme des drapeaux déchirés voltigent au milieu d'une bataille. S'il déposait pendant un moment le fardeau de son intelligence et de ses souvenirs pour s'arrêter devant quelques fleurs dont les têtes étaient mollement balancées par la brise parmi les massifs de verdure, bientôt saisi par une convulsion de la vie qui regimbait encore sous la pesante idée du suicide, il levait les yeux au ciel ; là, des nuages gris, des bouffées de vent chargées de tristesse, une atmosphère lourde, lui conseillaient encore de mourir. Il s'achemina vers le pont Royal en songeant aux dernières fantaisies de ses prédécesseurs. Il souriait en se rappelant que lord Castelreagh[1] avait satisfait le plus humble de nos besoins avant de se couper la gorge, et que l'académicien Auger[2] était allé chercher sa tabatière pour priser tout en marchant à la mort. Il analysait ces bizarreries et s'interrogeait lui-même, quand, en se serrant contre le parapet du pont pour laisser passer un fort de la halle, celui-ci ayant légèrement blanchi la manche de son habit, il se surprit à en secouer soigneusement la poussière. Arrivé au point culminant de la voûte, il regarda l'eau d'un air sinistre.

— Mauvais temps pour se noyer, lui dit en riant une vieille femme vêtue de haillons. Est-elle sale et froide, la Seine !

Il répondit par un sourire plein de naïveté qui attestait le délire de son courage ; mais il frissonna tout à coup en voyant de loin, sur le port des Tuileries, la baraque surmontée d'un écriteau où ces paroles sont tracées en lettres hautes d'un pied : SECOURS AUX ASPHYXIÉS. M. Dacheux[3] lui apparut armé de sa philanthropie, réveillant et faisant mouvoir ces vertueux avirons qui cassent la tête aux noyés, quand malheureusement ils remontent sur l'eau ; il l'aperçut ameutant les curieux, quêtant un médecin, apprêtant des fumigations[4] ; il lut les doléances des journalistes écrites entre les joies d'un festin et le sourire d'une danseuse ; il entendit sonner les

---

1. *Lord Castelreagh* : il s'était suicidé en 1822. \ 2. *Auger* : secrétaire perpétuel de l'Académie française, Louis-Simon Auger s'était jeté dans la Seine le 2 janvier 1829. \ 3. *Dacheux* : inspecteur responsable du poste de secours aux asphyxiés. \ 4. *Fumigations* : le fait d'insuffler des fumées de tabac dans l'intestin.

écus comptés à des bateliers pour sa tête par le préfet de la Seine. Mort, il valait cinquante francs, mais vivant il n'était qu'un homme de talent sans protecteurs, sans amis, sans paillasse, sans tambour, un véritable zéro social, inutile à l'État, qui n'en avait aucun souci. Un mort en plein jour lui parut ignoble, il résolut de mourir pendant la nuit afin de livrer un cadavre indéchiffrable à cette Société qui méconnaissait la grandeur de sa vie. Il continua donc son chemin, et se dirigea vers le quai Voltaire en prenant la démarche indolente d'un désœuvré qui veut tuer le temps. Quand il descendit les marches qui terminent le trottoir du pont, à l'angle du quai, son attention fut excitée par les bouquins étalés sur le parapet ; peu s'en fallut qu'il n'en marchandât quelques-uns. Il se prit à sourire, remit philosophiquement les mains dans ses goussets, et allait reprendre son allure d'insouciance où perçait un froid dédain, quand il entendit avec surprise quelques pièces retentir d'une manière véritablement fantastique au fond de sa poche. Un sourire d'espérance illumina son visage, glissa de ses lèvres sur ses traits, sur son front, fit briller de joie ses yeux et ses joues sombres. Cette étincelle de bonheur ressemblait à ces feux qui courent dans les vestiges d'un papier déjà consumé par la flamme ; mais le visage eut le sort des cendres noires, il redevint triste quand l'inconnu, après avoir vivement retiré la main de son gousset, aperçut trois gros sous.

— Ah ! mon bon monsieur, *la carita ! la carita ! catarina* ! Un petit sou pour avoir du pain !

Un jeune ramoneur dont la figure bouffie était noire, le corps brun de suie, les vêtements déguenillés, tendit la main à cet homme pour lui arracher ses derniers sous.

À deux pas du petit Savoyard[1], un vieux pauvre honteux, maladif, souffreteux, ignoblement vêtu d'une tapisserie trouée, lui dit d'une grosse voix sourde : — Monsieur, donnez-moi *ce que vous voudrez*, je prierai Dieu pour vous… Mais quand l'homme jeune eut regardé le vieillard, celui-ci se tut et ne demanda plus

---

1. *Savoyard* : traditionnellement, de nombreux jeunes gens originaires de Savoie exerçaient le métier de ramoneur.

rien, reconnaissant peut-être sur ce visage funèbre la livrée d'une misère plus âpre que n'était la sienne.

– *La carita ! la carita* !

L'inconnu jeta sa monnaie à l'enfant et au vieux pauvre en quittant le trottoir pour aller vers les maisons, il ne pouvait plus supporter le poignant aspect de la Seine.

– Nous prierons Dieu pour la conservation de vos jours, lui dirent les deux mendiants.

En arrivant à l'étalage d'un marchand d'estampes, cet homme presque mort rencontra une jeune femme qui descendait d'un brillant équipage. Il contempla délicieusement cette charmante personne dont la blanche figure était harmonieusement encadrée dans le satin d'un élégant chapeau. Il fut séduit par une taille svelte, par de jolis mouvements. La robe, légèrement relevée par le marchepied, lui laissa voir une jambe dont les fins contours étaient dessinés par un bas blanc et bien tiré. La jeune femme entra dans le magasin, y marchanda des albums, des collections de lithographies ; elle en acheta pour plusieurs pièces d'or qui étincelèrent et sonnèrent sur le comptoir. Le jeune homme, en apparence occupé sur le seuil de la porte à regarder des gravures exposées dans la montre [1], échangea vivement avec la belle inconnue l'œillade la plus perçante que puisse lancer un homme, contre un de ces coups d'œil insouciants jetés au hasard sur les passants. C'était, de sa part, un adieu à l'amour, à la femme ! Mais cette dernière et puissante interrogation ne fut pas comprise, ne remua pas ce cœur de femme frivole, ne la fit pas rougir, ne lui fit pas baisser les yeux. Qu'était-ce pour elle ? Une admiration de plus, un désir inspiré qui le soir lui suggérait cette douce parole : J'étais *bien* aujourd'hui. Le jeune homme passa promptement à un autre cadre, et ne se retourna point quand l'inconnue remonta dans sa voiture. Les chevaux partirent, cette dernière image du luxe et de l'élégance s'éclipsa comme allait s'éclipser sa vie. Il marcha d'un pas mélancolique le long des magasins, en examinant sans beaucoup d'intérêt les échantillons de marchan-

---

1. *Montre* : vitrine.

dises. Quand les boutiques lui manquèrent, il étudia le Louvre, l'Institut, les tours de Notre-Dame, celles du Palais, le Pont des Arts. Ces monuments paraissaient prendre une physionomie triste en reflétant les teintes grises du ciel dont les rares clartés prêtaient un air menaçant à Paris qui, pareil à une jolie femme, est soumis à d'inexplicables caprices de laideur et de beauté. Ainsi, la nature elle-même conspirait à plonger le mourant dans une extase douloureuse. En proie à cette puissance malfaisante dont l'action dissolvante trouve un véhicule dans le fluide qui circule en nos nerfs, il sentait son organisme arriver insensiblement aux phénomènes de la fluidité. Les tourmentes de cette agonie lui imprimaient un mouvement semblable à celui des vagues, et lui faisaient voir les bâtiments, les hommes, à travers un brouillard où tout ondoyait. Il voulut se soustraire aux titillations que produisaient sur son âme les réactions de la nature physique, et se dirigea vers un magasin d'antiquités dans l'intention de donner une pâture à ses sens ou d'y attendre la nuit en marchandant des objets d'art. C'était, pour ainsi dire, quêter du courage et demander un cordial, comme les criminels qui se défient de leurs forces en allant à l'échafaud ; mais la conscience de sa prochaine mort rendit pour un moment au jeune homme l'assurance d'une duchesse qui a deux amants, et il entra chez le marchand de curiosités d'un air dégagé, laissant voir sur ses lèvres un sourire fixe comme celui d'un ivrogne. N'était-il pas ivre de la vie, ou peut-être de la mort ? Il retomba bientôt dans ses vertiges, et continua d'apercevoir les choses sous d'étranges couleurs, ou animées d'un léger mouvement dont le principe était sans doute dans une irrégulière circulation de son sang, tantôt bouillonnant comme une cascade, tantôt tranquille et fade comme l'eau tiède. Il demanda simplement à visiter les magasins pour chercher s'ils ne renfermaient pas quelques singularités à sa convenance. Un jeune garçon à figure fraîche et joufflue, à chevelure rousse, et coiffé d'une casquette de loutre, commit la garde de la boutique à une vieille paysanne, espèce de *Caliban*[1] femelle occupée à

---

1. *Caliban* : personnage de *La Tempête* de Shakespeare, gnome monstrueux, contraint d'obéir aux puissances supérieures.

nettoyer un poêle dont les merveilles étaient dues au génie de Bernard de Palissy[1] ; puis il dit à l'étranger d'un air insouciant :
— Voyez, monsieur, voyez ! Nous n'avons en bas que des choses assez ordinaires ; mais si vous voulez prendre la peine de monter au premier étage, je pourrai vous montrer de fort belles momies du Caire, plusieurs poteries incrustées, quelques ébènes sculptées, *vraie renaissance*, récemment arrivées, et qui sont de toute beauté.

Dans l'horrible situation où se trouvait l'inconnu, ce babil de cicérone[2], ces phrases sottement mercantiles furent pour lui comme les taquineries mesquines par lesquelles des esprits étroits assassinent un homme de génie. Portant sa croix jusqu'au bout, il parut écouter son conducteur et lui répondit par gestes ou par monosyllabes ; mais insensiblement il sut conquérir le droit d'être silencieux, et put se livrer sans crainte à ses dernières méditations, qui furent terribles. Il était poète, et son âme rencontra fortuitement une immense pâture : il devait voir par avance les ossements de vingt mondes.

Au premier coup d'œil, les magasins lui offrirent un tableau confus, dans lequel toutes les œuvres humaines et divines se heurtaient. Des crocodiles, des singes, des boas empaillés souriaient à des vitraux d'église, semblaient vouloir mordre des bustes, courir après des laques, ou grimper sur des lustres. Un vase de Sèvres, où Mme Jacotot[3] avait peint Napoléon, se trouvait auprès d'un sphinx dédié à Sésostris[4]. Le commencement du monde et les événements d'hier se mariaient avec une grotesque bonhomie. Un tournebroche était posé sur un ostensoir, un sabre républicain sur une hacquebute[5] du Moyen Âge. Mme Dubarry[6] peinte au pastel par Latour[7], une étoile sur la tête, nue et dans un nuage, paraissait contempler avec

---

1. *Bernard de Palissy* : célèbre potier (1510-1589), créateur de la céramique. \ **2.** *Cicérone* : guide. \ **3.** *Mme Jacotot* : Marie-Thérèse Jaquotot (1778-1855), peintre sur porcelaine. \ **4.** *Sésostris* : pharaon égyptien divinisé au Nouvel Empire. \ **5.** *Hacquebute* : sorte d'arquebuse. \ **6.** *Mme Dubarry* : maîtresse de Louis XV (1743-1793). Elle fut arrêtée et guillotinée sous la Révolution. \ **7.** *Latour* : Maurice Quentin de Latour (1704-1788), peintre célèbre pour ses portraits.

concupiscence une chibouque[1] indienne, en cherchant à deviner l'utilité des spirales qui serpentaient vers elle. Les instruments de mort, poignards, pistolets curieux, armes à secret, étaient jetés pêle-mêle avec des instruments de vie : soupières en porcelaine, assiettes de Saxe, tasses diaphanes venues de Chine, salières antiques, drageoirs féodaux. Un vaisseau d'ivoire voguait à pleines voiles sur le dos d'une immobile tortue. Une machine pneumatique éborgnait l'empereur Auguste, majestueusement impassible. Plusieurs portraits d'échevins[2] français, de bourg-mestres hollandais, insensibles alors comme pendant leur vie, s'élevaient au-dessus de ce chaos d'antiquités, en y lançant un regard pâle et froid. Tous les pays de la terre semblaient avoir apporté là quelques débris de leurs sciences, un échantillon de leurs arts. C'était une espèce de fumier philosophique auquel rien ne manquait, ni le calumet du sauvage, ni la pantoufle vert et or du sérail, ni le yatagan[3] du Maure, ni l'idole des Tartares. Il y avait jusqu'à la blague à tabac du soldat, jusqu'au ciboire[4] du prêtre, jusqu'aux plumes d'un trône. Ces monstrueux tableaux étaient encore assujettis à mille accidents de lumière par la bizarrerie d'une multitude de reflets dus à la confusion des nuances, à la brusque opposition des jours et des noirs. L'oreille croyait entendre des cris interrompus, l'esprit saisir des drames inachevés, l'œil apercevoir des lueurs mal étouffées. Enfin une poussière obstinée avait jeté son léger voile sur tous ces objets, dont les angles multipliés et les sinuosités nombreuses produi-saient les effets les plus pittoresques.

L'inconnu compara d'abord ces trois salles gorgées de civili-sation, de cultes, de divinités, de chefs-d'œuvre, de royautés, de débauches, de raison et de folie, à un miroir plein de facettes dont chacune représentait un monde. Après cette impression brumeuse, il voulut choisir ses jouissances ; mais à force de regarder, de penser, de rêver, il tomba sous la puissance d'une fièvre due peut-être à la faim qui rugissait dans ses entrailles. La

---

1. *Chibouque* : pipe orientale. \ **2.** *Échevin* : magistrat municipal chargé d'assister le maire sous l'Ancien Régime. \ **3.** *Yatagan* : sabre incurvé en deux sens opposés, qui était en usage chez les Turcs ou les Arabes. \ **4.** *Ciboire* : vase sacré où l'on conserve les hosties consacrées.

vue de tant d'existences nationales ou individuelles, attestées par ces gages humains qui leur survivaient, acheva d'engourdir les sens du jeune homme ; le désir qui l'avait poussé dans le magasin fut exaucé : il sortit de la vie réelle, monta par degrés vers un monde idéal, arriva dans les palais enchantés de l'Extase où l'univers lui apparut par bribes et en traits de feu, comme l'avenir passa jadis flamboyant aux yeux de saint Jean dans Patmos [1].

Une multitude de figures endolories, gracieuses et terribles, obscures et lucides, lointaines et rapprochées, se leva par masses, par myriades [2], par générations. L'Égypte, roide, mystérieuse se dressa de ses sables, représentée par une momie qu'enveloppaient des bandelettes noires ; puis ce fut les Pharaons ensevelissant des peuples pour se construire une tombe, et Moïse, et les Hébreux, et le désert, il entrevit tout un monde antique et solennel. Fraîche et suave, une statue de marbre assise sur une colonne torse et rayonnant de blancheur lui parla des mythes voluptueux de la Grèce et de l'Ionie. Ah ! qui n'aurait souri comme lui de voir sur un fond rouge la jeune fille brune dansant dans la fine argile d'un vase étrusque devant le dieu Priape [3] qu'elle saluait d'un air joyeux ? En regard, une reine latine caressait sa chimère [4] avec amour ! Les caprices de la Rome impériale respiraient là tout entiers et révélaient le bain, la couche, la toilette d'une Julie indolente, songeuse, attendant son Tibulle [5]. Armée du pouvoir des talismans arabes, la tête de Cicéron évoquait les souvenirs de la Rome libre et lui déroulait les pages de Tite-Live [6]. Le jeune homme contempla *Senatus Populusque romanus* [7] : le consul, les licteurs [8], les toges bordées de pourpre, les luttes du Forum, le

---

1. *Patmos* : dans cette île grecque où il aurait composé l'*Apocalypse*, le triomphe final de la religion chrétienne serait apparu à saint Jean. \ **2.** *Myriade* : quantité innombrable, indéfinie. \ **3.** *Priape* : dieu des jardins, puis de la fécondité chez les Romains. Il est représenté avec un sexe en érection. \ **4.** *Chimère* : monstre fabuleux, ayant la tête et le poitrail d'un lion, le ventre d'une chèvre et la queue d'un dragon. \ **5.** *Tibulle* : Il s'agit d'une erreur de Balzac. Tibulle poète latin du 1er siècle av. J.-C. adressait ses poèmes à Délie et non pas à Julie. \ **6.** *Tite-Live* : historien latin (v. 59 av. J.-C.-v.10 apr. J.-C.). \ **7.** *Senatus Populusque romanus* : « Le Sénat et le peuple romain ». Inscription que les Romains appliquaient comme symbole de leur puissance. \ **8.** *Licteurs* : officiers qui marchaient devant les principaux magistraux de l'ancienne Rome, portant un faisceau de verges qui, dans certaines circonstances, enserrait une hache.

peuple courroucé défilaient lentement devant lui comme les vaporeuses figures d'un rêve. Enfin la Rome chrétienne dominait ces images. Une peinture ouvrait les cieux, il y voyait la Vierge Marie plongée dans un nuage d'or, au sein des anges, éclipsant la gloire du soleil, écoutant les plaintes des malheureux auxquels cette Ève régénérée souriait d'un air doux. En touchant une mosaïque faite avec les différentes laves du Vésuve et de l'Etna, son âme s'élançait dans la chaude et fauve Italie : il assistait aux orgies des Borgia[1], courait dans les Abruzzes[2], aspirait aux amours italiennes, se passionnait pour les blancs visages aux longs yeux noirs. Il frémissait aux dénouements nocturnes interrompus par la froide épée d'un mari, en apercevant une dague du Moyen Âge dont la poignée était travaillée comme l'est une dentelle, et dont la rouille ressemblait à des taches de sang. L'Inde et ses religions revivaient dans une idole coiffée de son chapeau pointu, à losanges relevés, parée de clochettes, vêtue d'or et de soie. Près du magot[3], une natte, jolie comme la bayadère[4] qui s'y était roulée, exhalait encore les odeurs du santal[5]. Un monstre de la Chine dont les yeux restaient tordus, la bouche contournée, les membres torturés, réveillait l'âme par les inventions d'un peuple qui, fatigué du beau toujours unitaire, trouve d'ineffables plaisirs dans la fécondité des laideurs. Une salière sortie des ateliers de Benvenuto Cellini[6] le reportait au sein de la Renaissance, au temps où les arts et la licence fleurissaient, où les souverains se divertissaient à des supplices, où les conciles[7] couchés dans les bras des courtisanes décrétaient la chasteté pour les simples prêtres. Il vit les conquêtes d'Alexandre sur un camée[8], les massacres de Pizarre[9] dans une arquebuse à mèche, les guerres de religion échevelées, bouillantes, cruelles, au fond d'un casque.

1. *Les Borgia* : famille italienne d'origine espagnole dont les membres (pape, prince) furent souvent cruels. \ **2.** *Abruzzes* : région montagneuse d'Italie. \ **3.** *Magot* : figurine représentant un personnage obèse, souvent hilare ou grimaçant, nonchalamment assis. \ **4.** *Bayadère* : danseuse sacrée de l'Inde. \ **5.** *Santal* : bois odorant. \ **6.** *Benvenuto Cellini* : orfèvre et sculpteur italien (1500-1571), grande figure de l'art de la première moitié du XVIe siècle. \ **7.** *Conciles* : évêques et théologiens. \ **8.** *Camée* : pierre fine (agathe, onyx) sculptée en relief. \ **9.** *Pizarre :* aventurier espagnol (1475-1541) cupide et cruel qui conquit le Pérou.

Puis, les riantes images de la chevalerie sourdirent d'une armure de Milan supérieurement damasquinée[1], bien fourbie, et sous la visière de laquelle brillaient encore les yeux d'un paladin[2].

Cet océan de meubles, d'inventions, de modes, d'œuvres, de ruines, lui composait un poème sans fin. Formes, couleurs, pensées, tout revivait là ; mais rien de complet ne s'offrait à l'âme. Le poète devait achever les croquis du grand peintre qui avait fait cette immense palette où les innombrables accidents de la vie humaine étaient jetés à profusion, avec dédain. Après s'être emparé du monde, après avoir contemplé des pays, des âges, des règnes, le jeune homme revint à des existences individuelles. Il se personnifia de nouveau, s'empara des détails en repoussant la vie des nations comme trop accablante pour un seul homme.

Là dormait un enfant en cire, sauvé du cabinet de Ruysch[3], et cette ravissante créature lui rappelait les joies de son jeune âge. Au prestigieux aspect du pagne virginal de quelque jeune fille d'Otaïti[4], sa brûlante imagination lui peignait la vie simple de la nature, la chaste nudité de la vraie pudeur, les délices de la paresse si naturelle à l'homme, toute une destinée calme au bord d'un ruisseau frais et rêveur, sous un bananier qui dispensait une manne savoureuse, sans culture. Mais tout à coup il devenait corsaire, et revêtait la terrible poésie empreinte dans le rôle de Lara[5], vivement inspiré par les couleurs nacrées de mille coquillages, exalté par la vue de quelques madrépores[6] qui sentaient le varech, les algues et les ouragans atlantiques. Admirant plus loin les délicates miniatures, les arabesques d'azur et d'or qui enrichissaient quelque précieux missel manuscrit, il oubliait les tumultes de la mer. Mollement balancé dans une pensée de paix, il épousait de nouveau l'étude et la science, souhaitait la grasse vie des moines exempte de chagrins, exempte de plaisirs, et se couchait au fond d'une cellule, en contemplant par sa fenêtre en ogive les prairies,

---

1. *Damasquinée* : incrustée au marteau avec des filets décoratifs d'or, d'argent ou de cuivre. \ 2. *Paladin* : chevalier errant. \ 3. *Ruysch* : anatomiste anglais (1638-1731) qui exposait dans son cabinet des corps humains auxquels il avait injecté des substances pour éviter la décomposition. \ 4. *Otaïti* : Tahiti. \ 5. *Lara* : poème de Byron traduit par Amédée Pichot en 1830. \ 6. *Madrépore* : organisme marin proche du corail.

les bois, les vignobles de son monastère. Devant quelques Teniers[1], il endossait la casaque d'un soldat ou la misère d'un ouvrier ; il désirait porter le bonnet sale et enfumé des Flamands, s'enivrait de bière, jouait aux cartes avec eux, et souriait à une grosse paysanne d'un attrayant embonpoint. Il grelottait en voyant une tombée de neige de Mieris[2], ou se battait en regardant un combat de Salvator Rosa[3]. Il caressait un tomahawk d'Illinois, et sentait le scalpel d'un Chérokée qui lui enlevait la peau du crâne. Émerveillé à l'aspect d'un rebec[4], il le confiait à la main d'une châtelaine en en savourant la romance mélodieuse et lui déclarant son amour, le soir, auprès d'une cheminée gothique, dans la pénombre où se perdait un regard de consentement. Il s'accrochait à toutes les joies, saisissait toutes les douleurs, s'emparait de toutes les formules d'existence en éparpillant si généreusement sa vie et ses sentiments sur les simulacres de cette nature plastique et vide, que le bruit de ses pas retentissait dans son âme comme le son lointain d'un autre monde, comme la rumeur de Paris arrive sur les tours de Notre-Dame.

En montant l'escalier intérieur qui conduisait aux salles situées au premier étage, il vit des boucliers votifs[5], des panoplies, des tabernacles sculptés, des figures en bois pendues aux murs, posées sur chaque marche. Poursuivi par les formes les plus étranges, par des créations merveilleuses assises sur les confins de la mort et de la vie, il marchait dans les enchantements d'un songe. Enfin, doutant de son existence, il était comme ces objets curieux, ni tout à fait mort, ni tout à fait vivant. Quand il entra dans les nouveaux magasins, le jour commençait à pâlir ; mais la lumière semblait inutile aux richesses resplendissant d'or et d'argent qui s'y trouvaient entassées. Les plus coûteux caprices de dissipateurs morts sous des mansardes après avoir possédé plusieurs millions, étaient dans ce vaste bazar des folies humaines. Une écritoire payée cent mille francs et rachetée pour cent sous, gisait auprès d'une serrure à

---

1. *Teniers* : David Téniers (1610-1690), peintre, dessinateur et graveur flamand. \ **2.** *Mieris* : Franz van Mieris (1635-1681), peintre hollandais. \ **3.** *Salvator Rosa* : peintre napolitain (1615-1673). \ **4.** *Rebec* : instrument de musique médiéval proche du violon. \ **5.** *Votifs* : offerts comme gages d'un vœu.

secret dont le prix aurait suffi jadis à la rançon d'un roi. Là, le génie humain apparaissait dans toutes les pompes de sa misère, dans toute la gloire de ses gigantesques petitesses. Une table d'ébène, véritable idole d'artistes, sculptée d'après les dessins de Jean Goujon[1] et qui coûta jadis plusieurs années de travail, avait été peut-être acquise au prix du bois à brûler. Des coffrets précieux, des meubles faits par la main des fées, y étaient dédaigneusement amoncelés.

— Vous avez des millions ici, s'écria le jeune homme en arrivant à la pièce qui terminait une immense enfilade d'appartements dorés et sculptés par des artistes du siècle dernier.

— Dites des milliards, répondit le gros garçon joufflu. Mais ce n'est rien encore, montez au troisième étage, et vous verrez !

L'inconnu suivit son conducteur et parvint à une quatrième galerie où successivement passèrent devant ses yeux fatigués plusieurs tableaux du Poussin[2], une sublime statue de Michel-Ange[3], quelques ravissants paysages de Claude Lorrain[4], un Gérard Dow[5] qui ressemblait à une page de Sterne, des Rembrandt[6], des Murillo[7], des Velasquez[8] sombres et colorés comme un poème de lord Byron[9] ; puis des bas-reliefs antiques, des coupes d'agate, des onyx merveilleux ! Enfin c'était des travaux à dégoûter du travail, des chefs-d'œuvre accumulés à faire prendre en haine les arts et à tuer l'enthousiasme. Il arriva devant une vierge de Raphaël[10], mais il était las de Raphaël. Une figure de Corrège qui voulait un regard ne l'obtint même pas. Un vase inestimable en porphyre antique et dont les sculptures circulaires représentaient de toutes les priapées[11] romaines la plus grotesquement licencieuse, délices de quelque Corinne[12], eut à peine un sourire. Il étouffait sous les débris de

1. *Jean Goujon* : sculpteur, dessinateur et architecte français (1510-v. 1566). \ 2. *Poussin* : Nicolas Poussin (1594-1665), maître de la peinture classique française. \ 3. *Michel-Ange :* sculpteur et peintre italien (1475-1564), auteur du décor de la chapelle Sixtine, au Vatican. \ 4. *Claude Lorrain* : peintre français (1600-1682). \ 5. *Gérard Dow* : peintre élève de Rembrandt (1613-1675). \ 6. *Rembrandt* : peintre, maître de l'école hollandaise (1606-1669). \ 7. *Murillo* : Bartolomé Murillo (1618-1682), peintre espagnol. \ 8. *Velazquez* : peintre espagnol (1599-1660). \ 9. *Byron* : lord Byron (1788-1824), poète anglais, modèle du romantisme français. \ 10. *Raphaël* : peintre et sculpteur italien (1483-1520). Le jeune homme « las de Raphaël » se prénomme lui-même Raphaël. \ 11. *Priapée* : poème, peinture et spectacle obscène. \ 12. *Corinne* : est-ce la poétesse lyrique grecque ou l'héroïne du roman de Mme de Staël *Corinne ou de l'Italie* (1802) ?

cinquante siècles évanouis, il était malade de toutes ces pensées humaines, assassiné par le luxe et les arts, oppressé sous ces formes renaissant qui, pareilles à des monstres enfantés sous ses pieds par quelque malin génie, lui livraient un combat sans fin.

Semblable en ses caprices à la chimie moderne qui résume la création par un gaz, l'âme ne compose-t-elle pas de terribles poisons par la rapide concentration de ses jouissances, de ses forces ou de ses idées ? Beaucoup d'hommes ne périssent-ils pas sous le foudroiement de quelque acide moral soudainement épandu dans leur être intérieur ?

— Que contient cette boîte ? demanda-t-il en arrivant à un grand cabinet, dernier monceau de gloire, d'efforts humains, d'originalités, de richesses parmi lesquelles il montra du doigt une grande caisse carrée construite en acajou, suspendue à un clou par une chaîne d'argent.

— Ah ! monsieur en a la clef, dit le gros garçon avec un air de mystère. Si vous désirez voir ce portrait, je me hasarderai volontiers à prévenir monsieur.

— Vous hasarder ! reprit le jeune homme. Votre maître est-il un prince ?

— Mais, je ne sais pas, répondit le garçon.

Ils se regardèrent pendant un moment aussi étonnés l'un que l'autre. Après avoir interprété le silence de l'inconnu comme un souhait, l'apprenti le laissa seul dans le cabinet.

Vous êtes-vous jamais lancé dans l'immensité de l'espace et du temps, en lisant les œuvres géologiques de Cuvier[1] ? Emporté par son génie, avez-vous plané sur l'abîme sans bornes du passé, comme soutenu par la main d'un enchanteur ? En découvrant de tranche en tranche, de couche en couche, sous les carrières de Montmartre ou dans les schistes de l'Oural, ces animaux dont les dépouilles fossilisées appartiennent à des civilisations antédiluviennes, l'âme est effrayée d'entrevoir des milliards d'années, des millions de peuples que la faible mémoire humaine, que l'indestructible tradition divine ont oubliés et dont la cendre entassée à la surface de notre globe, y

---

1. *Cuvier* : Georges Cuvier (1769-1832), naturaliste français.

forme les deux pieds de terre qui nous donnent du pain et des fleurs. Cuvier n'est-il pas le plus grand poète de notre siècle ? Lord Byron a bien reproduit par des mots quelques agitations morales ; mais notre immortel naturaliste a reconstruit des mondes avec des os blanchis, a rebâti comme Cadmus[1] des cités avec des dents, a repeuplé mille forêts de tous les mystères de la zoologie avec quelques fragments de houille, a retrouvé des populations de géants dans le pied d'un mammouth. Ces figures se dressent, grandissent et meublent des régions en harmonie avec leurs statures colossales. Il est poète avec des chiffres, il est sublime en posant un zéro près d'un sept. Il réveille le néant sans prononcer des paroles artificiellement magiques, il fouille une parcelle de gypse, y aperçoit une empreinte, et vous crie : Voyez ! Soudain les marbres s'animalisent, la mort se vivifie, le monde se déroule ! Après d'innombrables dynasties de créatures gigantesques, après des races de poissons et des clans de mollusques, arrive enfin le genre humain, produit dégénéré d'un type grandiose, brisé peut-être par le Créateur. Échauffés par son regard rétrospectif, ces hommes chétifs, nés d'hier, peuvent franchir le chaos, entonner un hymne sans fin et se configurer le passé de l'univers dans une sorte d'Apocalypse rétrograde. En présence de cette épouvantable résurrection due à la voix d'un seul homme, la miette dont l'usufruit[2] nous est concédé dans cet infini sans nom, commun à toutes les sphères et que nous avons nommé LE TEMPS, cette minute de vie nous fait pitié. Nous nous demandons, écrasés que nous sommes sous tant d'univers en ruines, à quoi bon nos gloires, nos haines, nos amours ; et si, pour devenir un point intangible dans l'avenir, la peine de vivre doit s'accepter ? Déracinés du présent, nous sommes morts jusqu'à ce que notre valet de chambre entre et vienne nous dire : — « Madame la comtesse a répondu qu'elle attendait monsieur ! »

Les merveilles dont l'aspect venait de présenter au jeune homme toute la création connue mirent dans son âme l'abattement que produit chez le philosophe la vue scientifique des créations

---

1. *Cadmus* : fondateur légendaire de Thèbes en Béotie. Il tue un dragon, plante les dents en terre d'où germe une population d'hommes armés qui s'entre-tuent. Des cinq survivants, il fait les notables de Thèbes. \ **2.** *Usufruit* : droit de jouissance d'un bien dont on n'est pas propriétaire.

inconnues, il souhaita plus vivement que jamais de mourir, et tomba sur une chaise curule [1] en laissant errer ses regards à travers les fantasmagories de ce panorama du passé. Les tableaux s'illuminèrent, les têtes de vierge lui sourirent, et les statues se colorèrent d'une vie trompeuse. À la faveur de l'ombre, et mises en danse par la fiévreuse tourmente qui fermentait dans son cerveau brisé, ces œuvres s'agitèrent et tourbillonnèrent devant lui ; chaque magot lui jeta sa grimace, les paupières des personnages représentés dans les tableaux s'abaissèrent sur leurs yeux pour les rafraîchir. Chacune de ces formes frémit, sautilla, se détacha de sa place gravement, légèrement, avec grâce ou brusquerie, selon ses mœurs, son caractère et sa contexture. Ce fut un mystérieux sabbat [2] digne des fantaisies entrevues par le docteur Faust sur le *Brocken* [3]. Mais ces phénomènes d'optique enfantés par la fatigue, par la tension des forces oculaires ou par les caprices du crépuscule, ne pouvaient effrayer l'inconnu. Les terreurs de la vie étaient impuissantes sur une âme familiarisée avec les terreurs de la mort. Il favorisa même par une sorte de complicité railleuse les bizarreries de ce galvanisme [4] moral dont les prodiges s'accouplaient aux dernières pensées qui lui donnaient encore le sentiment de l'existence. Le silence régnait si profondément autour de lui que bientôt il s'aventura dans une douce rêverie dont les impressions graduellement noires suivirent, de nuance en nuance et comme par magie, les lentes dégradations de la lumière. Une lueur en quittant le ciel fit reluire un dernier reflet rouge en luttant contre la nuit, il leva la tête, vit un squelette à peine éclairé qui pencha dubitativement son crâne de droite à gauche, comme pour lui dire : « Les morts ne veulent pas encore de toi ! » En passant la main sur son front pour en chasser le sommeil, le jeune homme sentit distinctement un vent frais produit par je ne sais quoi de velu qui lui effleura les joues et il frissonna. Les vitres ayant retenti d'un claquement sourd, il pensa que cette froide caresse digne des

---

1. *Chaise curule* : chaise d'ivoire réservée à certains magistrats de l'époque romaine. \ **2.** *Sabbat* : assemblée nocturne et bruyante de sorciers et de sorcières. \ **3.** *Brocken* : montagne allemande où se célèbre selon la légende le sabbat des sorcières. Dans *Faust* de Goethe, Méphistophélès le tentateur entraîne Faust dans ce sabbat. \ **4.** *Galvanisme* : phénomènes électriques qui concernent les muscles et les nerfs.

mystères de la tombe venait de quelque chauve-souris. Pendant un moment encore, les vagues reflets du couchant lui permirent d'apercevoir indistinctement les fantômes par lesquels il était entouré ; puis toute cette nature morte s'abolit dans une même teinte noire. La nuit, l'heure de mourir était subitement venue. Il s'écoula, dès ce moment, un certain laps de temps pendant lequel il n'eut aucune perception claire des choses terrestres, soit qu'il se fût enseveli dans une rêverie profonde, soit qu'il eût cédé à la somnolence provoquée par ses fatigues et par la multitude des pensées qui lui déchiraient le cœur. Tout à coup il crut avoir été appelé par une voix terrible, et il tressaillit comme lorsqu'au milieu d'un brûlant cauchemar nous sommes précipités d'un seul bond dans les profondeurs d'un abîme. Il ferma les yeux, les rayons d'une vive lumière l'éblouissaient ; il voyait briller au sein des ténèbres une sphère rougeâtre dont le centre était occupé par un petit vieillard qui se tenait debout et dirigeait sur lui la clarté d'une lampe. Il ne l'avait entendu ni venir, ni parler, ni se mouvoir. Cette apparition eut quelque chose de magique. L'homme le plus intrépide, surpris ainsi dans son sommeil, aurait sans doute tremblé devant ce personnage qui semblait être sorti d'un sarcophage voisin. La singulière jeunesse qui animait les yeux immobiles de cette espèce de fantôme empêchait l'inconnu de croire à des effets surnaturels ; néanmoins, pendant le rapide intervalle qui sépara sa vie somnambulique de sa vie réelle, il demeura dans le doute philosophique recommandé par Descartes[1], et fut alors, malgré lui, sous la puissance de ces inexplicables hallucinations dont les mystères sont condamnés par notre fierté ou que notre science impuissante tâche en vain d'analyser.

Figurez-vous un petit vieillard sec et maigre, vêtu d'une robe en velours noir, serrée autour de ses reins par un gros cordon de soie. Sur sa tête, une calotte en velours également noir laissait passer, de chaque côté de la figure, les longues mèches de ses cheveux blancs et s'appliquait sur le crâne de manière à rigidement encadrer le front. La robe ensevelissait le corps comme dans un vaste linceul, et ne permettait de voir d'autre forme humaine qu'un visage étroit et pâle.

---

1. *Descartes :* René Descartes, philosophe français (1596-1650), adepte du doute méthodiques, qui remet en cause les certitudes établies.

Sans le bras décharné, qui ressemblait à un bâton sur lequel on aurait posé une étoffe et que le vieillard tenait en l'air pour faire porter sur le jeune homme toute la clarté de la lampe, ce visage aurait paru suspendu dans les airs. Une barbe grise et taillée en pointe cachait le menton de cet être bizarre, et lui donnait l'apparence de ces têtes judaïques qui servent de types aux artistes quand ils veulent représenter Moïse. Les lèvres de cet homme étaient si décolorées, si minces, qu'il fallait une attention particulière pour deviner la ligne tracée par la bouche dans son blanc visage. Son large front ridé, ses joues blêmes et creuses, la rigueur implacable de ses petits yeux verts dénués de cils et de sourcils, pouvaient faire croire à l'inconnu que le *Peseur d'or* de Gérard Dow était sorti de son cadre. Une finesse d'inquisiteur trahie par les sinuosités de ses rides et par les plis circulaires dessinés sur ses tempes, accusait une science profonde des choses de la vie. Il était impossible de tromper cet homme qui semblait avoir le don de surprendre les pensées au fond des cœurs les plus discrets. Les mœurs de toutes les nations du globe et leurs sagesses se résumaient sur sa face froide, comme les productions du monde entier se trouvaient accumulées dans ses magasins poudreux. Vous y auriez lu la tranquillité lucide d'un Dieu qui voit tout, ou la force orgueilleuse d'un homme qui a tout vu. Un peintre aurait, avec deux expressions différentes et en deux coups de pinceau, fait de cette figure une belle image du Père Éternel ou le masque ricaneur du Méphistophélès [1], car il se trouvait tout ensemble une suprême puissance dans le front et de sinistres railleries sur la bouche. En broyant toutes les peines humaines sous un pouvoir immense, cet homme devait avoir tué les joies terrestres. Le moribond frémit en pressentant que ce vieux génie habitait une sphère étrangère au monde, et où il vivait seul, sans jouissances parce qu'il n'avait plus d'illusion, sans douleur parce qu'il ne connaissait plus de plaisirs. Le vieillard se tenait debout, immobile, inébranlable comme une étoile au milieu d'un nuage de lumière. Ses yeux verts, pleins de je ne sais quelle malice calme, semblaient éclairer le monde moral comme sa lampe illuminait ce cabinet mystérieux.

Mélange de réalisme des religions pour que le fanatisme ne soit pas si chargé / impossible

---

1. *Méphistophélès* : génie du mal, ange déchu, incarnation du démon notamment dans le *Faust* de Goethe.

Tel fut le spectacle étrange qui surprit le jeune homme au moment où il ouvrit les yeux, après avoir été bercé par des pensées de mort et de fantasques images. S'il demeura comme étourdi, s'il se laissa momentanément dominer par une croyance digne d'enfants qui écoutent les contes de leurs nourrices, il faut attribuer cette erreur au voile étendu sur sa vie et sur son entendement par ses méditations, à l'agacement de ses nerfs irrités, au drame violent dont les scènes venaient de lui prodiguer les atroces délices contenues dans un morceau d'opium. Cette vision avait lieu dans Paris, sur le quai Voltaire, au dix-neuvième siècle, temps et lieux où la magie devait être impossible. Voisin de la maison où le dieu de l'incrédulité française[1] avait expiré, disciple de Gay-Lussac[2] et d'Arago[3], contempteur des tours de gobelets que font les hommes du pouvoir, l'inconnu n'obéissait sans doute qu'à ces fascinations poétiques auxquelles nous nous prêtons souvent comme pour fuir de désespérantes vérités, comme pour tenter la puissance de Dieu. Il trembla donc devant cette lumière et ce vieillard, agité par l'inexplicable pressentiment de quelque pouvoir étrange ; mais cette émotion était semblable à celle que nous avons tous éprouvée devant Napoléon, ou en présence de quelque grand homme brillant de génie et revêtu de gloire.

— Monsieur désire voir le portrait de Jésus-Christ peint par Raphaël ? lui dit courtoisement le vieillard d'une voix dont la sonorité claire et brève avait quelque chose de métallique.

Et il posa la lampe sur le fût d'une colonne brisée, de manière à ce que la boîte brune reçût toute la clarté.

Aux noms religieux de Jésus-Christ et de Raphaël, il échappa au jeune homme un geste de curiosité, sans doute attendu par le marchand qui fit jouer un ressort. Soudain le panneau d'acajou glissa dans une rainure, tomba sans bruit et livra la toile à l'admiration de l'inconnu. À l'aspect de cette immortelle création, il oublia les fantaisies du magasin, les caprices de son sommeil,

---

1. ... *le dieu de l'incrédulité française* : le philosophe français Voltaire. \ 2. *Gay-Lussac* : physicien français (1778-1850), auteur de recherches sur les gaz et les vapeurs. \ 3. *Arago* : François Arago, savant et homme politique français (1786-1853), auteur de travaux sur la vitesse du son, la réfraction des gaz.

redevint homme, reconnut dans le vieillard une créature de chair, bien vivante, nullement fantasmagorique, et revécut dans le monde réel. La tendre sollicitude, la douce sérénité du divin visage influèrent aussitôt sur lui. Quelque parfum épanché des cieux dissipa les tortures infernales qui lui brûlaient la moelle des os. La tête du Sauveur des hommes paraissait sortir des ténèbres figurées par un fond noir ; une auréole de rayons étincelait vivement autour de sa chevelure d'où cette lumière voulait sortir ; sous le front, sous les chairs, il y avait une éloquente conviction qui s'échappait de chaque trait par de pénétrantes effluves. Les lèvres vermeilles venaient de faire entendre la parole de vie, et le spectateur en cherchait le retentissement sacré dans les airs, il en demandait les ravissantes paraboles au silence, il l'écoutait dans l'avenir, la retrouvait dans les enseignements du passé. L'Évangile était traduit par la simplicité calme de ces adorables yeux où se réfugiaient les âmes troublées. Enfin la religion catholique se lisait tout entière en un suave et magnifique sourire qui semblait exprimer ce précepte où elle se résume : *Aimez-vous les uns les autres* ! Cette peinture inspirait une prière, recommandait le pardon, étouffait l'égoïsme, réveillait toutes les vertus endormies. Partageant le privilège des enchantements de la musique, l'œuvre de Raphaël vous jetait sous le charme impérieux des souvenirs, et son triomphe était complet, on oubliait le peintre. Le prestige de la lumière agissait encore sur cette merveille ; par moments il semblait que la tête s'agitât dans le lointain, au sein de quelque nuage.

— J'ai couvert cette toile de pièces d'or, dit froidement le marchand.

— Eh bien, il va falloir mourir, s'écria le jeune homme qui sortait d'une rêverie dont la dernière pensée l'avait ramené vers sa fatale destinée en le faisant descendre par d'insensibles déductions d'une dernière espérance à laquelle il s'était attaché.

— Ah ! ah ! j'avais donc raison de me méfier de toi, répondit le vieillard en saisissant les deux mains du jeune homme qu'il serra par les poignets dans l'une des siennes, comme dans un étau.

L'inconnu sourit tristement de cette méprise et dit d'une voix douce : — Hé ! monsieur, ne craignez rien, il s'agit de ma vie et non de la vôtre. Pourquoi n'avouerais-je pas une innocente supercherie, reprit-il après avoir regardé le vieillard inquiet. En attendant la nuit, afin de pouvoir me noyer sans esclandre, je suis venu voir vos richesses. Qui ne pardonnerait ce dernier plaisir à un homme de science et de poésie !

Le soupçonneux marchand examina d'un œil sagace le morne visage de son faux chaland[1] tout en l'écoutant parler. Rassuré bientôt par l'accent de cette voix douloureuse, ou lisant peut-être dans ces traits décolorés les sinistres destinées qui naguère avaient fait frémir les joueurs, il lâcha les mains ; mais par un reste de suspicion qui révéla une expérience au moins centenaire, il étendit nonchalamment le bras vers un buffet comme pour s'appuyer, et dit en y prenant un stylet : – Êtes-vous depuis trois ans surnuméraire[2] au trésor, sans y avoir touché de gratification ?

L'inconnu ne put s'empêcher de sourire en faisant un geste négatif.

– Votre père vous a-t-il trop vivement reproché d'être venu au monde, ou bien êtes-vous déshonoré ?

– Si je voulais me déshonorer, je vivrais.

– Avez-vous été sifflé aux Funambules, ou vous trouvez-vous obligé de composer des flons flons pour payer le convoi de votre maîtresse ? N'auriez-vous pas plutôt la maladie de l'or ? voulez-vous détrôner l'ennui ? Enfin, quelle erreur vous engage à mourir ?

– Ne cherchez pas le principe de ma mort dans les raisons vulgaires qui commandent la plupart des suicides. Pour me dispenser de vous dévoiler des souffrances inouïes et qu'il est difficile d'exprimer en langage humain, je vous dirai que je suis dans la plus profonde, la plus ignoble, la plus perçante de toutes les misères. Et, ajouta-t-il d'un ton de voix dont la fierté sauvage démentait ses paroles précédentes, je ne veux mendier ni secours ni consolations.

– Eh ! eh ! Ces deux syllabes que d'abord le vieillard fit entendre pour toute réponse ressemblèrent au cri d'une crécelle[3]. Puis il reprit ainsi : – Sans vous forcer à m'implorer, sans vous faire rougir, et sans vous donner un centime de France, un parat du Levant, un tarain de Sicile, un heller d'Allemagne, un copec de Russie, un farthing d'Écosse, une seule des sesterces ou des oboles

---

1. *Chaland* : client. \ 2. *Surnuméraire* : employé de l'administration de grade inférieur et non titulaire. \ 3. *Crécelle* : instrument qui fait un bruit sec et aigu.

de l'ancien monde, ni une piastre du nouveau, sans vous offrir quoi que ce soit en or, argent, billon[1], papier, billet, je veux vous faire plus riche, plus puissant et plus considéré que ne peut l'être un roi constitutionnel.

Le jeune homme crut le vieillard en enfance, et resta comme engourdi, sans oser répondre.

— Retournez-vous, dit le marchand en saisissant tout à coup la lampe pour en diriger la lumière sur le mur qui faisait face au portrait, et regardez cette PEAU DE CHAGRIN, ajouta-t-il.

Le jeune homme se leva brusquement et témoigna quelque surprise en apercevant au-dessus du siège où il s'était assis un morceau de *chagrin*[2] accroché sur le mur, et dont la dimension n'excédait pas celle d'une peau de renard ; mais, par un phénomène inexplicable au premier abord, cette peau projetait au sein de la profonde obscurité qui régnait dans le magasin des rayons si lumineux que vous eussiez dit d'une petite comète. Le jeune incrédule s'approcha de ce prétendu talisman qui devait le préserver du malheur, et s'en moqua par une phrase mentale. Cependant, animé d'une curiosité bien légitime, il se pencha pour regarder alternativement la Peau sous toutes les faces, et découvrit bientôt une cause naturelle à cette singulière lucidité. Les grains noirs du chagrin étaient si soigneusement polis et si bien brunis, les rayures capricieuses en étaient si propres et si nettes que, pareilles à des facettes de grenat, les aspérités de ce cuir oriental formaient autant de petits foyers qui réfléchissaient vivement la lumière. Il démontra mathématiquement la raison de ce phénomène au vieillard, qui, pour toute réponse, sourit avec malice. Ce sourire de supériorité fit croire au jeune savant qu'il était la dupe en ce moment de quelque charlatanisme. Il ne voulut pas emporter une énigme de plus dans la tombe, et retourna promptement la Peau comme un enfant pressé de connaître les secrets de son jouet nouveau.

— Ah ! ah ! s'écria-t-il, voici l'empreinte du sceau que les Orientaux nomment le cachet de Salomon[3].

1. *Billon* : monnaie de cuivre. \ 2. *Chagrin* : cuir grenu d'âne. \ 3. *Cachet de Salomon* : étoile à six branches représentée sur une bague qui donnait la toute-puissance à son détenteur.

– Vous le connaissez donc ? demanda le marchand dont les narines laissèrent passer deux ou trois bouffées d'air qui peignirent plus d'idées que n'en auraient exprimé les plus énergiques paroles.

– Existe-t-il au monde un homme assez simple pour croire à cette chimère ? s'écria le jeune homme piqué d'entendre ce rire muet et plein d'amères dérisions. Ne savez-vous pas, ajouta-t-il, que les superstitions de l'Orient ont consacré la forme mystique et les caractères mensongers de cet emblème qui représente une puissance fabuleuse ? Je ne crois pas devoir être plus taxé de niaiserie dans cette circonstance que si je parlais des Sphinx ou des Griffons [1], dont l'existence est en quelque sorte mythologiquement admise.

– Puisque vous êtes un orientaliste, reprit le vieillard, peut-être lirez-vous cette sentence ?

Il apporta la lampe près du talisman que le jeune homme tenait à l'envers, et lui fit apercevoir des caractères incrustés dans le tissu cellulaire de cette Peau merveilleuse, comme s'ils eussent été produits par l'animal auquel elle avait jadis appartenu.

– J'avoue, s'écria l'inconnu, que je ne devine guère le procédé dont on se sera servi pour graver si profondément ces lettres sur la peau d'un onagre [2].

Et, se retournant avec vivacité vers les tables chargées de curiosités, ses yeux parurent y chercher quelque chose.

– Que voulez-vous ? demanda le vieillard.

– Un instrument pour trancher le chagrin, afin de voir si les lettres y sont empreintes ou incrustées.

Le vieillard présenta son stylet à l'inconnu, qui le prit et tenta d'entamer la Peau à l'endroit où les paroles se trouvaient écrites ; mais, quand il eut enlevé une légère couche de cuir, les lettres y reparurent si nettes et tellement conformes à celles qui étaient imprimées sur la surface, que, pendant un moment, il crut n'en avoir rien ôté.

– L'industrie du Levant [3] a des secrets qui lui sont réellement particuliers, dit-il en regardant la sentence orientale avec une sorte d'inquiétude.

---

1. *Griffon* : animal monstrueux, à corps de lion, à tête et à corps d'aigle. \ **2.** *Onagre* : âne sauvage, de grande taille. \ **3.** *Levant* : régions de la Méditerranée orientale.

— Oui, répondit le vieillard, il vaut mieux s'en prendre aux hommes qu'à Dieu !

Les paroles mystérieuses étaient disposées de la manière suivante :

او ملكتـني ملكت آلكّل
و لكن عمرك ملكى
واراد الله هكذا
اطلب و ستننال مطالبك
و لكن قس مطالبك على عمرك
وهى داهنا
فدكل مرامك ستسنزل ايامك
أتربد فى
الله محببك
آمدن

Ce qui voulait dire en français :

SI TU ME POSSÈDES, TU POSSÉDERAS TOUT,
MAIS TA VIE M'APPARTIENDRA. DIEU L'A
VOULU AINSI. DÉSIRE, ET TES DÉSIRS
SERONT ACCOMPLIS. MAIS RÈGLE
TES SOUHAITS SUR TA VIE.
ELLE EST LÀ. À CHAQUE
VOULOIR JE DÉCROÎTRAI
COMME TES JOURS.
ME VEUX - TU ?
PRENDS. DIEU
T'EXAUCERA.
SOIT !

[annotation manuscrite en marge : ignorance d'auteur — arabique pas sanscrit — orientalisme]

37

— Ah! vous lisez couramment le sanscrit[1], dit le vieillard. Peut-être avez-vous voyagé en Perse ou dans le Bengale?

— Non, monsieur, répondit le jeune homme en tâtant avec curiosité cette Peau symbolique, assez semblable à une feuille de métal par son peu de flexibilité.

Le vieux marchand remit la lampe sur la colonne où il l'avait prise, en lançant au jeune homme un regard empreint d'une froide ironie qui semblait dire: il ne pense déjà plus à mourir.

— Est-ce une plaisanterie, est-ce un mystère? demanda le jeune inconnu.

Le vieillard hocha de la tête et dit gravement:

— Je ne saurais vous répondre. J'ai offert le terrible pouvoir que donne ce talisman à des hommes doués de plus d'énergie que vous ne paraissez en avoir; mais, tout en se moquant de la problématique influence qu'il devait exercer sur leurs destinées futures, aucun n'a voulu se risquer à conclure ce contrat si fatalement proposé par je ne sais quelle puissance. Je pense comme eux, j'ai douté, je me suis abstenu, et…

— Et vous n'avez pas même essayé? dit le jeune homme ne l'interrompant.

— Essayer! dit le vieillard. Si vous étiez sur la colonne de la place Vendôme, essaieriez-vous de vous jeter dans les airs? Peut-on arrêter le cours de la vie? L'homme a-t-il jamais pu scinder la mort? Avant d'entrer dans ce cabinet, vous aviez résolu de vous suicider; mais tout à coup un secret vous occupe et vous distrait de mourir. Enfant! Chacun de vos jours ne vous offrira-t-il pas une énigme plus intéressante que ne l'est celle-ci? Écoutez-moi. J'ai vu la cour licencieuse du régent[2]. Comme vous, j'étais alors dans la misère, j'ai mendié mon pain; néanmoins j'ai atteint l'âge de cent deux ans, et je suis devenu millionnaire: le malheur m'a donné la fortune, l'ignorance m'a instruit. Je vais vous révéler en peu de mots un grand mystère de la vie humaine. L'homme s'épuise par deux actes instinctivement accomplis qui tarissent les sources de son

---

1. *Vous lisez couramment le sanscrit*: Cette inscription figure en arabe dans le texte et non en sanscrit. \ **2.** *Régent*: Philippe d'Orléans gouverna la France à la mort de Louis XIV pendant la minorité de Louis XV. Il mena une vie particulièrement débauchée.

existence. Deux verbes expriment toutes les formes que prennent ces deux causes de mort : VOULOIR et POUVOIR. Entre ces deux termes de l'action humaine, il est une autre formule dont s'emparent les sages, et je lui dois le bonheur et ma longévité. *Vouloir* nous brûle et *Pouvoir* nous détruit ; mais SAVOIR laisse notre faible organisation dans un perpétuel état de calme. Ainsi le désir ou le vouloir est mort en moi, tué par la pensée ; le mouvement ou le pouvoir s'est résolu par le jeu naturel de mes organes. En deux mots, j'ai placé ma vie, non dans le cœur qui se brise, non dans les sens qui s'émoussent, mais dans le cerveau qui ne s'use pas et qui survit à tout. Rien d'excessif n'a froissé ni mon âme, ni mon corps. Cependant j'ai vu le monde entier. Mes pieds ont foulé les plus hautes montagnes de l'Asie et de l'Amérique, j'ai appris tous les langages humains, et j'ai vécu sous tous les régimes. J'ai prêté mon argent à un Chinois en prenant pour gage le corps de son père, j'ai dormi sous la tente de l'Arabe sur la foi de sa parole, j'ai signé des contrats dans toutes les capitales européennes, et j'ai laissé sans crainte mon or dans le wigwam [1] des sauvages ; enfin j'ai tout obtenu, parce que j'ai tout su dédaigner. Ma seule ambition a été de voir. Voir, n'est-ce pas savoir ? Oh ! savoir, jeune homme, n'est-ce pas jouir intuitivement ? N'est-ce pas découvrir la substance même du fait et s'en emparer essentiellement ? Que reste-t-il d'une possession matérielle ? Une idée. Jugez alors combien doit être belle la vie d'un homme qui, pouvant empreindre toutes les réalités dans sa pensée, transporte en son âme les sources du bonheur, en extrait mille voluptés idéales dépouillées des souillures terrestres. La pensée est la clef de tous les trésors, elle procure les joies de l'avare sans en donner les soucis. Aussi ai-je plané sur le monde, où mes plaisirs ont toujours été des jouissances intellectuelles. Mes débauches étaient la contemplation des mers, des peuples, des forêts, des montagnes ! J'ai tout vu, mais tranquillement, sans fatigue ; je n'ai jamais rien désiré, j'ai tout attendu. Je me suis promené dans l'univers comme dans le jardin d'une habitation qui m'appartenait. Ce que les hommes appellent chagrins,

---

1. *Wigwam* : hutte des Indiens d'Amérique du Nord.

amours, ambitions, revers, tristesse, sont, pour moi, des idées que je change en rêveries ; au lieu de les sentir, je les exprime, je les traduis ; au lieu de leur laisser dévorer ma vie, je les dramatise, je les développe ; je m'en amuse comme de romans que je lirais par une vision intérieure. N'ayant jamais lassé mes organes, je jouis encore d'une santé robuste. Mon âme ayant hérité de toute la force dont je n'abusais pas, cette tête est encore mieux meublée que ne le sont mes magasins. Là, dit-il en se frappant le front, là sont les vrais millions. Je passe des journées délicieuses en jetant un regard intelligent dans le passé ; j'évoque des pays entiers, des sites, des vues de l'Océan, des figures historiquement belles ! J'ai un sérail imaginaire où je possède toutes les femmes que je n'ai pas eues. Je revois souvent vos guerres, vos révolutions, et je les juge. Oh ! comment préférer de fébriles, de légères admirations pour quelques chairs plus ou moins colorées, pour des formes plus ou moins rondes ! comment préférer tous les désastres de vos volontés trompées à la faculté sublime de faire comparaître en soi l'univers, au plaisir immense de se mouvoir sans être garrotté par les liens du temps ni par les entraves de l'espace, au plaisir de tout embrasser, de tout voir, de se pencher sur le bord du monde pour interroger les autres sphères, pour écouter Dieu ! Ceci, dit-il d'une voix éclatante en montrant la Peau de chagrin, est le *pouvoir* et le *vouloir* réunis. Là sont vos idées sociales, vos désirs excessifs, vos intempérances, vos joies qui tuent, vos douleurs qui font trop vivre ; car le mal n'est peut-être qu'un violent plaisir. Qui pourrait déterminer le point où la volupté devient un mal et celui où le mal est encore la volupté ? Les plus vives lumières du monde idéal ne caressent-elles pas la vue, tandis que les plus douces ténèbres du monde physique la blessent toujours ? Le mot de Sagesse ne vient-il pas de savoir ? et qu'est-ce que la folie, sinon l'excès d'un vouloir ou d'un pouvoir ?

— Eh bien, oui, je veux vivre avec excès, dit l'inconnu en saisissant la Peau de chagrin.

— Jeune homme, prenez garde, s'écria le vieillard avec une incroyable vivacité.

— J'avais résolu ma vie par l'étude et par la pensée ; mais elles ne m'ont même pas nourri, répliqua l'inconnu. Je ne veux être la dupe ni d'une prédication digne de Swedenborg[1], ni de votre amulette orientale, ni des charitables efforts que vous faites, monsieur, pour me retenir dans un monde où mon existence est désormais impossible. Voyons! ajouta-t-il en serrant le talisman d'une main convulsive et regardant le vieillard. Je veux un dîner royalement splendide, quelque bacchanale[2] digne du siècle où tout s'est, dit-on, perfectionné! Que mes convives soient jeunes, spirituels et sans préjugés, joyeux jusqu'à la folie! Que les vins se succèdent toujours plus incisifs, plus pétillants, et soient de force à nous enivrer pour trois jours! Que cette nuit soit parée de femmes ardentes! Je veux que la Débauche en délire et rugissant nous emporte dans son char à quatre chevaux, par-delà les bornes du monde, pour nous verser sur des plages inconnues : que les âmes montent dans les cieux ou se plongent dans la boue, je ne sais si alors elles s'élèvent ou s'abaissent, peu m'importe! Donc je commande à ce pouvoir sinistre de me fondre toutes les joies dans une joie. Oui, j'ai besoin d'embrasser les plaisirs du ciel et de la terre dans une dernière étreinte pour en mourir. Aussi souhaité-je et des priapées antiques après boire, et des chants à réveiller les morts, et de triples baisers, des baisers sans fin dont la clameur passe sur Paris comme un craquement d'incendie, y réveille les époux et leur inspire une ardeur cuisante qui les rajeunisse tous, même les septuagénaires!

Un éclat de rire, parti de la bouche du petit vieillard, retentit dans les oreilles du jeune fou comme un bruissement de l'enfer, et l'interdit[3] si despotiquement qu'il se tut.

— Croyez-vous, dit le marchand, que mes planchers vont s'ouvrir tout à coup pour donner passage à des tables somptueusement servies et à des convives de l'autre monde? Non, non, jeune étourdi. Vous avez signé le pacte, tout est dit. Maintenant vos volontés seront scrupuleusement satisfaites, mais aux dépens de votre vie. Le cercle de vos jours, figuré par cette Peau,

1. *Swedenborg* : Emmanuel Swedenborg (1688-1772), homme de science et inventeur suédois. \ 2. *Bacchanale* : orgie. \ 3. *L'interdit* : le frappa de stupeur.

se resserrera suivant la force et le nombre de vos souhaits, depuis le plus léger jusqu'au plus exorbitant. Le bramine[1] auquel je dois ce talisman m'a jadis expliqué qu'il s'opérerait un mystérieux accord entre les destinées et les souhaits du possesseur. Votre premier désir est vulgaire, je pourrais le réaliser; mais j'en laisse le soin aux événements de votre nouvelle existence. Après tout, vous vouliez mourir? hé! bien, votre suicide n'est que retardé.

L'inconnu, surpris et presque irrité de se voir toujours plaisanté par ce singulier vieillard dont l'intention demi-philanthropique lui parut clairement démontrée dans cette dernière raillerie, s'écria: — Je verrai bien, monsieur, si ma fortune changera pendant le temps que je vais mettre à franchir la largeur du quai. Mais, si vous ne vous moquez pas d'un malheureux, je désire, pour me venger d'un si fatal service, que vous tombiez amoureux d'une danseuse! Vous comprendrez alors le bonheur d'une débauche, et peut-être deviendrez-vous prodigue de tous les biens que vous avez si philosophiquement ménagés.

Il sortit sans entendre un grand soupir que poussa le vieillard, traversa les salles et descendit les escaliers de cette maison, suivi par le gros garçon joufflu qui voulut vainement l'éclairer; il courait avec la prestesse d'un voleur pris en flagrant délit. Aveuglé par une sorte de délire, il ne s'aperçut même pas de l'incroyable ductilité[2] de la Peau de chagrin, qui, devenue souple comme un gant, se roula sous ses doigts frénétiques et put entrer dans la poche de son habit où il la mit presque machinalement. En s'élançant de la porte du magasin sur la chaussée, il heurta trois jeunes gens qui se tenaient bras dessus bras dessous.

— Animal!

— Imbécile!

Telles furent les gracieuses interpellations qu'ils échangèrent.

---

1. *Bramine*: ou brahmane, membre d'une des grandes castes sacerdotales de l'Inde. \ **2.** *Ductilité*: souplesse.

— Eh ! c'est Raphaël.

— Ah ! bien, nous te cherchions.

— Quoi ! C'est vous ?

Ces trois phrases amicales succédèrent à l'injure aussitôt que la clarté d'un réverbère balancé par le vent frappa les visages de ce groupe étonné.

— Mon cher ami, dit à Raphaël le jeune homme qu'il avait failli renverser, tu vas venir avec nous.

— De quoi s'agit-il donc ?

— Avance toujours, je te conterai l'affaire en marchant.

De force ou de bonne volonté, Raphaël fut entouré de ses amis, qui, l'ayant enchaîné par les bras dans leur joyeuse bande, l'entraînèrent vers le Pont des Arts.

— Mon cher, dit l'orateur en continuant, nous sommes à ta poursuite depuis une semaine environ. À ton respectable hôtel Saint-Quentin, dont par parenthèse l'enseigne inamovible offre des lettres toujours alternativement noires et rouges comme au temps de J.-J. Rousseau, ta Léonarde [1] nous a dit que tu étais parti pour la campagne. Cependant nous n'avions certes pas l'air de gens d'argent, huissiers, créanciers, gardes du commerce, etc. N'importe ! Rastignac t'avait aperçu la veille aux Bouffons [2], nous avons repris courage, et nous avons mis de l'amour-propre à découvrir si tu te perchais sur les arbres des Champs-Élysées, si tu allais coucher pour deux sous dans ces maisons philanthropiques où les mendiants dorment appuyés sur des cordes tendues, ou si, plus heureux, ton bivouac n'était pas établi dans quelque boudoir. Nous ne t'avons rencontré nulle part, ni sur les écrous de Sainte-Pélagie, ni sur ceux de la Force [3] ! Les ministères, l'Opéra, les maisons conventuelles [4], cafés, bibliothèques, listes de préfets, bureaux de journalistes, restaurants, foyers de théâtre, bref, tout ce qu'il y a dans Paris de bons et de mauvais lieux ayant été savamment explorés, nous gémissions sur la perte d'un homme doué

---

1. *... ta Léonarde* : ta logeuse. \ **2.** *Bouffons* : Théâtre-Italien. \ **3.** *Ni sur les écrous de { ... } Force* : Sainte-Pélagie était une prison pour dettes, la Force, une prison de droit commun. Les écrous, procès-verbaux des incarcérations, sont consignés dans des registres. \ **4.** *Maisons conventuelles* : couvents.

d'assez de génie pour se faire également chercher à la cour et dans les prisons. Nous parlions de te canoniser comme un héros de Juillet[1] ! et, ma parole d'honneur, nous te regrettions.

En ce moment, Raphaël passait avec ses amis sur le Pont des Arts, d'où, sans les écouter, il regardait la Seine dont les eaux mugissantes répétaient les lumières de Paris. Au-dessus de ce fleuve, dans lequel il voulait se précipiter naguère, les prédictions du vieillard étaient accomplies, l'heure de sa mort se trouvait déjà fatalement retardée.

— Et nous te regrettions vraiment ! dit son ami poursuivant toujours sa thèse. Il s'agit d'une combinaison dans laquelle nous te comprenions en ta qualité d'homme supérieur, c'est-à-dire d'homme qui sait se mettre au-dessus de tout. L'escamotage de la muscade constitutionnelle[2] sous le gobelet royal se fait aujourd'hui, mon cher, plus gravement que jamais. L'infâme Monarchie renversée par l'héroïsme populaire était une femme de mauvaise vie avec laquelle on pouvait rire et banqueter ; mais la Patrie est une épouse acariâtre et vertueuse, il nous faut accepter, bon gré, mal gré, ses caresses compassées. Or donc, le pouvoir s'est transporté, comme tu sais, des Tuileries chez les journalistes, de même que le budget a changé de quartier, en passant du faubourg Saint-Germain à la Chaussée-d'Antin[3]. Mais voici ce que tu ne sais peut-être pas ! Le gouvernement, c'est-à-dire l'aristocratie de banquiers et d'avocats qui font aujourd'hui de la patrie comme les prêtres faisaient jadis de la monarchie, a senti la nécessité de mystifier le bon peuple de France avec des mots nouveaux et de vieilles idées, à l'instar des philosophes de toutes les écoles et des hommes forts de tous les temps. Il s'agit donc de nous inculquer une opinion royalement nationale, en nous prouvant qu'il est bien plus heureux de payer douze cents millions trente-trois centimes à la patrie représentée par messieurs tels et tels, que onze cents millions neuf centimes à un

---

1. *Héros de Juillet* : la révolution de Juillet 1830 vient d'avoir lieu. Les acteurs de cette révolution sont considérés commes des héros. \ **2.** *Muscade* : boule de petite taille dont se servent les escamoteurs pour faire leurs tours. \ **3.** *Du faubourg Saint-Germain à la Chaussée-d'Antin* : de la noblesse à la haute bourgeoisie banquière.

roi qui disait *moi* au lieu de dire *nous*. En un mot, un journal armé
de deux ou trois cent bons mille francs vient d'être fondé dans le
but de faire une opposition qui contente les mécontents, sans
nuire au gouvernement national du roi-citoyen[1]. Or, comme
nous nous moquons de la liberté autant que du despotisme, de la
religion aussi bien que de l'incrédulité ; que pour nous la patrie
est une capitale où les idées s'échangent et se vendent à tant
la ligne, où tous les jours amènent de succulents dîners, de
nombreux spectacles ; où fourmillent de licencieuses prostituées,
où les soupers ne finissent que le lendemain, où les amours vont
à l'heure comme les citadines ; que Paris sera toujours la plus
adorable de toutes les patries ! la patrie de la joie, de la liberté, de
l'esprit, des jolies femmes, des mauvais sujets, du bon vin, et où
le bâton du pouvoir ne se fera jamais trop sentir, puisque l'on est
près de ceux qui le tiennent... Nous, véritables sectateurs du
dieu Méphistophélès, avons entrepris de badigeonner l'esprit
public, de rhabiller les acteurs, de clouer de nouvelles planches à
la baraque gouvernementale, de médicamenter les doctrinaires,
de recuire les vieux républicains, de réchampir les bonapartistes
et de ravitailler le centre, pourvu qu'il nous soit permis de rire *in
petto* des rois et des peuples, de ne pas être le soir de notre opinion
du matin, et de passer une joyeuse vie à la Panurge[2] ou *more
orientali*[3], couchés sur de moelleux coussins. Nous te destinions
les rênes de cet empire macaronique[4] et burlesque, ainsi nous
t'emmenons de ce pas au dîner donné par le fondateur dudit
journal, un banquier retiré qui, ne sachant que faire de son or,
veut le changer en esprit. Tu y seras accueilli comme un frère,
nous t'y saluerons roi de ces esprits frondeurs que rien
n'épouvante, dont la perspicacité découvre les intentions de
l'Autriche, de l'Angleterre ou de la Russie, avant que la Russie,
l'Angleterre ou l'Autriche n'aient des intentions ! Oui, nous
t'instituerons le souverain de ces puissances intelligentes qui
fournissent au monde les Mirabeau, les Talleyrand, les Pitt, les

---

1. *Roi-citoyen* : Louis-Philippe, roi des Français, monarque bourgeois, vient de monter sur le
trône. \ **2.** *Panurge* : héros truculent de Rabelais. \ **3.** *More orientali* : de façon plus orientale.
\ **4.** *Macaronique* : burlesque.

Metternich[1], enfin tous ces hardis Crispins[2] qui jouent entre eux les destinées d'un empire comme les hommes vulgaires jouent leur *kirchen-wasser*[3] aux dominos. Nous t'avons donné pour le plus intrépide compagnon qui jamais ait étreint corps à corps la Débauche, ce monstre admirable avec lequel veulent lutter tous les esprits forts ; nous avons même affirmé qu'il ne t'a pas encore vaincu. J'espère que tu ne feras pas mentir nos éloges. Taillefer, notre amphitryon[4], nous a promis de surpasser les étroites saturnales[5] de nos petits Lucullus[6] modernes. Il est assez riche pour mettre de la grandeur dans les petitesses, de l'élégance et de la grâce dans le vice. Entends-tu, Raphaël ? lui demanda l'orateur en s'interrompant.

— Oui, répondit le jeune homme moins étonné de l'accomplissement de ses souhaits que surpris de la manière naturelle par laquelle les événements s'enchaînaient.

Quoiqu'il lui fût impossible de croire à une influence magique, il admirait les hasards de la destinée humaine.

— Mais tu nous dis oui, comme si tu pensais à la mort de ton grand-père, lui répliqua l'un de ses voisins.

— Ah ! reprit Raphaël avec un accent de naïveté qui fit rire ces écrivains, l'espoir de la jeune France, je pensais, mes amis, que nous voilà près de devenir de bien grands coquins ! Jusqu'à présent nous avons fait de l'impiété entre deux vins, nous avons pesé la vie étant ivres, nous avons prisé les hommes et les choses en digérant. Vierges du fait, nous étions hardis en paroles ; mais marqués maintenant par le fer chaud de la politique, nous allons entrer dans ce grand bagne et y perdre nos illusions. Quand on ne croit

---

1. *Les Mirabeau, {…}, les Metternich* : comte de Mirabeau (1749-1791), défenseur brillant des principes révolutionnaires. Charles-Maurice de Talleyrand-Périgord (1754-1838), diplomate, nommé ambassadeur à Londres en 1830. William Pitt (1759-1806), homme d'État anglais qui fut un des adversaires acharnés de la révolution de 1789. Clément, prince de Metternich (1773-1859), homme d'État autrichien, rouage essentiel de la diplomatie européenne en 1830. \ **2.** *Crispin* : valet de la comédie italienne, malicieux et rusé, très présent notamment chez Marivaux. \ **3.** *Kirchen-wasser* : eau-de-vie de cerises. \ **4.** *Amphitryon* : hôte. \ **5.** *Saturnales* : fêtes célébrées à l'époque romaine en l'honneur de Saturne, où les esclaves prenaient la place des maîtres. \ **6.** *Lucullus* : général romain du Ier siècle av. J.-C., qui mena à sa retraite une vie dont le luxe reste proverbial.

plus qu'au diable, il est permis de regretter le paradis de la jeunesse, le temps d'innocence où nous tendions dévotement la langue à un bon prêtre, pour recevoir le sacré corps de Notre-Seigneur Jésus-Christ. Ah! mes bons amis, si nous avons eu tant de plaisir à commettre nos premiers péchés, c'est que nous avions des remords pour les embellir et leur donner du piquant, de la saveur; tandis que maintenant...

— Oh! maintenant, reprit le premier interlocuteur, il nous reste...

— Quoi? dit un autre.

— Le crime...

— Voilà un mot qui a toute la hauteur d'une potence et toute la profondeur de la Seine, répliqua Raphaël.

— Oh! tu ne m'entends pas. Je parle des crimes politiques. Depuis ce matin je n'envie qu'une existence, celle des conspirateurs. Demain, je ne sais si ma fantaisie durera toujours; mais ce soir la vie pâle de notre civilisation, unie comme la rainure d'un chemin de fer, fait bondir mon cœur de dégoût! Je suis épris de passion pour les malheurs de la déroute de Moscou[1], pour les émotions du *Corsaire rouge*[2] et pour l'existence des contrebandiers. Puisqu'il n'y a plus de Chartreux[3] en France, je voudrais au moins un Botany-Bay[4], une espèce d'infirmerie destinée aux petits lords Byrons, qui, après avoir chiffonné la vie comme une serviette après dîner, n'ont plus rien à faire qu'à incendier leur pays, se brûler la cervelle, conspirer pour la république, ou demander la guerre...

— Émile, dit avec feu le voisin de Raphaël à l'interlocuteur, foi d'homme, sans la révolution de Juillet, je me faisais prêtre pour aller mener une vie animale au fond de quelque campagne, et...

— Et tu aurais lu le bréviaire[5] tous les jours?

— Oui.

— Tu es un fat.

---

1. *Déroute de Moscou*: retraite de Napoléon pendant l'hiver 1812 en Russie. \ **2.** *Corsaire rouge*: roman de Fenimore Cooper en 1828. \ **3.** *Chartreux*: ordre de moines solitaires. \ **4.** *Botany-Bay*: baie d'Australie utilisée par les Anglais à partir de 1787 pour déporter leurs forçats. \ **5.** *Bréviaire*: livre renfermant les formules de prières.

— Nous lisons bien les journaux.

— Pas mal! pour un journaliste. Mais, tais-toi, nous marchons au milieu d'une masse d'abonnés. Le journalisme vois-tu, c'est la religion des sociétés modernes, et il y a progrès.

— Comment?

— Les pontifes ne sont pas tenus de croire, ni le peuple non plus...

En devisant ainsi, comme de braves gens qui savaient le *De Viris illustribus* [1] depuis longues années, ils arrivèrent à un hôtel de la rue Joubert.

Émile était un journaliste qui avait conquis plus de gloire à ne rien faire que les autres n'en recueillent de leurs succès. Critique hardi, plein de verve et de mordant, il possédait toutes les qualités que comportaient ses défauts. Franc et rieur, il disait en face mille épigrammes à un ami qu'absent il défendait avec courage et loyauté. Il se moquait de tout, même de son avenir. Toujours dépourvu d'argent, il restait, comme tous les hommes de quelque portée, plongé dans une inexprimable paresse, jetant un livre dans un mot au nez de gens qui ne savaient pas mettre un mot dans leurs livres. Prodigue de promesses qu'il ne réalisait jamais, il s'était fait de sa fortune et de sa gloire un coussin pour dormir, courant ainsi la chance de se réveiller vieux à l'hôpital. D'ailleurs, ami jusqu'à l'échafaud, fanfaron de cynisme et simple comme un enfant, il ne travaillait que par boutade ou par nécessité.

— Nous allons faire, suivant l'expression de maître Alcofribas [2], un fameux *tronçon de chiere lie* [3], dit-il à Raphaël en lui montrant les caisses de fleurs qui embaumaient et verdissaient les escaliers.

— J'aime les porches bien chauffés et garnis de riches tapis, répondit Raphaël. Le luxe dès le péristyle est rare en France. Ici, je me sens renaître.

— Et là-haut nous allons boire et rire encore une fois, mon pauvre Raphaël. Ah çà! reprit-il, j'espère que nous serons les vainqueurs et que nous marcherons sur toutes ces têtes-là.

---

1. *De Viris illustribus: Les Hommes illustres* ouvrage de l'abbé Lhomond grâce auquel les écoliers apprenaient le latin. \ **2.** *Alcofribas*: Alcofribas Nasier est le pseudonyme en forme d'anagramme de François Rabelais. \ **3.** *Un fameux tronçon de chiere lie*: un fameux festin.

Puis, d'un geste moqueur, il montra les convives en entrant dans un salon qui resplendissait de dorures, de lumières, et où ils furent aussitôt accueillis par les jeunes gens les plus remarquables de Paris. L'un venait de révéler un talent neuf, et de rivaliser par son premier tableau avec les gloires de la peinture impériale. L'autre avait hasardé la veille un livre plein de verdeur, empreint d'une sorte de dédain littéraire, et qui découvrait à l'école moderne de nouvelles routes. Plus loin, un statuaire dont la figure pleine de rudesse accusait quelque vigoureux génie, causait avec un de ces froids railleurs qui, selon l'occurrence, tantôt ne veulent voir de supériorité nulle part, et tantôt en reconnaissent partout. Ici, le plus spirituel de nos caricaturistes, à l'œil malin, à la bouche mordante, guettait les épigrammes pour les traduire à coups de crayon. Là, ce jeune et audacieux écrivain, qui mieux que personne distillait la quintessence des pensées politiques, ou condensait en se jouant l'esprit d'un écrivain fécond, s'entretenait avec ce poète dont les écrits écraseraient toutes les œuvres du temps présent, si son talent avait la puissance de sa haine. Tous deux essayaient de ne pas dire la vérité et de ne pas mentir, en s'adressant de douces flatteries. Un musicien célèbre consolait en *si bémol* et d'une voix moqueuse un jeune homme politique récemment tombé de la tribune sans se faire aucun mal. De jeunes auteurs sans style étaient auprès de jeunes auteurs sans idées, des prosateurs pleins de poésie près de poètes prosaïques. Voyant ces êtres incomplets, un pauvre saint-simonien[1], assez naïf pour croire à sa doctrine, les accouplait avec charité, voulant sans doute les transformer en religieux de son ordre. Enfin, il s'y trouvait deux ou trois de ces savants destinés à mettre de l'azote dans la conversation, et plusieurs vaudevillistes prêts à y jeter de ces lueurs éphémères qui, semblables aux étincelles du diamant, ne donnent ni chaleur ni lumière. Quelques hommes à paradoxes, riant sous cape des gens qui épousent leurs admirations ou leurs mépris pour les hommes et les choses, faisaient déjà de cette

---

1. *Saint-simonien* : disciple de Saint-Simon (1760-1825), socialiste utopique qui proposait une refonte générale de la société.

politique à double tranchant, avec laquelle ils conspirent contre tous les systèmes, sans prendre parti pour aucun. Le *jugeur* qui ne s'étonne de rien, qui se mouche au milieu d'une cavatine[1] aux Bouffons, y crie *brava* avant tout le monde, et contredit ceux qui préviennent son avis, était là cherchant à s'attribuer les mots des gens d'esprit. Parmi ces convives, cinq avaient de l'avenir, une dizaine devait obtenir quelque gloire viagère ; quant aux autres, ils pouvaient comme toutes les médiocrités se dire le fameux mensonge de Louis XVIII : *Union et oubli*[2]. L'amphitryon avait la gaieté soucieuse d'un homme qui dépense deux mille écus. De temps en temps ses yeux se dirigeaient avec impatience vers la porte du salon, en appelant celui des convives qui se faisait attendre. Bientôt apparut un gros petit homme qui fut accueilli par une flatteuse rumeur, c'était le notaire qui, le matin même, avait achevé de créer le journal. Un valet de chambre vêtu de noir vint ouvrir les portes d'une vaste salle à manger, où chacun alla sans cérémonie reconnaître sa place autour d'une table immense. Avant de quitter les salons, Raphaël y jeta un dernier coup d'œil. Son souhait était certes bien complètement réalisé. La soie et l'or tapissaient les appartements. De riches candélabres supportant d'innombrables bougies faisaient briller les plus légers détails des frises dorées, les délicates ciselures du bronze et les somptueuses couleurs de l'ameublement. Les fleurs rares de quelques jardinières artistement construites avec des bambous, répandaient de doux parfums. Tout jusqu'aux draperies respirait une élégance sans prétention ; enfin, il y avait en tout je ne sais quelle grâce poétique dont le prestige devait agir sur l'imagination d'un homme sans argent.

— Cent mille livres de rente sont un bien joli commentaire du catéchisme, et nous aident merveilleusement à mettre la *morale en actions* ! dit-il en soupirant. Oh ! oui, ma vertu ne va guère à pied. Pour moi, le vice c'est une mansarde, un habit râpé, un chapeau

---

1. *Cavatine* : pièce vocale courte dans un opéra. \ **2.** *Union et oubli* : Revenu sur le trône, Louis XVIII n'avait pas vraiment tenu les promesses d'amnistie faites pendant les Cent-Jours.

gris en hiver, et des dettes chez le portier. Ah ! je veux vivre au
sein de ce luxe un an, six mois, n'importe ! Et puis après mourir.
J'aurai du moins épuisé, connu, dévoré mille existences.

— Oh ! lui dit Émile qui l'écoutait, tu prends le coupé[1] d'un
agent de change pour le bonheur. Va, tu serais bientôt ennuyé de
la fortune en t'apercevant qu'elle te ravirait la chance d'être un
homme supérieur. Entre les pauvretés de la richesse et les richesses
de la pauvreté, l'artiste a-t-il jamais balancé ? Ne nous faut-il pas
toujours des luttes, à nous autres ? Aussi, prépare ton estomac,
vois, dit-il en lui montrant par un geste héroïque le majestueux,
le trois fois saint et rassurant aspect que présentait la salle à manger du benoît capitaliste. Cet homme-là, reprit-il, ne s'est vraiment donné la peine d'amasser son argent que pour nous. N'est-ce
pas une espèce d'éponge oubliée par les naturalistes dans l'ordre
des polypiers[2], et qu'il s'agit de presser avec délicatesse, avant de
la laisser sucer par des héritiers ? Ne trouves-tu pas du style aux
bas-reliefs qui décorent les murs ? Et les lustres, et les tableaux,
quel luxe bien entendu ! S'il faut croire les envieux et ceux qui
tiennent à voir les ressorts de la vie, cet homme aurait tué, pendant la Révolution, un Allemand et quelques autres personnes qui
seraient, dit-on, son meilleur ami et la mère de cet ami. Peux-tu
donner place à des crimes sous les cheveux grisonnants de ce véné-
rable Taillefer ? Il a l'air d'un bien bon homme. Vois donc comme
l'argenterie étincelle, et chacun de ces rayons brillants serait pour
lui un coup de poignard ?... Allons donc ! Autant vaudrait croire
en Mahomet. Si le public avait raison, voici trente hommes de
cœur et de talent qui s'apprêteraient à manger les entrailles, à
boire le sang d'une famille. Et nous deux, jeunes gens pleins de
candeur, d'enthousiasme, nous serions complices du forfait ! J'ai
envie de demander à notre capitaliste s'il est honnête homme.

— Non pas maintenant ! s'écria Raphaël, mais quand il sera
ivre-mort, nous aurons dîné.

Les deux amis s'assirent en riant. D'abord et par un regard plus
rapide que la parole, chaque convive paya son tribut d'admiration

---

1. *Coupé* : voiture fermée à quatre places. \ 2. *Polypiers* : famille des coraux.

au somptueux coup d'œil qu'offrait une longue table, blanche comme une couche de neige fraîchement tombée, et sur laquelle s'élevaient symétriquement les couverts couronnés de petits pains blonds. Les cristaux répétaient les couleurs de l'iris dans leurs reflets étoilés, les bougies traçaient des feux croisés à l'infini, les mets placés sous des dômes d'argent aiguisaient l'appétit et la curiosité. Les paroles furent assez rares. Les voisins se regardèrent. Le vin de Madère circula. Puis le premier service apparut dans toute sa gloire, il aurait fait honneur à feu Cambacérès [1], et Brillat-Savarin [2] l'eût célébré. Les vins de Bordeaux et de Bourgogne, blancs et rouges, furent servis avec une profusion royale. Cette première partie du festin était comparable, en tout point, à l'exposition d'une tragédie classique. Le second acte devint quelque peu bavard. Chaque convive avait bu raisonnablement en changeant de crus suivant ses caprices, en sorte qu'au moment où l'on emporta les restes de ce magnifique service, de tempétueuses discussions s'étaient établies ; quelques fronts pâles rougissaient, plusieurs nez commençaient à s'empourprer, les visages s'allumaient, les yeux pétillaient. Pendant cette aurore de l'ivresse, le discours ne sortit pas encore des bornes de la civilité ; mais les railleries, les bons mots s'échappèrent peu à peu de toutes les bouches ; puis la calomnie éleva tout doucement sa petite tête de serpent et parla d'une voix flûtée ; çà et là, quelques sournois écoutèrent attentivement, espérant garder leur raison. Le second service trouva donc les esprits tout à fait échauffés. Chacun mangea en parlant, parla en mangeant, but sans prendre garde à l'affluence des liquides, tant ils étaient lampants et parfumés, tant l'exemple fut contagieux. Taillefer se piqua d'animer ses convives, et fit avancer les terribles vins du Rhône, le chaud Tokay [3], le vieux Roussillon capiteux. Déchaînés comme les chevaux d'une malleposte qui part d'un relais, ces hommes fouettés par les flammèches du vin de Champagne impatiemment attendu, mais abondamment versé, laissèrent alors galoper leur esprit dans le vide de ces

---

1. *Cambacérès* : Jean-Jacques de Cambacérès (1753-1824), promoteur du Code civil et également fin gastronome. \ **2.** *Brillat-Savarin* : Anthelme Brillat-Savarin (1755-1826), auteur de la *Physiologie du goût*. \ **3.** *Tokay* : vin de liqueur de Hongrie.

raisonnements que personne n'écoute, se mirent à raconter ces
histoires qui n'ont pas d'auditeur, recommencèrent cent fois ces
interpellations qui restent sans réponse. L'orgie seule déploya sa
grande voix, sa voix composée de cent clameurs confuses qui gros-
sissent comme les crescendo de Rossini. Puis arrivèrent les toasts
insidieux, les forfanteries, les défis. Tous renonçaient à se glorifier
de leur capacité intellectuelle pour revendiquer celle des
tonneaux, des foudres, des cuves. Il semblait que chacun eût deux
voix. Il vint un moment où les maîtres parlèrent tous à la fois, et
où les valets sourirent. Mais cette mêlée de paroles où les paradoxes douteusement lumineux, les vérités grotesquement
habillées se heurtèrent à travers les cris, les jugements interlocu-
toires, les arrêts souverains et les niaiseries, comme au milieu d'un
combat se croisent les boulets, les balles et la mitraille, eût sans
doute intéressé quelque philosophe par la singularité des pensées,
ou surpris un politique par la bizarrerie des systèmes. C'était tout
à la fois un livre et un tableau. Les philosophies, les religions, les
morales, si différentes d'une latitude à l'autre, les gouvernements,
enfin tous les grands actes de l'intelligence humaine tombèrent
sous une faux aussi longue que celle du Temps, et peut-être
eussiez-vous pu difficilement décider si elle était maniée par la
Sagesse ivre, ou par l'Ivresse devenue sage et clairvoyante.
Emportés par une espèce de tempête, ces esprits semblaient,
comme la mer irritée contre ses falaises, vouloir ébranler toutes les
lois entre lesquelles flottent les civilisations, satisfaisant ainsi sans
le savoir à la volonté de Dieu, qui laisse dans la nature le bien et le
mal en gardant pour lui seul le secret de leur lutte perpétuelle.
Furieuse et burlesque, la discussion fut en quelque sorte un sabbat
des intelligences. Entre les tristes plaisanteries dites par ces
enfants de la Révolution à la naissance d'un journal, et les propos
tenus par de joyeux buveurs à la naissance de Gargantua, se trouvait tout l'abîme qui sépare le dix-neuvième siècle du seizième.
Celui-ci apprêtait une destruction en riant, le nôtre riait au milieu
des ruines.

— Comment appelez-vous le jeune homme que je vois là-bas ?
dit le notaire en montrant Raphaël. J'ai cru l'entendre nommer
Valentin.

– Que chantez-vous, avec votre Valentin tout court ? s'écria Émile en riant. Raphaël de Valentin, s'il vous plaît ! Nous portons *un aigle d'or en champ de sable, couronné d'argent, becqué et onglé de gueules*, avec une belle devise : NON CECIDIT ANIMUS[1] ! Nous ne sommes pas un enfant trouvé, mais le descendant de l'empereur *Valens*, souche des *Valentinois*, fondateur des villes de Valence en Espagne et en France, héritier légitime de l'empire d'Orient. Si nous laissons trôner Mahmoud à Constantinople, c'est par pure bonne volonté, et faute d'argent ou de soldats.

Émile décrivit en l'air, avec sa fourchette, une couronne au-dessus de la tête de Raphaël. Le notaire se recueillit pendant un moment et se remit bientôt à boire en laissant échapper un geste authentique, par lequel il semblait avouer qu'il lui était impossible de rattacher à sa clientèle les villes de Valence, de Constantinople, Mahmoud, l'empereur Valence et la famille des Valentinois.

– La destruction de ces fourmilières nommées Babylone, Tyr, Carthage, ou Venise, toujours écrasées sous les pieds d'un géant qui passe, ne serait-elle pas un avertissement donné à l'homme par une puissance moqueuse ? dit Claude Vignon, espèce d'esclave acheté pour faire du Bossuet à dix sous la ligne.

– Moïse, Sylla, Louis XI, Richelieu, Robespierre et Napoléon sont peut-être un même homme qui reparaît à travers les civilisations, comme une comète dans le ciel ! répondit un ballanchiste[2].

– Pourquoi sonder la Providence ? dit Canalis le fabricant de ballades.

– Allons, voilà la Providence, s'écria le jugeur en l'interrompant. Je ne connais rien au monde de plus élastique.

– Mais, monsieur, Louis XIV a fait périr plus d'hommes pour creuser les aqueducs de Maintenon que la Convention pour asseoir justement l'impôt, pour mettre de l'unité dans la loi, nationaliser la France et faire également partager les héritages, disait Massol, un jeune homme devenu républicain faute d'une syllabe devant son nom.

---

1. *Non cecidit animus* : « Notre courage n'a pas manqué. » \ 2. *Ballanchiste* : adepte de Pierre Ballanche (1776-1847), partisan d'une interprétation religieuse de l'histoire.

— Monsieur, lui répondit Moreau de l'Oise, bon propriétaire, vous qui prenez le sang pour du vin, cette fois-ci laisserez-vous à chacun sa tête sur ses épaules ?

— À quoi bon, monsieur ? les principes de l'ordre social ne valent-ils donc pas quelques sacrifices ?

— Bixiou ! Hé ! Chose-le-républicain prétend que la tête de ce propriétaire serait un sacrifice, dit un jeune homme à son voisin.

— Les hommes et les événements ne sont rien, disait le républicain en continuant sa théorie à travers les hoquets, il n'y a en politique et en philosophie que des principes et des idées.

— Quelle horreur ! Vous n'auriez nul chagrin de tuer vos amis pour un *si*…

— Hé ! monsieur, l'homme qui a des remords est le vrai scélérat, car il a quelque idée de la vertu ; tandis que Pierre le Grand, le duc d'Albe, étaient des systèmes, et le corsaire Monbard[1], une organisation.

— Mais la société ne peut-elle pas se priver de vos systèmes et de vos organisations ? dit Canalis.

— Oh ! d'accord, s'écria le républicain.

— Eh ! votre stupide république me donne des nausées ! nous ne saurions découper tranquillement un chapon[2] sans y trouver la loi agraire[3].

— Tes principes sont excellents, mon petit Brutus farci de truffes ! Mais tu ressembles à mon valet de chambre, le drôle est si cruellement possédé par la manie de la propreté, que si je lui laissais brosser mes habits à sa fantaisie, j'irais tout nu.

— Vous êtes des brutes ! Vous voulez nettoyer une nation avec des cure-dents, répliqua l'homme à la république. Selon vous la justice serait plus dangereuse que les voleurs.

— Hé ! hé ! fit l'avoué Desroches.

---

1. *Tandis que Pierre le Grand {…} corsaire Monbard* : trois figures de la cruauté pour Balzac : Pierre le Grand, tsar de Russie de 1682 à 1725 ; le duc d'Albe (1508-1582), général des armées de Charles Quint ; le corsaire Monbard, célèbre flibustier du XVIIe siècle. \ **2.** *Chapon* : jeune coq que l'on engraisse pour la table. \ **3.** *Loi agraire* : loi qui vise à la redistribution des terres en faveur des plus défavorisés.

— Sont-ils ennuyeux avec leur politique ! dit Cardot le notaire. Fermez la porte. Il n'y a pas de science ou de vertu qui vaille une goutte de sang. Si nous voulions faire la liquidation de la vérité, nous la trouverions peut-être en faillite.

— Ah ! il en aurait sans doute moins coûté de nous amuser dans le mal que de nous disputer dans le bien. Aussi donnerais-je tous les discours prononcés à la tribune depuis quarante ans pour une truite, pour un conte de Perrault ou une croquade de Charlet[1].

— Vous avez bien raison ! Passez-moi des asperges. Car, après tout, la liberté enfante l'anarchie, l'anarchie conduit au despotisme, et le despotisme ramène à la liberté. Des millions d'êtres ont péri sans avoir pu faire triompher aucun de ces systèmes. N'est-ce pas le cercle vicieux dans lequel tournera toujours le monde moral ? Quand l'homme croit avoir perfectionné, il n'a fait que déplacer les choses.

— Oh ! oh ! s'écria Cursy le vaudevilliste, alors, messieurs, je porte un toast à Charles X, père de la liberté[2] !

— Pourquoi pas ? dit Émile. Quand le despotisme est dans les lois, la liberté se trouve dans les mœurs, et *vice versa*.

— Buvons donc à l'imbécillité du pouvoir qui nous donne tant de pouvoir sur les imbéciles ! dit le banquier.

— Hé ! mon cher, au moins Napoléon nous a-t-il laissé de la gloire ! criait un officier de marine qui n'était jamais sorti de Brest.

— Ah ! la gloire, triste denrée. Elle se paye cher et ne se garde pas. Ne serait-elle point l'égoïsme des grands hommes, comme le bonheur est celui des sots ?

— Monsieur, vous êtes bien heureux.

— Le premier qui inventa les fossés était sans doute un homme faible, car la société ne profite qu'aux gens chétifs. Placés aux deux extrémités du monde moral, le sauvage et le penseur ont également horreur de la propriété.

---

1. *Croquade de Charlet* : croquis rapide du dessinateur Toussaint-Nicolas Charlet (1792-1846). \ **2.** *Charles X, père de la liberté* : remarque ironique. Charles X venait d'être renversé par la révolution de Juillet.

— Joli ! s'écria Cardot. S'il n'y avait pas de propriétés, comment pourrions-nous faire des actes ?

— Voilà des petits pois délicieusement fantastiques !

— Et le curé fut trouvé mort dans son lit, le lendemain…

— Qui parle de mort ? Ne badinez pas ! J'ai un oncle.

— Vous vous résigneriez sans doute à le perdre.

— Ce n'est pas une question.

— Écoutez-moi, messieurs ! Manière de tuer son oncle. Chut ! (Écoutez ! Écoutez !) Ayez d'abord un oncle gros et gras, septuagénaire au moins, ce sont les meilleurs oncles. (Sensation.) Faites-lui manger, sous un prétexte quelconque, un pâté de foie gras…

— Hé ! mon oncle est un grand homme sec, avare et sobre.

— Ah ! ces oncles-là sont des monstres qui abusent de la vie.

— Et, dit l'homme aux oncles en continuant, annoncez-lui, pendant sa digestion, la faillite de son banquier.

— S'il résiste ?

— Lâchez-lui une jolie fille !

— S'il est… dit-il en faisant un geste négatif.

— Alors, ce n'est pas un oncle, l'oncle est essentiellement égrillard.

— La voix de la Malibran [1] a perdu deux notes.

— Non, monsieur.

— Si, monsieur.

— Oh ! oh ! Oui et non, n'est-ce pas l'histoire de toutes les dissertations religieuses, politiques et littéraires ? L'homme est un bouffon qui danse sur des précipices !

— À vous entendre, je suis un sot.

— Au contraire, c'est parce que vous ne m'entendez pas.

— L'instruction, belle niaiserie ! Monsieur Heineffettermach [2] porte le nombre des volumes imprimés à plus d'un milliard, et la vie d'un homme ne permet pas d'en lire cent cinquante mille. Alors expliquez-moi ce que signifie le mot *instruction* ? pour les

---

1. *La Malibran* : Maria Malibran (1808-1836) est la plus célèbre cantatrice de cette époque.
\ 2. *Heineffettermach* : nom probablement imaginaire.

LA PEAU DE CHAGRIN

uns, elle consiste à savoir les noms du cheval d'Alexandre, du dogue Bérécillo, du seigneur des Accords [1], et d'ignorer celui de l'homme auquel nous devons le flottage des bois ou la porcelaine. Pour les autres, être instruit, c'est savoir brûler un testament et vivre en honnêtes gens, aimés, considérés, au lieu de voler une montre en récidive, avec les cinq circonstances aggravantes, et d'aller mourir en place de Grève, haïs et déshonorés.

— Nathan restera-t-il ?

— Ah ! ses collaborateurs, monsieur, ont bien de l'esprit.

— Et Canalis ?

— C'est un grand homme, n'en parlons plus.

— Vous êtes ivres !

— La conséquence immédiate d'une constitution est l'aplatissement des intelligences. Arts, sciences, monuments, tout est dévoré par un effroyable sentiment d'égoïsme, notre lèpre actuelle. Vos trois cents bourgeois, assis sur des banquettes, ne penseront qu'à planter des peupliers. Le despotisme fait illégalement de grandes choses, la liberté ne se donne même pas la peine d'en faire légalement de très petites.

— Votre enseignement mutuel [2] fabrique des pièces de cent sous en chair humaine, dit un absolutiste en interrompant. Les individualités disparaissent chez un peuple nivelé par l'instruction.

— Cependant le but de la société n'est-il pas de procurer à chacun le bien-être ? demanda le saint-simonien.

— Si vous aviez cinquante mille livres de rente, vous ne penseriez guère au peuple. Êtes-vous épris de belle passion pour l'humanité, allez à Madagascar : vous y trouverez un joli petit peuple tout neuf à saint-simoniser, à classer, à mettre en bocal ; mais, ici, chacun entre tout naturellement dans son alvéole, comme une cheville dans son trou. Les portiers sont portiers, et les

---

1. *Pour les uns, {…} seigneur des Accords* : le cheval d'Alexandre s'appelait Bucéphale ; le dogue Bérécillo dévorait les Indiens de Saint-Domingue ; le seigneur des Accords est un écrivain français du XVIᵉ siècle. \ 2. *Enseignement mutuel* : pratique d'enseignement très à la mode sous la Restauration qui consistait à faire encadrer les plus jeunes élèves par des étudiants plus âgés.

niais sont des bêtes sans avoir besoin d'être promus par un collège de Pères. Ah! ah!

— Vous êtes un carliste[1] !

— Pourquoi pas! J'aime le despotisme, il annonce un certain mépris pour la race humaine. Je ne hais pas les rois. Ils sont si amusants! Trôner dans une chambre, à trente millions de lieues du soleil, n'est-ce donc rien?

— Mais résumons cette large vue de la civilisation, disait le savant qui, pour l'instruction du sculpteur inattentif avait entrepris une discussion sur le commencement des sociétés et sur les peuples autochtones. À l'origine des nations, la force fut en quelque sorte matérielle, une, grossière; puis, avec l'accroissement des agrégations, les gouvernements ont procédé par des décompositions plus ou moins habiles du pouvoir primitif. Ainsi, dans la haute antiquité, la force était dans la théocratie; le prêtre tenait le glaive et l'encensoir. Plus tard, il y eut deux sacerdoces : le pontife[2] et le roi. Aujourd'hui, notre société, dernier terme de la civilisation, a distribué la puissance suivant le nombre des combinaisons, et nous sommes arrivés aux forces nommées industrie, pensée, argent, parole. Le pouvoir n'ayant plus alors d'unité marche sans cesse vers une dissolution sociale qui n'a plus d'autre barrière que l'intérêt. Aussi ne nous appuyons-nous ni sur la religion, ni sur la force matérielle, mais sur l'intelligence. Le livre vaut-il le glaive, la discussion vaut-elle l'action? Voilà le problème.

— L'intelligence a tout tué, s'écria le carliste. Allez, la liberté absolue mène les nations au suicide, elles s'ennuient dans le triomphe, comme un Anglais millionnaire.

— Que nous direz-vous de neuf? Aujourd'hui vous avez ridiculisé tous les pouvoirs, et c'est même chose vulgaire que de nier Dieu! Vous n'avez plus de croyance. Aussi le siècle est-il comme un vieux sultan perdu de débauche! Enfin, votre lord Byron, en dernier désespoir de poésie, a chanté les passions du crime.

---

1. *Carliste* : partisan du roi Charles X qui vient d'être chassé du trône, monarchiste réactionnaire. \ **2.** *Pontife* : haut dignitaire catholique.

— Savez-vous, lui répondit Bianchon complètement ivre, qu'une dose de phosphore de plus ou de moins fait l'homme de génie ou le scélérat, l'homme d'esprit ou l'idiot, l'homme vertueux ou le criminel ?

— Peut-on traiter ainsi la vertu ! s'écria de Cursy. La vertu, sujet de toutes les pièces de théâtre, dénouement de tous les drames, base de tous les tribunaux.

— Hé ! tais-toi donc, animal. Ta vertu, c'est Achille sans talon [1] ! dit Bixiou.

— À boire !

— Veux-tu parier que je bois une bouteille de vin de Champagne d'un seul trait ?

— Quel trait d'esprit ! s'écria Bixiou.

— Ils sont gris comme des charretiers, dit un jeune homme qui donnait sérieusement à boire à son gilet.

— Oui, monsieur, le gouvernement actuel est l'art de faire régner l'opinion publique.

— L'opinion ? Mais c'est la plus vicieuse de toutes les prostituées ! À vous entendre, hommes de morale et de politique, il faudrait sans cesse préférer vos lois à la nature, l'opinion à la conscience. Allez, tout est vrai, tout est faux ! Si la société nous a donné le duvet des oreillers, elle a certes compensé le bienfait par la goutte, comme elle a mis la procédure pour tempérer la justice, et les rhumes à la suite des châles de Cachemire.

— Monstre ! dit Émile en interrompant le misanthrope, comment peux-tu médire de la civilisation en présence de vins, de mets si délicieux, et à table jusqu'au menton ? Mords ce chevreuil aux pieds et aux cornes dorées, mais ne mords pas ta mère.

— Est-ce ma faute, à moi, si le catholicisme arrive à mettre un million de dieux dans un sac de farine [2], si la république aboutit toujours à quelque Napoléon, si la royauté se trouve entre l'assas-

---

1. *Achille sans talon* : Achille bébé avait été trempé par sa mère dans les eaux du Styx pour le rendre invulnérable mais elle avait oublié d'immerger le talon par lequel elle le tenait. Le talon est donc resté son unique point de vulnérabilité. \ **2.** *Si le catholicisme {…} farine* : allusion blasphématoire à la doctrine de la transsubstantiation catholique qui voit dans l'hostie le corps du Christ.

sinat de Henri IV et le jugement de Louis XVI, si le libéralisme devient La Fayette ?

— L'avez-vous embrassé en juillet ?

— Non.

— Alors taisez-vous, sceptique.

— Les sceptiques sont les hommes les plus consciencieux.

— Ils n'ont pas de conscience.

— Que dites-vous ? ils en ont au moins deux.

— Escompter[1] le ciel ! monsieur, voilà une idée vraiment commerciale. Les religions antiques n'étaient qu'un heureux développement du plaisir physique ; mais nous autres nous avons développé l'âme et l'espérance, il y a eu progrès.

— Hé ! mes bons amis, que pouvez-vous attendre d'un siècle repu de politique ? dit Nathan. Quel a été le sort du *Roi de Bohême et de ses sept châteaux*[2], la plus ravissante conception...

— Ça ?... cria le jugeur d'un bout de la table à l'autre. C'est des phrases tirées au hasard dans un chapeau, véritable ouvrage écrit pour Charenton[3].

— Vous êtes un sot !

— Vous êtes un drôle !

— Oh ! oh !

— Ah ! ah !

— Ils se battront.

— Non.

— À demain, monsieur.

— À l'instant, répondit Nathan.

— Allons ! allons ! Vous êtes deux braves.

— Vous en êtes un autre ! dit le provocateur.

— Ils ne peuvent seulement pas se mettre debout.

— Ah ! je ne me tiens pas droit, peut-être ! reprit le belliqueux Nathan en se dressant comme un cerf-volant indécis.

Il jeta sur la table un regard hébété, puis, comme exténué par cet effort, il retomba sur sa chaise, pencha la tête et resta muet.

---

1. *Escompter* : dépenser d'avance. \ **2.** *Histoire du roi de Bohême et de ses sept châteaux* : récit excentrique de Charles Nodier publié en février 1830. \ **3.** *Charenton* : asile d'aliénés.

– Ne serait-il pas plaisant, dit le jugeur à son voisin, de me battre pour un ouvrage que je n'ai jamais vu ni lu !

– Émile, prends garde à ton habit, ton voisin pâlit, dit Bixiou.

– Kant[1], monsieur. Encore un ballon lancé pour amuser les niais ! Le matérialisme et le spiritualisme sont deux jolies raquettes avec lesquelles des charlatans en robe font aller le même volant. Que Dieu soit en tout selon Spinoza[2], ou que tout vienne de Dieu selon saint Paul[3]... Imbéciles ! Ouvrir ou fermer une porte, n'est-ce pas le même mouvement ? L'œuf vient-il de la poule ou la poule de l'œuf ? (Passez-moi du canard !) Voilà toute la science.

– Nigaud, lui cria le savant, la question que tu poses est tranchée par un fait.

– Et lequel ?

– Les chaires de professeurs n'ont pas été faites pour la philo-sophie, mais bien la philosophie pour les chaires ! Mets des lunettes et lis le budget.

– Voleurs !

– Imbéciles !

– Fripons !

– Dupes !

– Où trouverez-vous ailleurs qu'à Paris un échange aussi vif, aussi rapide entre les pensées, s'écria Bixiou en prenant une voix de basse-taille[4].

– Allons, Bixiou, fais-nous quelque farce classique ! Voyons, une charge !

– Voulez-vous que je vous fasse le dix-neuvième siècle ?

– Écoutez !

– Silence !

– Mettez des sourdines à vos mufles !

– Te tairas-tu, chinois !

– Donnez-lui du vin, et qu'il se taise, cet enfant !

– À toi, Bixiou !

---

1. *Kant* : Emmanuel Kant (1724-1804), philosophe allemand. \ 2. *Spinoza* : Baruch Spinoza (1632-1677), philosophe hollandais. \ 3. *Saint Paul* : apôtre martyrisé à Rome dont les épîtres se trouvent dans le *Nouveau Testament*. \ 4. *Basse-taille* : baryton grave.

L'artiste boutonna son habit noir jusqu'au col, mit ses gants jaunes, et se grima de manière à singer la *Revue des Deux Mondes*[1] en louchant ; mais le bruit couvrit sa voix, et il fut impossible de saisir un seul mot de sa moquerie. S'il ne représenta pas le siècle, au moins représenta-t-il la *Revue*, car il ne s'entendit pas lui-même.

Le dessert se trouva servi comme par enchantement. La table fut couverte d'un vaste surtout en bronze doré, sorti des ateliers de Thomire[2]. De hautes figures douées par un célèbre artiste des formes convenues en Europe pour la beauté idéale, soutenaient et portaient des buissons de fraises, des ananas, des dattes fraîches, des raisins jaunes, de blondes pêches, des oranges arrivées de Sétubal[3] par un paquebot, des grenades, des fruits de la Chine, enfin toutes les surprises du luxe, les miracles du petit four, les délicatesses les plus friandes, les friandises les plus séductrices. Les couleurs de ces tableaux gastronomiques étaient rehaussées par l'éclat de la porcelaine, par des lignes étincelantes d'or, par les découpures des vases. Gracieuse comme les liquides franges de l'Océan, verte et légère, la mousse couronnait les paysages du Poussin, copiés à Sèvres. Le territoire d'un prince allemand n'aurait pas payé cette richesse insolente. L'argent, la nacre, l'or, les cristaux furent de nouveau prodigués sous de nouvelles formes ; mais les yeux engourdis et la verbeuse fièvre de l'ivresse permirent à peine aux convives d'avoir une intuition vague de cette féerie digne d'un conte oriental. Les vins de dessert apportèrent leurs parfums et leurs flammes, philtres puissants, vapeurs enchanteresses qui engendrent une espèce de mirage intellectuel et dont les liens puissants enchaînent les pieds, alourdissent les mains. Les pyramides de fruits furent pillées, les voix grossirent, le tumulte grandit. Il n'y eut plus alors de paroles distinctes, les verres volèrent en éclats, et des rires atroces partirent comme des fusées. Cursy saisit un cor et se mit à sonner une fanfare. Ce fut comme un signal donné par le diable. Cette assemblée en délire hurla, siffla, chanta, cria, rugit, gronda. Vous eussiez souri

---

1. *Revue des Deux Mondes* : revue littéraire fondée en 1829. Elle est déjà en 1831 l'une des plus importantes revues françaises. Son directeur, Buloz, était borgne. \ **2.** *Thomire* : Pierre-Philippe Thomire (1751-1843), ciseleur parisien. \ **3.** *Sétubal* : ville du Portugal.

de voir des gens naturellement gais, devenus sombres comme les dénouements de Crébillon[1], ou rêveurs comme des marins en voiture. Les hommes fins disaient leurs secrets à des curieux qui n'écoutaient pas. Les mélancoliques souriaient comme des danseuses qui achèvent leurs pirouettes. Claude Vignon se dandinait à la manière des ours en cage. Des amis intimes se battaient. Les ressemblances animales inscrites sur les figures humaines, et si curieusement démontrées par les physiologistes[2], reparaissaient vaguement dans les gestes, dans les habitudes du corps. Il y avait un livre tout fait pour quelque Bichat[3] qui se serait trouvé là froid et à jeun. Le maître du logis se sentant ivre, n'osait se lever, mais il approuvait les extravagances de ses convives par une grimace fixe, en tâchant de conserver un air décent et hospitalier. Sa large figure, devenue rouge et bleue, presque violacée, terrible à voir, s'associait au mouvement général par des efforts semblables au roulis et au tangage d'un brick.

— Les avez-vous assassinés ? lui demanda Émile.

— La peine de mort va, dit-on, être abolie en faveur de la révolution de Juillet, répondit Taillefer qui haussa les sourcils d'un air tout à la fois plein de finesse et de bêtise.

— Mais ne les voyez-vous pas quelquefois en songe ? reprit Raphaël.

— Il y a prescription ! dit le meurtrier plein d'or.

— Et sur sa tombe, s'écria Émile d'un ton sardonique, l'entrepreneur du cimetière gravera : *Passants, accordez une larme à sa mémoire !* Oh ! reprit-il, je donnerais bien cent sous au mathématicien qui me démontrerait par une équation algébrique l'existence de l'enfer.

Il jeta une pièce en l'air en criant : — Face pour Dieu !

— Ne regarde pas, dit Raphaël en saisissant la pièce, que sait-on ? le hasard est si plaisant.

— Hélas ! reprit Émile d'un air tristement bouffon, je ne vois pas où poser les pieds entre la géométrie de l'incrédule et le *Pater*

---

1. *Crébillon* : Prosper Crébillon (1674-1762), auteur dramatique français. \ **2.** *Physiologistes* : spécialistes de la physiologie, science qui étudie les fonctions des êtres vivants. \ **3.** *Bichat* : Marie-François-Xavier Bichat (1771-1802), médecin anatomiste français.

noster du pape. Bah! buvons! *Trinc*[1] est, je crois, l'oracle de la divine bouteille et sert de conclusion au *Pantagruel*.

— Nous devons au *Pater noster*, répondit Raphaël, nos arts, nos monuments, nos sciences peut-être ; et, bienfait plus grand encore, nos gouvernements modernes, dans lesquels une société vaste et féconde est merveilleusement représentée par cinq cents intelligences, où les forces opposées les unes aux autres se neutralisent en laissant tout pouvoir à la CIVILISATION, reine gigantesque qui remplace le ROI, cette ancienne et terrible figure, espèce de faux destin créé par l'homme entre le ciel et lui. En présence de tant d'œuvres accomplies, l'athéisme apparaît comme un squelette qui n'engendre pas. Qu'en dis-tu ?

— Je songe aux flots de sang répandus par le catholicisme, dit froidement Émile. Il a pris nos veines et nos cœurs pour faire une contrefaçon du déluge. Mais n'importe! Tout homme qui pense doit marcher sous la bannière du Christ. Lui seul a consacré le triomphe de l'esprit sur la matière, lui seul nous a poétiquement révélé le monde intermédiaire qui nous sépare de Dieu.

— Tu crois ? reprit Raphaël en lui jetant un indéfinissable sourire d'ivresse. Eh bien, pour ne pas nous compromettre, portons le fameux toast : *Diis ignotis*[2] !

Et ils vidèrent leurs calices de science, de gaz carbonique, de parfums, de poésie et d'incrédulité.

— Si ces messieurs veulent passer dans le salon, le café les y attend, dit le maître d'hôtel.

En ce moment presque tous les convives se roulaient au sein de ces limbes délicieux où les lumières de l'esprit s'éteignent, où le corps délivré de son tyran s'abandonne aux joies délirantes de la liberté. Les uns, arrivés à l'apogée de l'ivresse, restaient mornes et péniblement occupés à saisir une pensée qui leur attestât leur propre existence, les autres, plongés dans le marasme produit par une digestion alourdissante, niaient le mouvement. D'intrépides orateurs disaient encore de vagues paroles dont le sens leur

---

1. *Trinc* : Trinch (bois) est l'oracle que livre la « dive bouteille » à Pantagruel et ses compagnons dans le *Cinquième livre* de Rabelais. \ 2. *Diis ignotis* : « aux dieux inconnus ».

échappait à eux-mêmes. Quelques refrains retentissaient comme le bruit d'une mécanique obligée d'accomplir sa vie factice et sans âme. Le silence et le tumulte s'étaient bizarrement accouplés. Néanmoins, en entendant la voix sonore du valet qui, à défaut d'un maître, leur annonçait des joies nouvelles, les convives se levèrent entraînés, soutenus ou portés les uns par les autres. La troupe entière resta pendant un moment immobile et charmée sur le seuil de la porte. Les jouissances excessives du festin pâlirent devant le chatouillant spectacle que l'amphitryon offrait au plus voluptueux de leurs sens. Sous les étincelantes bougies d'un lustre d'or, autour d'une table chargée de vermeil, un groupe de femmes se présenta soudain aux convives hébétés dont les yeux s'allumèrent comme autant de diamants. Riches étaient les parures, mais plus riches encore étaient ces beautés éblouissantes devant lesquelles disparaissaient toutes les merveilles de ce palais. Les yeux passionnés de ces filles, prestigieuses comme des fées, avaient encore plus de vivacité que les torrents de lumière qui faisaient resplendir les reflets satinés des tentures, la blancheur des marbres et les saillies délicates des bronzes. Le cœur brûlait à voir les contrastes de leurs coiffures agitées et de leurs attitudes, toutes diverses d'attraits et de caractère. C'était une haie de fleurs mêlées de rubis, de saphirs et de corail ; une ceinture de colliers noirs sur des cous de neige, des écharpes légères flottant comme les flammes d'un phare, des turbans orgueilleux, des tuniques modestement provocantes. Ce sérail offrait des séductions pour tous les yeux, des voluptés pour tous les caprices. Posée à ravir, une danseuse semblait être sans voile sous les plis onduleux du cachemire. Là une gaze diaphane, ici la soie chatoyante cachaient ou révélaient des perfections mystérieuses. De petits pieds étroits parlaient d'amour, des bouches fraîches et rouges se taisaient. De frêles et décentes jeunes filles, vierges factices dont les jolies chevelures respiraient une religieuse innocence, se présentaient aux regards comme des apparitions qu'un souffle pouvait dissiper. Puis des beautés aristocratiques au regard fier, mais indolentes, mais fluettes, maigres, gracieuses, penchaient la tête comme si elles avaient encore de royales protections à faire acheter. Une Anglaise, blanche et chaste figure aérienne, descendue des nuages d'Ossian [1], ressemblait à un ange de mélancolie, à un remords fuyant le crime. La Parisienne dont toute la beauté gît dans une grâce indescriptible, vaine de sa toilette et de son esprit, armée de sa toute-puissante faiblesse, souple et dure, sirène sans cœur et sans passion, mais qui sait artificieusement créer les trésors de la passion et contrefaire les accents du cœur, ne manquait pas à cette périlleuse assemblée où brillaient encore des Italiennes tranquilles en apparence et consciencieuses dans leur félicité, de riches Normandes aux formes magnifiques, des femmes méridionales aux cheveux noirs, aux yeux bien fendus. Vous eussiez dit des beautés de Versailles convoquées par Lebel [2] ayant dès le matin dressé tous leurs pièges, arrivant comme une troupe d'esclaves orientales réveillées par la voix du marchand pour partir à l'aurore. Elles restaient interdites, honteuses, et s'empressaient autour de la table comme des abeilles qui bourdonnent dans l'intérieur d'une ruche. Cet embarras craintif, reproche et coquetterie tout ensemble, était ou quelque séduction calculée ou de la pudeur involontaire. Peut-être un sentiment que la femme ne dépouille jamais complètement leur ordonnait-il de s'envelopper dans le manteau de la vertu pour donner plus de charme et de piquant aux prodigalités du vice. Aussi la conspiration ourdie par le vieux Taillefer sembla-t-elle devoir échouer. Ces hommes sans frein furent subjugués tout d'abord par la puissance majestueuse dont est investie la femme. Un murmure d'admiration résonna comme la plus douce musique. L'amour n'avait pas voyagé de compagnie avec l'ivresse ; au lieu d'un ouragan de passions, les convives surpris dans un moment de faiblesse s'abandonnèrent aux délices d'une voluptueuse extase. À la voix de la poésie qui les domine toujours, les artistes étudièrent avec bonheur les nuances délicates qui distinguaient ces beautés choisies. Réveillé par une pensée, due peut-être à quelque émanation d'acide carbonique

---

1. *Ossian* : on a longtemps cru qu'il s'agissait d'un barde écossais du IIIᵉ siècle, auteur de chants épiques. En fait, il s'agissait d'une mystification dont Mac Pherson, écrivain écossais de la fin du XVIIIᵉ siècle, était l'auteur. \ 2. *Lebel* : valet de chambre de Louis XIV qui fournissait à l'occasion son maître en femmes.

dégagé du vin de Champagne, un philosophe frissonna en songeant aux malheurs qui amenaient là ces femmes, dignes peut-être jadis des plus purs hommages. Chacune d'elles avait sans doute un drame sanglant à raconter. Presque toutes apportaient d'infernales tortures, et traînaient après elle des hommes sans foi, des promesses trahies, des joies rançonnées par la misère. Les convives s'approchèrent d'elles avec politesse, et des conversations aussi diverses que les caractères s'établirent. Des groupes se formèrent. Vous eussiez dit d'un salon de bonne compagnie où les jeunes filles et les femmes vont offrant aux convives, après le dîner, les secours que le café, les liqueurs et le sucre prêtent aux gourmands embarrassés dans les travaux d'une digestion récalcitrante. Mais bientôt quelques rires éclatèrent, le murmure augmenta, les voix s'élevèrent. L'orgie, domptée pendant un moment, menaça par intervalles de se réveiller. Ces alternatives du silence et de bruit eurent une vague ressemblance avec une symphonie de Beethoven.

Assis sur un moelleux divan, les deux amis virent d'abord arriver près d'eux une grande fille bien proportionnée, superbe en son maintien, de physionomie assez irrégulière, mais perçante, mais impétueuse, et qui saisissait l'âme par de vigoureux contrastes. Sa chevelure noire, lascivement bouclée, semblait avoir déjà subi les combats de l'amour, et retombait en flocons légers sur ses larges épaules qui offraient des perspectives attrayantes à voir. De longs rouleaux bruns enveloppaient à demi un cou majestueux sur lequel la lumière glissait par intervalles en révélant la finesse des plus jolis contours. La peau, d'un blanc mat, faisait ressortir les tons chauds et animés de ses vives couleurs. L'œil, armé de longs cils, lançait des flammes hardies, étincelles d'amour! La bouche, rouge, humide, entrouverte, appelait le baiser. Cette fille avait une taille forte, mais amoureusement élastique; son sein, ses bras étaient largement développés, comme ceux des belles figures du Carrache [1]; néanmoins, elle paraissait leste, souple, et sa vigueur supposait l'agilité d'une panthère, comme la mâle élégance de ses formes en

---

1. *Carrache*: Annibale Carrache (1560-1609), peintre italien.

promettait les voluptés dévorantes. Quoique cette fille dût savoir rire et folâtrer, ses yeux et son sourire effrayaient la pensée. Semblable à ces prophétesses agitées par un démon, elle étonnait plutôt qu'elle ne plaisait. Toutes les expressions passaient par masses et comme des éclairs sur sa figure mobile. Peut-être eût-elle ravi des gens blasés, mais un jeune homme l'eût redoutée. C'était une statue colossale tombée du haut de quelque temple grec, sublime à distance, mais grossière à voir de près. Néanmoins, sa foudroyante beauté devait réveiller les impuissants, sa voix charmer les sourds, ses regards ranimer de vieux ossements ; aussi Émile la compara-t-il vaguement à une tragédie de Shakespeare, espèce d'arabesque admirable où la joie hurle, où l'amour a je ne sais quoi de sauvage, où la magie de la grâce et le feu du bonheur succèdent aux sanglants tumultes de la colère ; monstre qui sait mordre et caresser, rire comme un démon, pleurer comme les anges, improviser dans une seule étreinte toutes les séductions de la femme, excepté les soupirs de la mélancolie et les enchanteresses modesties d'une vierge ; puis en un moment rugir, se déchirer les flancs, briser sa passion, son amant ; enfin, se détruire elle-même comme fait un peuple insurgé. Vêtue d'une robe en velours rouge, elle foulait d'un pied insouciant quelques fleurs déjà tombées de la tête de ses compagnes, et d'une main dédaigneuse tendait aux deux amis un plateau d'argent. Fière de sa beauté, fière de ses vices peut-être, elle montrait un bras blanc, qui se détachait vivement sur le velours. Elle était là comme la reine du plaisir, comme une image de la joie humaine, de cette joie qui dissipe les trésors amassés par trois générations, qui rit sur des cadavres, se moque des aïeux, dissout des perles et des trônes, transforme les jeunes gens en vieillards, et souvent les vieillards en jeunes gens ; de cette joie permise seulement aux géants fatigués du pouvoir, éprouvés par la pensée, ou pour lesquels la guerre est devenue comme un jouet.

— Comment te nommes-tu ? lui dit Raphaël.

— Aquilina.

— Oh ! oh ! tu viens de *Venise sauvée* [1], s'écria Émile.

---

1. *Venise sauvée* : tragédie de Thomas Otway (1652-1685).

– Oui, répondit-elle. De même que les papes se donnent de nouveaux noms en montant au-dessus des hommes, j'en ai pris un autre en m'élevant au-dessus de toutes les femmes.

– As-tu donc, comme ta patronne, un noble et terrible conspirateur qui t'aime et sache mourir pour toi ? dit vivement Émile, réveillé par cette apparence de poésie.

– Je l'ai eu, répondit-elle. Mais la guillotine a été ma rivale. Aussi metté-je toujours quelques chiffons rouges dans ma parure pour que ma joie n'aille jamais trop loin.

– Oh ! si vous lui laissez raconter l'histoire des quatre jeunes gens de La Rochelle[1], elle n'en finira pas. Tais-toi donc, Aquilina ! Les femmes n'ont-elles pas toutes un amant à pleurer ; mais toutes n'ont pas, comme toi, le bonheur de l'avoir perdu sur un échafaud. Ah ! j'aimerais bien mieux savoir le mien couché dans une fosse, à Clamart[2], que dans le lit d'une rivale.

Ces phrases furent prononcées d'une voix douce et mélodieuse par la plus innocente, la plus jolie et la plus gentille petite créature qui sous la baguette d'une fée fût jamais sortie d'un œuf enchanté. Elle était arrivée à pas muets, et montrait une figure délicate, une taille grêle, des yeux bleus ravissants de modestie, des tempes fraîches et pures. Une naïade ingénue, qui s'échappe de sa source, n'est pas plus timide, plus blanche ni plus naïve que cette jeune fille qui paraissait avoir seize ans, ignorer le mal, ignorer l'amour, ne pas connaître les orages de la vie, et venir d'une église où elle aurait prié les anges d'obtenir avant le temps son rappel dans les cieux. À Paris seulement se rencontrent ces créatures au visage candide qui cachent la dépravation la plus profonde, les vices les plus raffinés, sous un front aussi doux, aussi tendre que la fleur d'une marguerite. Trompés d'abord par les célestes promesses écrites dans les suaves attraits de cette jeune fille, Émile et Raphaël acceptèrent le café qu'elle leur versa dans les tasses présentées par Aquilina, et se mirent à la questionner.

---

1. *Quatre jeunes gens de La Rochelle* : quatre soldats, soupçonnés de carbonarisme (républicains), furent exécutés à La Rochelle en 1822. Cette exécution fut à l'origine d'un soulèvement populaire. \ **2.** *Clamart* : ville où étaient enterrées les personnes exécutées.

Elle acheva de transfigurer aux yeux des deux poètes, par une sinistre allégorie, je ne sais quelle face de la vie humaine, en opposant à l'expression rude et passionnée de son imposante compagne le portrait de cette corruption froide, voluptueusement cruelle, assez étourdie pour commettre un crime, assez forte pour en rire ; espèce de démon sans cœur, qui punit les âmes riches et tendres de ressentir les émotions dont il est privé, qui trouve toujours une grimace d'amour à vendre, des larmes pour le convoi de sa victime, et de la joie le soir pour en lire le testament. Un poète eût admiré la belle Aquilina ; le monde entier devait fuir la touchante Euphrasie : l'une était l'âme du vice, l'autre le vice sans âme.

— Je voudrais bien savoir, dit Émile à cette jolie créature, si parfois tu songes à l'avenir.

— L'avenir ! répondit-elle en riant. Qu'appelez-vous l'avenir ? Pourquoi penserais-je à ce qui n'existe pas encore ? Je ne regarde jamais ni en arrière ni en avant de moi. N'est-ce pas déjà trop que de m'occuper d'une journée à la fois ? D'ailleurs, l'avenir, nous le connaissons, c'est l'hôpital.

— Comment peux-tu voir d'ici l'hôpital et ne pas éviter d'y aller ? s'écria Raphaël.

— Qu'a donc l'hôpital de si effrayant ? demanda la terrible Aquilina. Quand nous ne sommes ni mères ni épouses, quand la vieillesse nous met des bas noirs aux jambes et des rides au front, flétrit tout ce qu'il y a de femme en nous et sèche la joie dans les regards de nos amis, de quoi pourrions-nous avoir besoin ? Vous ne voyez plus alors en nous, de notre parure, que sa fange primitive qui marche sur deux pattes, froide, sèche, décomposée, et va produisant un bruissement de feuilles mortes. Les plus jolis chiffons nous deviennent des haillons, l'ambre qui réjouissait le boudoir prend une odeur de mort et sent le squelette ; puis, s'il se trouve un cœur dans cette boue, vous y insultez tous, vous ne nous permettez même pas un souvenir. Ainsi, que nous soyons, à cette époque de la vie, dans un riche hôtel à soigner des chiens, ou dans un hôpital à trier des guenilles, notre existence n'est-elle pas exactement la même ? Cacher nos cheveux blancs sous un mouchoir à carreaux rouges et bleus ou sous des dentelles, balayer les rues avec du bouleau ou les marches des Tuileries avec du satin, être assises à des foyers dorés ou nous chauffer à des cendres dans un pot de terre rouge, assister au spectacle de la Grève, ou aller à l'Opéra, y a-t-il donc là tant de différence ?

– *Aquilina mia*, jamais tu n'as eu tant de raison au milieu de tes désespoirs, reprit Euphrasie. Oui, les cachemires, les vélins[1], les parfums, l'or, la soie, le luxe, tout ce qui brille, tout ce qui plaît ne va bien qu'à la jeunesse. Le temps seul pourrait avoir raison contre nos folies, mais le bonheur nous absout. Vous riez de ce que je dis, s'écria-t-elle en lançant un sourire venimeux aux deux amis ; n'ai-je pas raison ? J'aime mieux mourir de plaisir que de maladie. Je n'ai ni la manie de la perpétuité ni grand respect pour l'espèce humaine à voir ce que Dieu en fait ! Donnez-moi des millions, je les mangerai ; je ne voudrais pas garder un centime pour l'année prochaine. Vivre pour plaire et régner, tel est l'arrêt que prononce chaque battement de mon cœur. La société m'approuve ; ne fournit-elle pas sans cesse à mes dissipations ? Pourquoi le bon Dieu me fait-il tous les matins la rente de ce que je dépense tous les soirs ? Pourquoi nous bâtissez-vous des hôpitaux ? Comme il ne nous a pas mis entre le bien et le mal pour choisir ce qui nous blesse ou nous ennuie, je serais bien sotte de ne pas m'amuser.

– Et les autres ? dit Émile.

– Les autres ? Eh bien, qu'ils s'arrangent ! J'aime mieux rire de leurs souffrances que d'avoir à pleurer sur les miennes. Je défie un homme de me causer la moindre peine.

– Qu'as-tu donc souffert pour penser ainsi ? demanda Raphaël.

– J'ai été quittée pour un héritage, moi ! dit-elle en prenant une pose qui fit ressortir toutes ses séductions. Et cependant j'avais passé les nuits et les jours à travailler pour nourrir mon amant. Je ne veux plus être la dupe d'aucun sourire, d'aucune promesse, et je prétends faire de mon existence une longue partie de plaisir.

---

1. *Vélin* : dentelle d'Alençon.

— Mais, s'écria Raphaël, le bonheur ne vient-il donc pas de l'âme ?

— Eh bien, reprit Aquilina, n'est-ce rien que de se voir admirée, flattée, de triompher de toutes les femmes, même des plus vertueuses, en les écrasant par notre beauté, par notre richesse ? D'ailleurs nous vivons plus en un jour qu'une bonne bourgeoise en dix ans, et alors tout est jugé.

— Une femme sans vertu n'est-elle pas odieuse ? dit Émile à Raphaël.

Euphrasie leur lança un regard de vipère, et répondit avec un inimitable accent d'ironie :

— La vertu ! nous la laissons aux laides et aux bossues. Que seraient-elles sans cela, les pauvres femmes ?

— Allons, tais-toi, s'écria Émile, ne parle point de ce que tu ne connais pas.

— Ah ! je ne la connais pas ! reprit Euphrasie. Se donner pendant toute la vie à un être détesté, savoir élever des enfants qui vous abandonnent, et leur dire : Merci ! quand ils vous frappent au cœur ; voilà les vertus que vous ordonnez à la femme ; et encore, pour la récompenser de son abnégation, venez-vous lui imposer des souffrances en cherchant à la séduire ; si elle résiste, vous la compromettez. Jolie vie ! Autant rester libres, aimer ceux qui nous plaisent et mourir jeunes.

— Ne crains-tu pas de payer tout cela un jour ?

— Eh bien, répondit-elle, au lieu d'entremêler mes plaisirs de chagrins, ma vie sera coupée en deux parts : une jeunesse certainement joyeuse, et je ne sais quelle vieillesse incertaine pendant laquelle je souffrirai tout à mon aise.

— Elle n'a pas aimé, dit Aquilina d'un son de voix profond. Elle n'a jamais fait cent lieues pour aller dévorer avec mille délices un regard et un refus ; elle n'a point attaché sa vie à un cheveu, ni essayé de poignarder plusieurs hommes pour sauver son souverain, son seigneur, son dieu. Pour elle, l'amour était un joli colonel.

— Hé ! hé ! *La Rochelle*, répondit Euphrasie, l'amour est comme le vent, nous ne savons d'où il vient. D'ailleurs, si tu avais été bien aimée par une bête, tu prendrais les gens d'esprit en horreur.

– Le Code nous défend d'aimer les bêtes, répliqua la grande Aquilina d'un accent ironique.

– Je te croyais plus indulgente pour les militaires, s'écria Euphrasie en riant.

– Sont-elles heureuses de pouvoir abdiquer ainsi leur raison ! s'écria Raphaël.

– Heureuses ! dit Aquilina souriant de pitié, de terreur, en jetant aux deux amis un horrible regard. Ah ! vous ignorez ce que c'est que d'être condamnée au plaisir avec un mort dans le cœur.

Contempler en ce moment les salons, c'était avoir une vue anticipée du Pandémonium de Milton [1]. Les flammes bleues du punch coloraient d'une teinte infernale les visages de ceux qui pouvaient boire encore. Des danses folles, animées par une sauvage énergie, excitaient des rires et des cris qui éclataient comme les détonations d'un feu d'artifice. Jonchés de morts et de mourants, le boudoir et un petit salon offraient l'image d'un champ de bataille. L'atmosphère était chaude de vin, de plaisirs et de paroles. L'ivresse, l'amour, le délire, l'oubli du monde étaient dans les cœurs, sur les visages, écrits sur les tapis, exprimés par le désordre, et jetaient sur tous les regards de légers voiles qui faisaient voir dans l'air des vapeurs enivrantes. Il s'était ému, comme dans les bandes lumineuses tracées par un rayon de soleil, une poussière brillante à travers laquelle se jouaient les formes les plus capricieuses, les luttes les plus grotesques. Çà et là, des groupes de figures enlacées se confondaient avec les marbres blancs, nobles chefs-d'œuvre de la sculpture qui ornaient les appartements. Quoique les deux amis conservassent encore une sorte de lucidité trompeuse dans les idées et dans leurs organes, un dernier frémissement, simulacre imparfait de la vie, il leur était impossible de reconnaître ce qu'il y avait de réel dans les fantaisies bizarres, de possible dans les tableaux surnaturels qui passaient incessamment devant leurs yeux lassés. Le ciel étouffant de nos rêves, l'ardente suavité que contractent les figures dans nos visions, surtout je ne sais quelle agilité chargée de chaînes, enfin les phénomènes les plus inaccoutumés du sommeil

---

1. *Pandémonium de Milton* : le pandémonium est la capitale de l'enfer dans *Le Paradis perdu*, poème biblique en douze chants, de John Milton (1608-1674).

les assaillaient si vivement qu'ils prirent les jeux de cette débauche pour les caprices d'un cauchemar où le mouvement est sans bruit, où les cris sont perdus pour l'oreille. En ce moment le valet de chambre de confiance réussit, non sans peine, à attirer son maître dans l'antichambre, et lui dit à l'oreille :

— Monsieur, tous les voisins sont aux fenêtres et se plaignent du tapage.

— S'ils ont peur du bruit, ne peuvent-ils pas faire mettre de la paille devant leurs portes ? s'écria Taillefer.

Raphaël laissa tout à coup échapper un éclat de rire si brusquement intempestif, que son ami lui demanda compte de cette joie brutale.

— Tu me comprendrais difficilement, répondit-il. D'abord, il faudrait t'avouer que vous m'avez arrêté sur le quai Voltaire, au moment où j'allais me jeter dans la Seine, et tu voudrais sans doute connaître les motifs de ma mort. Mais quand j'ajouterais que, par un hasard presque fabuleux, les ruines les plus poétiques du monde matériel venaient alors de se résumer à mes yeux par une traduction symbolique de la sagesse humaine ; tandis qu'en ce moment les débris de tous les trésors intellectuels que nous avons saccagés à table aboutissent à ces deux femmes, images vives et originales de la folie, et que notre profonde insouciance des hommes et des choses a servi de transition aux tableaux fortement colorés de deux systèmes d'existence si diamétralement opposés, en seras-tu plus instruit ? Si tu n'étais pas ivre, tu y verrais peut-être un traité de philosophie.

— Si tu n'avais pas les deux pieds sur cette ravissante Aquilina dont les ronflements ont je ne sais quelle analogie avec le rugissement d'un orage près d'éclater, reprit Émile qui lui-même s'amusait à rouler et à dérouler les cheveux d'Euphrasie sans trop avoir la conscience de cette innocente occupation, tu rougirais de ton ivresse et de ton bavardage. Tes deux systèmes peuvent entrer dans une seule phrase et se réduisent à une pensée. La vie simple et mécanique conduit à quelque sagesse insensée en étouffant notre intelligence par le travail ; tandis que la vie passée dans le vide des abstractions ou dans les abîmes du monde moral mène à quelque folle sagesse. En un mot, tuer les sentiments pour vivre vieux, ou mourir jeune en acceptant le martyre des passions, voilà notre arrêt. Encore, cette sentence lutte-t-elle avec les tempéraments que nous a donnés le rude goguenard à qui nous devons le patron de toutes les créatures.

— Imbécile ! s'écria Raphaël en l'interrompant. Continue à t'abréger toi-même ainsi, tu feras des volumes ! Si j'avais eu la prétention de formuler proprement ces deux idées, je t'aurais dit que l'homme se corrompt par l'exercice de la raison et se purifie par l'ignorance. C'est faire le procès aux sociétés ! Mais que nous vivions avec les sages ou que nous périssions avec les fous, le résultat n'est-il pas tôt ou tard le même ? Aussi, le grand abstracteur de quintessence a-t-il jadis exprimé ces deux systèmes en deux mots : CARYMARY, CARYMARA [1].

— Tu me fais douter de la puissance de Dieu, car tu es plus bête qu'il n'est puissant, répliqua Émile. Notre cher Rabelais a résolu cette philosophie par un mot plus bref que *Carymary, Carymara* : c'est *peut-être*, d'où Montaigne a pris son *Que sais-je ?* Encore ces derniers mots de la science morale ne sont-ils guère que l'exclamation de Pyrrhon [2] restant entre le bien et le mal, comme l'âne de Buridan [3] entre deux mesures d'avoine. Mais laissons là cette éternelle discussion qui aboutit aujourd'hui à *oui et non*. Quelle expérience voulais-tu donc faire en te jetant dans la Seine ? Étais-tu jaloux de la machine hydraulique [4] du pont Notre-Dame ?

— Ah ! si tu connaissais ma vie.

— Ah ! s'écria Émile, je ne te croyais pas si vulgaire, la phrase est usée. Ne sais-tu pas que nous avons tous la prétention de souffrir beaucoup plus que les autres ?

— Ah ! s'écria Raphaël.

— Mais tu es bouffon avec ton *ah !* Voyons ? Une maladie d'âme ou de corps t'oblige-t-elle de ramener tous les matins, par une

---

1. *Carymary, Carymara* : mots employés par Rabelais dans *Gargantua* (chap. XVII). Ce sont les exclamations des Parisiens arrosés par la jument de Gargantua. \ **2.** *Pyrrhon* : philosophe grec (365-265 env. av. J.-C.), fondateur du scepticisme. \ **3.** *Buridan* : philosophe français (1300-1366) auteur de la parabole de l'âne : l'âne, à égale distance d'une botte de foin et d'un seau d'eau, et ayant également faim et soif, ne parvient pas à choisir et meurt. \ **4.** *Machine hydraulique* : pompe située au milieu du pont Notre-Dame qui alimentait certaines fontaines de Paris.

contraction de tes muscles, les chevaux qui le soir doivent t'écarteler, comme jadis le fit Damiens[1] ? As-tu mangé ton chien tout cru, sans sel, dans ta mansarde ? Tes enfants t'ont-ils jamais dit : J'ai faim ? As-tu vendu les cheveux de ta maîtresse pour aller au jeu ? Es-tu jamais allé payer à un faux domicile une fausse lettre de change, tirée sur un faux oncle, avec la crainte d'arriver trop tard ? Voyons, j'écoute. Si tu te jetais à l'eau pour une femme, pour un protêt[2], ou par ennui, je te renie. Confesse-toi, ne mens pas ; je ne te demande point de mémoires historiques. Surtout, sois aussi bref que ton ivresse te le permettra ; je suis exigeant comme un lecteur et près de dormir comme une femme qui lit ses vêpres[3].

— Pauvre sot ! dit Raphaël. Depuis quand les douleurs ne sont-elles plus en raison de la sensibilité ? Lorsque nous arriverons au degré de science qui nous permettra de faire une histoire naturelle des cœurs, de les nommer, de les classer en genres, en sous-genres, en familles, en crustacés, en fossiles, en sauriens, en microscopiques, en... que sais-je ? alors, mon bon ami, ce sera chose prouvée qu'il en existe de tendres, de délicats, comme des fleurs, et qui doivent se briser comme elles par de légers froissements auxquels certains cœurs minéraux ne sont même pas sensibles.

— Oh ! de grâce, épargne-moi ta préface, dit Émile d'un air moitié riant moitié piteux, en prenant la main de Raphaël.

---

1. *Damiens* : Robert Damiens (1715-1757), après une tentative de régicide, fut écartelé en place de Grève. \ **2.** *Protêt* : acte par lequel le porteur d'une lettre de change fait constater que ce billet n'a pas été payé à l'échéance. \ **3.** *Vêpres* : textes de l'office religieux du soir.

La Femme sans cœur

Après être resté silencieux pendant un moment, Raphaël dit en laissant échapper un geste d'insouciance :

— Je ne sais en vérité s'il ne faut pas attribuer aux fumées du vin et du punch l'espèce de lucidité qui me permet d'embrasser en cet instant toute ma vie comme un même tableau où les figures, les couleurs, les ombres, les lumières, les demi-teintes sont fidèlement rendues. Ce jeu poétique de mon imagination ne m'étonnerait pas, s'il n'était accompagné d'une sorte de dédain pour mes souffrances et pour mes joies passées. Vue à distance, ma vie est comme rétrécie par un phénomène moral. Cette longue et lente douleur qui a duré dix ans peut aujourd'hui se reproduire par quelques phrases dans lesquelles la douleur ne sera plus qu'une pensée, et le plaisir une réflexion philosophique. Je juge, au lieu de sentir...

— Tu es ennuyeux comme un amendement qui se développe, s'écria Émile.

— C'est possible, reprit Raphaël sans murmurer. Aussi, pour ne pas abuser de tes oreilles, te ferai-je grâce des dix-sept premières années de ma vie. Jusque-là, j'ai vécu comme toi, comme mille autres, de cette vie de collège ou de lycée, dont les malheurs fictifs et les joies réelles sont les délices de notre souvenir, à laquelle notre gastronomie blasée redemande les légumes du vendredi, tant que nous ne les avons pas goûtés de nouveau : belle vie dont les travaux nous semblent méprisables et qui cependant nous ont appris le travail...

— Arrive au drame, dit Émile d'un air moitié comique et moitié plaintif.

— Quand je sortis du collège, reprit Raphaël en réclamant par un geste le droit de continuer, mon père m'astreignit à une discipline sévère, il me logea dans une chambre contiguë à son cabinet ; je me couchais dès neuf heures du soir et me levais à cinq heures du matin ; il voulait que je fisse mon Droit en conscience, j'allais en même temps à l'École et chez un avoué ; mais les lois du temps et de l'espace étaient si sévèrement appliquées à mes courses, à mes travaux, et mon père me demandait en dînant un compte si rigoureux de…

— Qu'est-ce que cela me fait ? dit Émile.

— Eh ! que le diable t'emporte, répondit Raphaël. Comment pourras-tu concevoir mes sentiments si je ne te raconte les faits imperceptibles qui influèrent sur mon âme, la façonnèrent à la crainte et me laissèrent longtemps dans la naïveté primitive du jeune homme ? Ainsi, jusqu'à vingt et un ans, j'ai été courbé sous un despotisme aussi froid que celui d'une règle monacale. Pour te révéler les tristesses de ma vie, il suffira peut-être de te dépeindre mon père : un grand homme sec et mince, le visage en lame de couteau, le teint pâle, à parole brève, taquin comme une vieille fille, méticuleux comme un chef de bureau. Sa paternité planait au-dessus de mes lutines et joyeuses pensées, et les enfermait comme sous un dôme de plomb ; si je voulais lui manifester un sentiment doux et tendre, il me recevait en enfant qui va dire une sottise ; je le redoutais bien plus que nous ne craignions naguère nos maîtres d'étude ; j'avais toujours huit ans pour lui. Je crois encore le voir devant moi. Dans sa redingote marron, où il se tenait droit comme un siège pascal, il avait l'air d'un hareng saur enveloppé dans la couverture rougeâtre d'un pamphlet. Cependant j'aimais mon père, au fond il était juste. Peut-être ne haïssons-nous pas la sévérité quand elle est justifiée par un grand caractère, par des mœurs pures, et qu'elle est adroitement entremêlée de bonté. Si mon père ne me quitta jamais, si jusqu'à l'âge de vingt ans, il ne laissa pas dix francs à ma disposition, dix coquins, dix libertins de francs, trésor immense dont la possession vainement enviée me faisait rêver d'ineffables délices, il cherchait du moins à me procurer quelques distractions. Après m'avoir promis un plaisir pendant des mois entiers, il me conduisait aux

Bouffons, à un concert, à un bal où j'espérais rencontrer une maîtresse. Une maîtresse! c'était pour moi l'indépendance. Mais honteux et timide, ne sachant point l'idiome[1] des salons et n'y connaissant personne, j'en revenais le cœur toujours aussi neuf et tout aussi gonflé de désirs. Puis le lendemain, bridé comme un cheval d'escadron par mon père, dès le matin je retournais chez un avoué, au Droit, au Palais. Vouloir m'écarter de la route uniforme que mon père m'avait tracée, c'eût été m'exposer à sa colère; il m'avait menacé de m'embarquer à ma première faute, en qualité de mousse, pour les Antilles. Aussi me prenait-il un horrible frisson quand par hasard j'osais m'aventurer, pendant une heure ou deux, dans quelque partie de plaisir. Figure-toi l'imagination la plus vagabonde, le cœur le plus amoureux, l'âme la plus tendre, l'esprit le plus poétique, sans cesse en présence de l'homme le plus caillouteux, le plus atrabilaire[2], le plus froid du monde; enfin marie une jeune fille à un squelette, et tu comprendras l'existence dont les scènes curieuses ne peuvent que t'être dites: projets de fuite évanouis à l'aspect de mon père, désespoirs calmés par le sommeil, désirs comprimés, sombres mélancolies dissipées par la musique. J'exhalais mon malheur en mélodies. Beethoven ou Mozart furent souvent mes discrets confidents. Aujourd'hui je souris en me souvenant de tous les préjugés qui troublaient ma conscience à cette époque d'innocence et de vertu: si j'avais mis le pied chez un restaurateur, je me serais cru ruiné; mon imagination me faisait considérer un café comme un lieu de débauche, où les hommes se perdaient d'honneur et engageaient leur fortune; quant à risquer de l'argent au jeu, il aurait fallu en avoir. Oh! quand je devrais t'endormir, je veux te raconter l'une des plus terribles joies de ma vie, une de ces joies armées de griffes et qui s'enfoncent dans notre cœur comme un fer chaud sur l'épaule d'un forçat. J'étais au bal chez le duc de Navarreins, cousin de mon père. Mais pour que tu puisses parfaitement comprendre ma position, apprends que j'avais un habit râpé, des souliers mal faits, une cravate de

---

1. *Idiome*: façon de parler propre à un groupe social. \ **2.** *Atrabilaire*: irrité, en colère.

cocher et des gants déjà portés. Je me mis dans un coin afin de pouvoir tout à mon aise prendre des glaces et contempler les jolies femmes. Mon père m'aperçut. Par une raison que je n'ai jamais devinée, tant cet acte de confiance m'abasourdit, il me donna sa bourse et ses clefs à garder. À dix pas de moi quelques hommes jouaient. J'entendais frétiller l'or. J'avais vingt ans, je souhaitais passer une journée entière plongé dans les crimes de mon âge. C'était un libertinage d'esprit dont l'analogue ne se trouverait ni dans les caprices de courtisane, ni dans les songes des jeunes filles. Depuis un an je me rêvais bien mis, en voiture, ayant une belle femme à mes côtés, tranchant du seigneur[1], dînant chez Véry[2], allant le soir au spectacle, décidé à ne revenir que le lendemain chez mon père, mais armé contre lui d'une aventure plus intriguée que ne l'est le *Mariage de Figaro*[3], et de laquelle il lui aurait été impossible de se dépêtrer. J'avais estimé toute cette joie cinquante écus. N'étais-je pas encore sous le charme naïf de *l'école buissonnière*? J'allai donc dans un boudoir où, seul, les yeux cuisants, les doigts tremblants, je comptai l'argent de mon père : cent écus ! Évoquées par cette somme, les joies de mon escapade apparurent devant moi, dansant comme les sorcières de Macbeth[4] autour de leur chaudière, mais alléchantes, frémissantes, délicieuses ! je devins un coquin déterminé. Sans écouter ni les tintements de mon oreille, ni les battements précipités de mon cœur, je pris deux pièces de vingt francs que je vois encore ! Leurs millésimes étaient effacés et la figure de Bonaparte y grimaçait. Après avoir mis la bourse dans ma poche, je revins vers une table de jeu en tenant les deux pièces d'or dans la paume humide de ma main, et je rôdai autour des joueurs comme un émouchet[5] au-dessus d'un poulailler. En proie à des angoisses inexprimables, je jetai soudain un regard translucide autour de moi. Certain de n'être aperçu par aucune personne de connaissance, je pariai pour

1. *Tranchant du seigneur* : se donnant des airs avantageux de seigneur. \ 2. *Véry* : restaurant célèbre du Palais-Royal. \ 3. *Mariage de Figaro* : cette comédie en cinq actes de Beaumarchais (1784) est réputée pour la complexité de son intrigue due à de multiples rebondissements et quiproquos. \ 4. *Macbeth* : drame de Shakespeare (1605). Macbeth dans le premier acte rencontre des sorcières qui lui prédisent son avenir. \ 5. *Émouchet* : petit rapace.

un petit homme gras et réjoui, sur la tête duquel j'accumulai plus de prières et de vœux qu'il ne s'en fait en mer pendant trois tempêtes. Puis, avec un instinct de scélératesse ou de machiavélisme surprenant à mon âge, j'allai me planter près d'une porte, regardant à travers les salons sans y rien voir. Mon âme et mes yeux voltigeaient autour du fatal tapis vert. De cette soirée date la première observation physiologique à laquelle j'ai dû cette espèce de pénétration qui m'a permis de saisir quelques mystères de notre double nature. Je tournais le dos à la table où se disputait mon futur bonheur, bonheur d'autant plus profond peut-être qu'il était criminel; entre les deux joueurs et moi, il se trouvait une haie d'hommes, épaisse de quatre ou cinq rangées de causeurs; le bourdonnement des voix empêchait de distinguer le son de l'or qui se mêlait au bruit de l'orchestre; malgré tous ces obstacles, par un privilège accordé aux passions et qui leur donne le pouvoir d'anéantir l'espace et le temps, j'entendais distinctement les paroles des deux joueurs, je connaissais leurs points, je savais celui des deux qui retournait le roi comme si j'eusse vu les cartes; enfin à dix pas du jeu, je pâlissais de ses caprices. Mon père passa devant moi tout à coup, je compris alors cette parole de l'Écriture: «L'esprit de Dieu passa devant sa face[1]!» J'avais gagné. À travers le tourbillon d'hommes qui gravitait autour des joueurs, j'accourus à la table en m'y glissant avec la dextérité d'une anguille qui s'échappe par la maille rompue d'un filet. De douloureuses, mes fibres devinrent joyeuses. J'étais comme un condamné qui, marchant au supplice, a rencontré le roi[2]. Par hasard, un homme décoré réclama quarante francs qui manquaient. Je fus soupçonné par des yeux inquiets, je pâlis et des gouttes de sueur sillonnèrent mon front. Le crime d'avoir volé mon père me parut bien vengé. Le bon gros petit homme dit alors d'une voix certainement angélique: «Tous ces messieurs avaient mis», et paya les quarante francs. Je relevai mon front et jetai des regards triomphants sur les joueurs. Après avoir réintégré dans la

---

1. *L'esprit de Dieu passa devant sa face*: citation libre de la Bible. \ **2.** *J'étais {…} le roi*: sans doute, y avait-il dans ce cas une tradition de grâce.

bourse de mon père l'or que j'y avais pris, je laissai mon gain à ce digne et honnête monsieur qui continua de gagner. Dès que je me vis possesseur de cent soixante francs, je les enveloppai dans mon mouchoir de manière à ce qu'ils ne pussent ni remuer ni sonner pendant notre retour au logis, et ne jouai plus. – «Que faisiez-vous au jeu? me dit mon père en entrant dans le fiacre. – Je regardais, répondis-je en tremblant. – Mais, reprit mon père, il n'y aurait eu rien d'extraordinaire à ce que vous eussiez été forcé par amour-propre à mettre quelque argent sur le tapis. Aux yeux des gens du monde, vous paraissez assez âgé pour avoir le droit de commettre des sottises. Aussi vous excuserais-je, Raphaël, si vous vous étiez servi de ma bourse… » Je ne répondis rien. Quand nous fûmes de retour, je rendis à mon père ses clefs et son argent. En rentrant dans sa chambre, il vida la bourse sur sa cheminée, compta l'or, se tourna vers moi d'un air assez gracieux, et me dit en séparant chaque phrase par une pause plus ou moins longue et significative: – «Mon fils, vous avez bientôt vingt ans. je suis content de vous. Il vous faut une pension, ne fût-ce que pour vous apprendre à économiser, à connaître les choses de la vie. Dès ce soir, je vous donnerai cent francs par mois. Vous disposerez de votre argent comme il vous plaira. Voici le premier trimestre de cette année», ajouta-t-il en caressant une pile d'or, comme pour vérifier la somme. J'avoue que je fus près de me jeter à ses pieds, de lui déclarer que j'étais un brigand, un infâme, et… pis que cela, un menteur! La honte me retint, j'allais l'embrasser, il me repoussa faiblement. «Maintenant, tu es un homme, *mon enfant*, me dit-il. Ce que je fais est une chose simple et juste dont tu ne dois pas me remercier. Si j'ai droit à votre reconnaissance, Raphaël, reprit-il d'un ton doux mais plein de dignité, c'est pour avoir préservé votre jeunesse des malheurs qui dévorent tous les jeunes gens, à Paris. Désormais, nous serons deux amis. Vous deviendrez, dans un an, docteur en droit. Vous avez, non sans quelques déplaisirs et certaines privations, acquis les connaissances solides et l'amour du travail si nécessaires aux hommes appelés à manier les affaires. Apprenez, Raphaël, à me connaître. Je ne veux faire de vous ni un avocat, ni un notaire, mais un homme d'État qui puisse devenir la gloire de notre pauvre maison. À demain ! » ajouta-t-il en me renvoyant par un geste mystérieux. Dès ce jour, mon père m'initia franchement à ses projets.

J'étais fils unique et j'avais perdu ma mère depuis dix ans. Autrefois, peu flatté d'avoir le droit de labourer la terre l'épée au côté, mon père, chef d'une maison historique à peu près oubliée en Auvergne, vint à Paris pour y lutter avec le diable. Doué de cette finesse qui rend les hommes du midi de la France si supérieurs quand elle se trouve accompagnée d'énergie, il était parvenu sans grand appui à prendre position au cœur même du pouvoir. La Révolution renversa bientôt sa fortune ; mais il avait su épouser l'héritière d'une grande maison, et s'était vu sous l'Empire au moment de restituer à notre famille son ancienne splendeur. La Restauration, qui rendit à ma mère des biens considérables, ruina mon père. Ayant jadis acheté plusieurs terres données par l'Empereur à ses généraux et situées en pays étranger, il se battait depuis dix ans avec des liquidateurs et des diplomates, avec les tribunaux prussiens et bavarois pour se maintenir dans la possession contestée de ces malheureuses dotations. Mon père me jeta dans le labyrinthe inextricable de ce vaste procès d'où dépendait notre avenir. Nous pouvions être condamnés à restituer les revenus ainsi que le prix de certaines coupes de bois faites de 1814 à 1816 ; dans ce cas, le bien de ma mère suffisait à peine pour sauver l'honneur de notre nom. Ainsi, le jour où mon père parut en quelque sorte m'avoir émancipé, je tombai sous le joug le plus odieux. Je dus combattre comme sur un champ de bataille, travailler nuit et jour, aller voir des hommes d'État, tâcher de surprendre leur religion, tenter de les intéresser à notre affaire, les séduire, eux, leurs femmes, leurs valets, leurs chiens, et déguiser cet horrible métier sous des formes élégantes, sous d'agréables plaisanteries. Je compris tous les chagrins dont l'empreinte flétrissait la figure de mon père. Pendant une année environ, je menai donc en apparence la vie d'un homme du monde ; mais cette dissipation et mon empressement à me lier avec des parents en faveur ou avec des gens qui pouvaient nous êtres utiles, cachaient d'immenses travaux. Mes divertissements étaient encore des plaidoiries, et mes conversations des mémoires. Jusque-là, j'avais été vertueux par l'impossibilité de me livrer à mes passions de jeune homme ; mais craignant alors de causer la ruine de mon père ou la mienne par une négligence, je devins mon propre despote, et n'osai me permettre ni un plaisir ni une dépense. Lorsque nous sommes jeunes, quand, à force de froissements, les hommes et les choses ne nous ont point encore enlevé cette délicate fleur de sentiment, cette verdeur de pensée, cette noble pureté de conscience qui ne nous laisse jamais transiger avec le mal, nous sentons vivement nos devoirs ; notre honneur parle haut et se fait écouter ; nous sommes francs et sans détour : ainsi étais-je alors. Je voulus justifier la confiance de mon père ; naguère, je lui aurais dérobé délicieusement une chétive somme ; mais portant avec lui le fardeau de ses affaires, de son nom, de sa maison, je lui eusse donné secrètement mes biens, mes espérances, comme je lui sacrifiais mes plaisirs, heureux même de mon sacrifice ! Aussi, quand monsieur de Villèle [1] exhuma, tout exprès pour nous, un décret impérial sur les déchéances, et nous eut ruinés, signai-je la vente de mes propriétés, n'en gardant qu'une île sans valeur, située au milieu de la Loire, et où se trouvait le tombeau de ma mère. Aujourd'hui, peut-être, les arguments, les détours, les discussions philosophiques, philanthropiques et politiques ne me manqueraient pas pour me dispenser de faire ce que mon avoué nommait une *bêtise*. Mais à vingt et un ans, nous sommes, je le répète, tout générosité, tout chaleur, tout amour. Les larmes que je vis dans les yeux de mon père furent alors pour moi la plus belle des fortunes, et le souvenir de ces larmes a souvent consolé ma misère. Dix mois après avoir payé ses créanciers, mon père mourut de chagrin, il m'adorait et m'avait ruiné ; cette idée le tua. En 1826, à l'âge de vingt-deux ans, vers la fin de l'automne, je suivis tout seul le convoi de mon premier ami, de mon père. Peu de jeunes gens se sont trouvés, seuls avec leurs pensées, derrière un corbillard, perdus dans Paris, sans avenir, sans fortune. Les orphelins recueillis par la charité publique ont au moins pour avenir le champ de bataille, pour père le Gouver-

---

1. *Villèle* : homme politique français (1773-1854), président du Conseil à partir de 1822.

nement ou le Procureur du roi, pour refuge un hospice. Moi, je n'avais rien ! Trois mois après, un commissaire-priseur me remit onze cent douze francs, produit net et liquide de la succession paternelle. Des créanciers m'avaient obligé à vendre notre mobilier. Accoutumé dès ma jeunesse à donner une grande valeur aux objets de luxe dont j'étais entouré, je ne pus m'empêcher de marquer une sorte d'étonnement à l'aspect de ce reliquat exigu. – « Oh ! me dit le commissaire-priseur, tout cela était bien *rococo* [1]. » Mot épouvantable qui flétrissait toutes les religions de mon enfance et me dépouillait de mes premières illusions, les plus chères de toutes. Ma fortune se résumait par un bordereau de vente, mon avenir gisait dans un sac de toile qui contenait onze cent douze francs, la Société m'apparaissait en la personne d'un huissier-priseur qui me parlait le chapeau sur la tête. Un valet de chambre qui me chérissait, et à qui ma mère avait jadis constitué quatre cents francs de rente viagère, Jonathas me dit en quittant la maison d'où j'étais si souvent sorti joyeusement en voiture pendant mon enfance : « Soyez bien économe, monsieur Raphaël ! » Il pleurait, le bon homme. Tels sont, mon cher Émile, les événements qui maîtrisèrent ma destinée, modifièrent mon âme, et me placèrent jeune encore dans la plus fausse de toutes les situations sociales, dit Raphaël après avoir fait une pause. Des liens de famille, mais faibles, m'attachaient à quelques maisons riches dont l'accès m'eût été interdit par ma fierté, si le mépris et l'indifférence ne m'en eussent déjà fermé les portes. Quoique parent de personnes très influentes et prodigues de leur protection pour des étrangers, je n'avais ni parents ni protecteurs. Sans cesse arrêtée dans ses expansions, mon âme s'était repliée sur elle-même. Plein de franchise et de naturel, je devais paraître froid, dissimulé ; le despotisme de mon père m'avait ôté toute confiance en moi ; j'étais timide et gauche, je ne croyais pas que ma voix pût exercer le moindre empire, je me déplaisais, je me trouvais laid, j'avais honte de mon regard. Malgré la voix intérieure qui doit soutenir les hommes de talent dans leurs

1. *Rococo* : démodé et un peu ridicule.

luttes, et qui me criait : « Courage ! marche ! » malgré les révélations soudaines de ma puissance dans la solitude, malgré l'espoir dont j'étais animé en comparant les ouvrages nouveaux admirés du public à ceux qui voltigeaient dans ma pensée, je doutais de moi comme un enfant. J'étais la proie d'une excessive ambition, je me croyais destiné à de grandes choses, et je me sentais dans le néant. J'avais besoin des hommes, et je me trouvais sans amis. Je devais me frayer une route dans le monde, et j'y restais seul, moins craintif que honteux. Pendant l'année où je fus jeté par mon père dans le tourbillon de la grande société, j'y vins avec un cœur neuf, avec une âme fraîche. Comme tous les grands enfants, j'aspirai secrètement à de belles amours. Je rencontrai parmi les jeunes gens de mon âge une secte de fanfarons qui allaient tête levée, disant des riens, s'asseyant sans trembler près des femmes qui me semblaient les plus imposantes, débitant des impertinences, mâchant le bout de leurs cannes, minaudant, se prostituant à eux-mêmes les plus jolies personnes, mettant ou prétendant avoir mis leurs têtes sur tous les oreillers, ayant l'air d'être au refus du plaisir, considérant les plus vertueuses, les plus prudes comme de prise facile et pouvant être conquises à la simple parole, au moindre geste hardi, par le premier regard insolent ! Je te le déclare, en mon âme et conscience, la conquête du pouvoir ou d'une grande renommée littéraire me paraissait un triomphe moins difficile à obtenir qu'un succès auprès d'une femme de haut rang, jeune, spirituelle et gracieuse. Je trouvai donc les troubles de mon cœur, mes sentiments, mes cultes en désaccord avec les maximes de la société. J'avais de la hardiesse, mais dans l'âme seulement, et non dans les manières. J'ai su plus tard que les femmes ne voulaient pas être mendiées ; j'en ai beaucoup vu que j'adorais de loin, auxquelles je livrais un cœur à toute épreuve, une âme à déchirer, une énergie qui ne s'effrayait ni des sacrifices, ni des tortures ; elles appartenaient à des sots de qui je n'aurais pas voulu pour portiers. Combien de fois, muet, immobile, n'ai-je pas admiré la femme de mes rêves, surgissant dans un bal ; dévouant alors en pensée mon existence à des caresses éternelles, j'imprimais toutes mes espérances en un regard, et lui offrais dans mon extase un amour de jeune homme qui courait au-devant des tromperies. En certains moments, j'aurais donné ma vie pour une seule nuit. Eh bien, n'ayant jamais trouvé d'oreilles où jeter mes propos passionnés, de regards où reposer les miens, de cœur pour mon cœur, j'ai vécu dans tous les tourments d'une impuissante énergie qui se dévorait elle-même, soit faute de hardiesse ou d'occasions, soit inexpérience. Peut-être ai-je désespéré de me faire comprendre, ou tremblé d'être trop compris. Et cependant j'avais un orage tout prêt à chaque regard poli que l'on pouvait m'adresser. Malgré ma promptitude à prendre ce regard ou des mots en apparence affectueux comme de tendres engagements, je n'ai jamais osé ni parler ni me taire à propos. À force de sentiment ma parole était insignifiante, et mon silence devenait stupide. J'avais sans doute trop de naïveté pour une société factice qui vit aux lumières, qui rend toutes ses pensées par des phrases convenues, ou par des mots que dicte la mode. Puis je ne savais point parler en me taisant, ni me taire en parlant. Enfin, gardant en moi des feux qui me brûlaient, ayant une âme semblable à celles que les femmes souhaitent de rencontrer, en proie à cette exaltation dont elle sont avides, possédant l'énergie dont se vantent les sots, toutes les femmes m'ont été traîtreusement cruelles. Aussi admirais-je naïvement les héros de coterie quand ils célébraient leurs triomphes, sans les soupçonner de mensonge. J'avais sans doute le tort de désirer un amour sur parole, de vouloir trouver grande et forte dans un cœur de femme frivole et légère, affamée de luxe, ivre de vanité, cette passion large, cet océan qui battait tempétueusement dans mon cœur. Oh ! se sentir né pour aimer, pour rendre une femme bien heureuse, et n'avoir trouvé personne, même pas une courageuse et noble Marceline[1] ou quelque vieille marquise ! Porter des trésors dans une besace et ne pouvoir rencontrer une enfant, quelque jeune fille curieuse pour les lui faire admirer. J'ai souvent voulu me tuer de désespoir.

---

1. *Marceline* : servante dans *Le Mariage de Figaro*. Amoureuse de Figaro, elle découvre à la fin de la pièce qu'elle est sa mère.

— Joliment tragique ce soir ! s'écria Émile.

— Eh ! laisse-moi condamner ma vie, répondit Raphaël. Si ton amitié n'a pas la force d'écouter mes élégies, si tu ne peux me faire crédit d'une demi-heure d'ennui, dors ! Mais ne me demande plus alors compte de mon suicide qui gronde, qui se dresse, qui m'appelle et que je salue. Pour juger un homme, au moins faut-il être dans le secret de sa pensée, de ses malheurs, de ses émotions ; ne vouloir connaître de sa vie que les événements matériels, c'est faire de la chronologie, l'histoire des sots !

Le ton amer avec lequel ces paroles furent prononcées frappa si vivement Émile que, dès ce moment, il prêta toute son attention à Raphaël en le regardant d'un air hébété.

— Mais, reprit le narrateur, maintenant la lueur qui colore ces accidents leur prête un nouvel aspect. L'ordre des choses que je considérais jadis comme un malheur a peut-être engendré les belles facultés dont plus tard je me suis enorgueilli. La curiosité philosophique, les travaux excessifs, l'amour de la lecture qui, depuis l'âge de sept ans jusqu'à mon entrée dans le monde, ont constamment occupé ma vie, ne m'auraient-ils pas doué de la facile puissance avec laquelle, s'il faut vous en croire, je sais rendre mes idées et marcher en avant dans le vaste champ des connaissances humaines ? L'abandon auquel j'étais condamné, l'habitude de refouler mes sentiments et de vivre dans mon cœur ne m'ont-ils pas investi du pouvoir de comparer, de méditer ? En ne se perdant pas au service des irritations mondaines qui rapetissent la plus belle âme et la réduisent à l'état de guenille, ma sensibilité ne s'est-elle pas concentrée pour devenir l'organe perfectionné d'une volonté plus haute que le vouloir de la passion ? Méconnu par les femmes, je me souviens de les avoir observées avec la sagacité de l'amour dédaigné. Maintenant, je le vois, la sincérité de mon caractère a dû déplaire ! Peut-être les femmes veulent-elles un peu d'hypocrisie ? Moi qui suis tour à tour, dans la même heure, homme et enfant, futile et penseur, sans préjugés et plein de superstitions, souvent femme comme elles, n'ont-elles pas dû prendre ma naïveté pour du cynisme, et la pureté même de ma pensée pour du libertinage ? la science leur était ennui, la langueur féminine faiblesse. Cette excessive mobilité d'imagination, le malheur des poètes, me faisait sans doute juger comme un être incapable d'amour, sans constance dans les idées, sans énergie. Idiot quand je me taisais, je les effarouchais peut-être quand j'essayais de leur plaire, et les femmes m'ont condamné. J'ai accepté, dans les larmes et le chagrin l'arrêt porté par le monde. Cette peine a produit son fruit. Je voulus me venger de la société, je voulus posséder l'âme de toutes les femmes en me soumettant les intelligences, et voir tous les regards fixés sur moi quand mon nom serait prononcé par un valet à la porte du salon. Je m'instituai grand homme. Dès mon enfance je m'étais frappé le front en me disant comme André de Chénier[1] « Il y a quelque chose là ! » Je croyais sentir en moi une pensée à exprimer, un système à établir, une science à expliquer. Ô mon cher Émile ! Aujourd'hui que j'ai vingt-six ans à peine, que je suis sûr de mourir inconnu, sans avoir jamais été l'amant de la femme que j'ai rêvé de posséder, laisse-moi te conter mes folies ! N'avons-nous pas tous, plus ou moins, pris nos désirs pour des réalités ? Ah ! je ne voudrais point pour ami d'un jeune homme qui dans ses rêves ne se serait pas tressé des couronnes, construit quelque piédestal ou donné de complaisantes maîtresses. Moi, j'ai souvent été général, empereur ; j'ai été Byron, puis rien. Après avoir joué sur le faîte des choses humaines, je m'apercevais que toutes les montagnes, toutes les difficultés restaient à gravir. Cet immense amour-propre qui bouillonnait en moi, cette croyance sublime à une destinée, et qui devient du génie peut-être, quand un homme ne se laisse pas déchiqueter l'âme par le contact des affaires aussi facilement qu'un mouton abandonne sa laine aux épines des halliers[2] où il passe, tout cela me sauva. Je voulus me couvrir de gloire et travailler dans le silence pour la maîtresse que j'espérais avoir un jour. Toutes les femmes se résumaient par une seule, et cette femme je croyais la rencontrer dans la première qui s'offrait à mes regards ; mais, voyant une reine dans chacune d'elles, toutes devaient, comme les reines qui sont obligées de faire des avances

---

1. *André de Chénier* : dit André Chénier, poète français (1762-1794), guillotiné sous la Révolution, redécouvert en 1819. \ **2.** *Halliers* : groupe de buissons serrés et touffus.

à leurs amants, venir au-devant de moi, souffreteux, pauvre et timide. Ah! pour celle qui m'eût plaint, j'avais dans le cœur tant de reconnaissance outre l'amour, que je l'eusse adorée pendant toute sa vie. Plus tard, mes observations m'ont appris de cruelles vérités. Ainsi, mon cher Émile, je risquais de vivre éternellement seul. Les femmes sont habituées, par je ne sais quelle pente de leur esprit, à ne voir dans un homme de talent que ses défauts, et dans un sot que ses qualités; elles éprouvent de grandes sympathies pour les qualités du sot qui sont une flatterie perpétuelle de leurs propres défauts, tandis que l'homme supérieur ne leur offre pas assez de jouissances pour compenser ses imperfections. Le talent est une fièvre intermittente, nulle femme n'est jalouse d'en partager seulement les malaises; toutes elles veulent trouver dans leurs amants des motifs de satisfaire leur vanité. C'est elles encore qu'elles aiment en nous! Un homme pauvre, fier, artiste, doué du pouvoir de créer, n'est-il pas armé d'un blessant égoïsme? Il existe autour de lui je ne sais quel tourbillon de pensées dans lequel il enveloppe tout, même sa maîtresse, qui doit en suivre le mouvement. Une femme adulée peut-elle croire à l'amour d'un tel homme? Ira-t-elle le chercher? Cet amant n'a pas le loisir de s'abandonner autour d'un divan à ces petites singeries de sensibilité auxquelles les femmes tiennent tant et qui sont le triomphe des gens faux et insensibles. Le temps manque à ses travaux, comment en dépenserait-il à se rapetisser, à se chamarrer [1]? Prêt à donner ma vie d'un coup, je ne l'aurais pas avilie en détail. Enfin il existe, dans le manège d'un agent de change qui fait les commissions d'une femme pâle et minaudière, je ne sais quoi de mesquin dont a horreur l'artiste. L'amour abstrait ne suffit pas à un homme pauvre et grand, il en veut tous les dévouements. Les petites créatures qui passent leur vie à essayer des cachemires ou qui se font les portemanteaux de la mode n'ont pas de dévouement, elles en exigent et voient dans l'amour le plaisir de commander, non celui d'obéir. La véritable épouse en cœur, en chair et en os, se

---

1. *Chamarrer*: rehausser d'ornements aux couleurs éclatantes tranchant sur celle du fond.

laisse traîner là où va celui en qui réside sa vie, sa force, sa gloire, son bonheur. Aux hommes supérieurs il faut des femmes orientales dont l'unique pensée soit l'étude de leurs besoins ; car pour eux, le malheur est dans le désaccord de leurs désirs et des moyens. Moi, qui me croyais homme de génie, j'aimais précisément ces petites-maîtresses ! Nourrissant des idées si contraires aux idées reçues, ayant la prétention d'escalader le ciel sans échelle, possédant des trésors qui n'avaient pas cours, armé de connaissances étendues qui surchargeaient ma mémoire et que je n'avais pas encore classées, que je ne m'étais point assimilées ; me trouvant sans parents, sans amis, seul au milieu du plus affreux désert, un désert pavé, un désert animé, pensant, vivant, où tout vous est bien plus qu'ennemi, indifférent ! la résolution que je pris était naturelle, quoique folle ; elle comportait je ne sais quoi d'impossible qui me donna du courage. Ce fut comme un parti fait avec moi-même, et où j'étais le joueur et l'enjeu. Voici mon plan. Mes onze cents francs devaient suffire à ma vie pendant trois ans, et je m'accordais ce temps pour mettre au jour un ouvrage qui pût attirer l'attention publique sur moi, me faire une fortune ou un nom. Je me réjouissais en pensant que j'allais vivre de pain et de lait, comme un solitaire de la Thébaïde[1], plongé dans le monde des livres et des idées, dans une sphère inaccessible au milieu de ce Paris si tumultueux, sphère de travail et de silence où comme les chrysalides, je me bâtissais une tombe pour renaître brillant et glorieux. J'allais risquer de mourir pour vivre. En réduisant l'existence à ses vrais besoins, au strict nécessaire, je trouvais que trois cent soixante-cinq francs par an devaient suffire à ma pauvreté. En effet, cette maigre somme a satisfait à ma vie, tant que j'ai voulu subir ma propre discipline claustrale…

— C'est impossible, s'écria Émile.

— J'ai vécu près de trois ans ainsi, répondit Raphaël avec une sorte de fierté. Comptons ? reprit-il. Trois sous de pain, deux sous de lait, trois sous de charcuterie m'empêchaient de mourir de faim et tenaient mon esprit dans un état de lucidité singulière.

---

1. *Thébaïde* : désert de la Haute-Égypte où se retirèrent les premiers ermites chrétiens.

J'ai observé, tu le sais, de merveilleux effets produits par la diète sur l'imagination. Mon logement me coûtait trois sous par jour, je brûlais pour trois sous d'huile par nuit, je faisais moi-même ma chambre, je portais des chemises de flanelle pour ne dépenser que deux sous de blanchissage par jour. Je me chauffais avec du charbon de terre, dont le prix divisé par les jours de l'année n'a jamais donné plus de deux sous pour chacun. J'avais des habits, du linge, des chaussures pour trois années, je ne voulais m'habiller que pour aller à certains cours publics et aux bibliothèques. Ces dépenses réunies ne faisaient que dix-huit sous, il me restait deux sous pour les choses imprévues. Je ne me souviens pas d'avoir, pendant cette longue période de travail, passé le Pont des Arts[1], ni d'avoir jamais acheté d'eau ; j'allais en chercher le matin à la fontaine de la place Saint-Michel, au coin de la rue des Grès. Oh ! je portais ma pauvreté fièrement. Un homme qui pressent un bel avenir marche dans sa vie de misère comme un innocent conduit au supplice, il n'a point honte. Je n'avais pas voulu prévoir la maladie. Comme Aquilina, j'envisageais l'hôpital sans terreur. Je n'ai pas douté un moment de ma bonne santé. D'ailleurs, le pauvre ne doit se coucher que pour mourir. Je me coupai les cheveux, jusqu'au moment où un ange d'amour ou de bonté… Mais je ne veux pas anticiper sur la situation à laquelle j'arrive. Apprends seulement, mon cher ami, qu'à défaut de maîtresse, je vécus avec une grande pensée, avec un rêve, un mensonge auquel nous commençons tous par croire plus ou moins. Aujourd'hui je ris de moi, de ce *moi*, peut-être saint et sublime qui n'existe plus. La société, le monde, nos usages, nos mœurs, vus de près, m'ont révélé le danger de ma croyance innocente et la superfluité de mes fervents travaux. Ces approvisionnements sont inutiles à l'ambitieux. Que léger soit le bagage de qui poursuit la fortune ! La faute des hommes supérieurs est de dépenser leurs jeunes années à se rendre dignes de la faveur. Pendant que les pauvres gens thésaurisent et leur force et la science pour porter sans effort le poids d'une puissance qui les fuit, les intrigants riches de mots et

---

1. *Pont des Arts* : c'était alors un pont à péage.

dépourvus d'idées vont et viennent, surprennent les sots, et se logent dans la confiance des demi-niais ; les uns étudient, les autres marchent, les uns sont modestes, les autres hardis ; l'homme de génie tait son orgueil, l'intrigant arbore le sien, il doit arriver nécessairement. Les hommes du pouvoir ont si fort besoin de croire au mérite tout fait, au talent effronté, qu'il y a chez le vrai savant de l'enfantillage à espérer des récompenses humaines. Je ne cherche certes pas à paraphraser les lieux communs de la vertu, le Cantique des Cantiques[1] éternellement chanté par les génies méconnus ; je veux déduire logiquement la raison des fréquents succès obtenus par les hommes médiocres. Hélas ! l'étude est si maternellement bonne, qu'il y a peut-être crime à lui demander des récompenses autres que les pures et douces joies dont elle nourrit ses enfants. Je me souviens d'avoir quelquefois trempé gaiement mon pain dans mon lait, assis auprès de ma fenêtre en y respirant l'air, en laissant planer mes yeux sur un paysage de toits bruns, grisâtres, rouges, en ardoises, en tuiles, couverts de mousses jaunes ou vertes. Si d'abord cette vue me parut monotone, j'y découvris bientôt de singulières beautés. Tantôt le soir des raies lumineuses, parties des volets mal fermés, nuançaient et animaient les noires profondeurs de ce pays original. Tantôt les lueurs pâles des réverbères projetaient d'en bas des reflets jaunâtres à travers le brouillard, et accusaient faiblement dans les rues les ondulations de ces toits pressés, océan de vagues immobiles. Enfin parfois de rares figures apparaissaient au milieu de ce morne désert, parmi les fleurs de quelque jardin aérien, j'entrevoyais le profil anguleux et crochu d'une vieille femme arrosant des capucines, ou dans le cadre d'une lucarne pourrie quelque jeune fille faisant sa toilette, se croyant seule, et de qui je ne pouvais apercevoir que le beau front et les longs cheveux élevés en l'air par un joli bras blanc. J'admirais dans les gouttières quelques végétations éphémères, pauvres herbes bientôt emportées par un orage ! J'étudiais les mousses, leurs couleurs ravivées par la pluie, et qui sous le soleil se changeaient

---

1. *Cantique des Cantiques* : texte de la Bible.

en un velours sec et brun à reflets capricieux. Enfin les poétiques et fugitifs effets du jour, les tristesses du brouillard, les soudains pétillements du soleil, le silence et les magies de la nuit, les mystères de l'aurore, les fumées de chaque cheminée, tous les accidents de cette singulière nature devenus familiers pour moi, me divertissaient. J'aimais ma prison, elle était volontaire. Ces savanes de Paris formées par les toits nivelés comme une plaine, mais qui couvraient des abîmes peuplés, allaient à mon âme et s'harmonisaient avec mes pensées. Il est fatigant de retrouver brusquement le monde quand nous descendons des hauteurs célestes où nous entraînent les méditations scientifiques ; aussi ai-je alors parfaitement conçu la nudité des monastères. Quand je fus bien résolu à suivre mon nouveau plan de vie, je cherchai mon logis dans les quartiers les plus déserts de Paris. Un soir, en revenant de l'Estrapade, je passais par la rue des Cordiers pour retourner chez moi. À l'angle de la rue de Cluny, je vis une petite fille d'environ quatorze ans qui jouait au volant avec une de ses camarades, et dont les rires et les espiègleries amusaient les voisins. Il faisait beau, la soirée était chaude, le mois de septembre durait encore. Devant chaque porte, des femmes assises devisaient comme dans une ville de province par un jour de fête. J'observai d'abord la jeune fille, dont la physionomie était d'une admirable expression, et le corps tout posé pour un peintre. C'était une scène ravissante. Je cherchai la cause de cette bonhomie au milieu de Paris, je remarquai que la rue n'aboutissait à rien, et ne devait pas être très passante. En me rappelant le séjour de J.-J. Rousseau dans ce lieu, je trouvai l'hôtel Saint-Quentin, le délabrement dans lequel il était me fit espérer d'y rencontrer un gîte peu coûteux, et je voulus le visiter. En entrant dans une chambre basse, je vis les classiques flambeaux de cuivre garnis de leurs chandelles, méthodiquement rangés au-dessus de chaque clef, et fus frappé de la propreté qui régnait dans cette salle ordinairement assez mal tenue dans les autres hôtels et que je trouvai là peignée comme un tableau de genre ; son lit bleu, les ustensiles, les meubles avaient la coquetterie d'une nature de convention. La maîtresse de l'hôtel, femme de quarante ans environ, dont les traits exprimaient des malheurs, dont le regard était comme terni par des pleurs, se leva, vint à moi ; je lui soumis humblement le tarif de mon loyer ; mais, sans en paraître étonnée, elle chercha une clef parmi toutes les autres, et me conduisit dans les mansardes où elle me montra une chambre qui avait vue sur les toits, sur les cours des maisons voisines, par les fenêtres desquelles passaient de longues perches chargées de linge. Rien n'était plus horrible que cette mansarde aux murs jaunes et sales, qui sentait la misère et appelait son savant. La toiture s'y abaissait régulièrement et les tuiles disjointes laissaient voir le ciel. Il y avait place pour un lit, une table, quelques chaises, et sous l'angle aigu du toit je pouvais loger mon piano. N'étant pas assez riche pour meubler cette cage digne des *plombs* de Venise [1], la pauvre femme n'avait jamais pu la louer. Ayant précisément excepté de la vente mobilière que je venais de faire les objets qui m'étaient en quelque sorte personnels, je fus bientôt d'accord avec mon hôtesse, et m'installai le lendemain chez elle. Je vécus dans ce sépulcre [2] aérien pendant près de trois ans, travaillant nuit et jour sans relâche, avec tant de plaisir que l'étude me semblait être le plus beau thème, la plus heureuse solution de la vie humaine. Le calme et le silence nécessaires au savant ont je ne sais quoi de doux, d'enivrant comme l'amour. L'exercice de la pensée, la recherche des idées, les contemplations tranquilles de la Science nous prodiguent d'ineffables délices, indescriptibles comme tout ce qui participe de l'intelligence dont les phénomènes sont invisibles à nos sens extérieurs. Aussi sommes-nous toujours forcés d'expliquer les mystères de l'esprit par des comparaisons matérielles. Le plaisir de nager dans un lac d'eau pure, au milieu des rochers, des bois et des fleurs, seul et caressé par une brise tiède, donnerait aux ignorants une bien faible image du bonheur que j'éprouvais quand mon âme se baignait dans les lueurs de je ne sais quelle lumière, quand j'écoutais les voix terribles et confuses de l'inspiration, quand d'une source inconnue les images ruisselaient dans mon cerveau palpitant. Voir une idée qui point dans le champ des abstractions humaines comme le soleil au

---

1. Plombs *de Venise* : prison située sous les toits du palais des Doges de Venise où fut notamment gardé Casanova. \ **2.** *Sépulcre* : tombeau.

matin et s'élève comme lui, qui, mieux encore, grandit comme un enfant, arrive à la puberté, se fait lentement virile, est une joie supérieure aux autres joies terrestres, ou plutôt c'est un divin plaisir. L'étude prête une sorte de magie à tout ce qui nous environne. Le bureau chétif sur lequel j'écrivais, et la basane [1] brune qui le couvrait, mon piano, mon lit, mon fauteuil, les bizarreries de mon papier de tenture, mes meubles, toutes ces choses s'animèrent et devinrent pour moi d'humbles amis, les complices silencieux de mon avenir ; combien de fois ne leur ai-je pas communiqué mon âme, en les regardant ? Souvent, en laissant voyager mes yeux sur une moulure déjetée [2], je rencontrais des développements nouveaux, une preuve frappante de mon système ou des mots que je croyais heureux pour rendre des pensées presque intraduisibles. À force de contempler les objets qui m'entouraient, je trouvais à chacun sa physionomie, son caractère ; souvent ils me parlaient : si, par-dessus les toits, le soleil couchant jetait à travers mon étroite fenêtre quelque lueur furtive, ils se coloraient, pâlissaient, brillaient, s'attristaient ou s'égayaient en me surprenant toujours par des effets nouveaux. Ces menus accidents de la vie solitaire, qui échappent aux préoccupations du monde, sont la consolation des prisonniers. N'étais-je pas captivé par une idée, emprisonné dans un système ; mais soutenu par la perspective d'une vie glorieuse ? À chaque difficulté vaincue, je baisais les mains douces de la femme aux beaux yeux, élégante et riche qui devait un jour caresser mes cheveux en me disant avec attendrissement : « Tu as bien souffert, pauvre ange ! » J'avais entrepris deux grandes œuvres. Une comédie devait en peu de jours me donner une renommée, une fortune, et l'entrée de ce monde, où je voulais reparaître en y exerçant les droits régaliens [3] de l'homme de génie. Vous avez tous vu dans ce chef-d'œuvre la première erreur d'un jeune homme qui sort du collège, une véritable niaiserie d'enfant. Vos plaisanteries ont coupé les ailes à de fécondes illusions qui depuis ne se sont plus réveillées. Toi seul,

---

1. *Basane* : peau de mouton tannée. \ 2. *Déjetée* : déviée de sa position normale. \ 3. *Régaliens* : royaux.

mon cher Émile, as calmé la plaie profonde que d'autres firent à mon cœur ! Toi seul admiras ma *Théorie de la volonté*, ce long ouvrage pour lequel j'avais appris les langues orientales, l'anatomie, la physiologie, auquel j'avais consacré la plus grande partie de mon temps. Cette œuvre, si je ne me trompe, complètera les travaux de Mesmer[1], de Lavater[2], de Gall[3], de Bichat, en ouvrant une nouvelle route à la science humaine. Là s'arrête ma belle vie, ce sacrifice de tous les jours, ce travail de ver à soie inconnu au monde et dont la seule récompense est peut-être dans le travail même. Depuis l'âge de raison jusqu'au jour où j'eus terminé ma théorie, j'ai observé, appris, écrit, lu sans relâche, et ma vie fut comme un long pensum. Amant efféminé de la paresse orientale, amoureux de mes rêves, sensuel, j'ai toujours travaillé, me refusant à goûter les jouissances de la vie parisienne. Gourmand, j'ai été sobre ; aimant et la marche et les voyages maritimes, désirant visiter plusieurs pays, trouvant encore du plaisir à faire, comme un enfant, ricocher des cailloux sur l'eau, je suis resté constamment assis, une plume à la main ; bavard, j'allais écouter en silence les professeurs aux cours publics de la Bibliothèque et du Muséum ; j'ai dormi sur mon grabat solitaire comme un religieux de l'ordre de Saint-Benoît, et la femme était cependant ma seule chimère, une chimère que je caressais et qui me fuyait toujours ! Enfin ma vie a été une cruelle antithèse, un perpétuel mensonge. Puis jugez donc les hommes ! Parfois mes goûts naturels se réveillaient comme un incendie longtemps couvé. Par une sorte de mirage ou de calenture[4], moi, veuf de toutes les femmes que je désirais, dénué de tout et logé dans une mansarde d'artiste, je me voyais alors entouré de maîtresses ravissantes ! Je courais à travers les rues de Paris, couché sur les moelleux coussins d'un brillant équipage ! J'étais rongé de vices, plongé dans la

---

1. *Mesmer* : Franz-Anton Mesmer (1734-1815), médecin allemand qui a créé la théorie du magnétisme animal. \ **2.** *Lavater* : Johann-Caspar Lavater (1741-1804), pasteur suisse, inventeur de la physiognomonie, théorie qui voit un rapport entre le caractère des hommes et leur apparence physique. \ **3.** *Gall* : Franz-Joseph Gall (1758-1828), médecin allemand, fondateur de la phrénologie, science de l'observation des crânes et de leurs bosses pour déterminer le caractère. \ **4.** *Calenture* : délire furieux qui prend les marins sous les tropiques.

débauche, voulant tout, ayant tout ; enfin ivre à jeun, comme saint Antoine[1] dans sa tentation. Heureusement le sommeil finissait par éteindre ces visions dévorantes ; le lendemain la science m'appelait en souriant, et je lui étais fidèle. J'imagine que les femmes dites vertueuses doivent être souvent la proie de ces tourbillons de folie, de désirs et de passions, qui s'élèvent en nous, malgré nous. De tels rêves ne sont pas sans charmes, ne ressemblent-ils pas à ces causeries du soir, en hiver, où l'on part de son foyer pour aller en Chine ? Mais que devient la vertu, pendant ces délicieux voyages où la pensée a franchi tous les obstacles ? Pendant les dix premiers mois de ma réclusion, je menai la vie pauvre et solitaire que je t'ai dépeinte ; j'allais chercher moi-même, dès le matin et sans être vu, mes provisions pour la journée ; je faisais ma chambre, j'étais tout ensemble le maître et le serviteur, je diogénisais[2] avec une incroyable fierté. Mais après ce temps, pendant lequel l'hôtesse et sa fille espionnèrent mes mœurs et mes habitudes, examinèrent ma personne et comprirent ma misère, peut-être parce qu'elles étaient elles-mêmes fort malheureuses, il s'établit d'inévitables liens entre elles et moi. Pauline, cette charmante créature dont les grâces naïves et secrètes m'avaient en quelque sorte amené là, me rendit plusieurs services qu'il me fut impossible de refuser. Toutes les infortunes sont sœurs, elles ont le même langage, la même générosité, la générosité de ceux qui ne possédant rien sont prodigues de sentiment, paient de leur temps et de leur personne. Insensiblement Pauline s'impatronisa[3] chez moi, voulut me servir et sa mère ne s'y opposa point. Je vis la mère elle-même raccommodant mon linge et rougissant d'être surprise à cette charitable occupation. Devenu malgré moi leur protégé, j'acceptai leurs services. Pour comprendre cette singulière affection, il faut connaître l'emportement du travail, la tyrannie des idées et cette

---

1. *Saint Antoine* : saint de la Thébaïde (251-356), un des fondateurs de la vie monastique en Orient. Pendant son séjour, il fut soumis à des tentations et à des visions, épisodes devenus légendaires. \ **2.** *Diogénisais* : me conduisais comme Diogène, philosophe grec (413-327 av. J.-C.) qui cherchait la sagesse dans le dénuement. Il s'agit d'un mot inventé par Balzac (néologisme). \ **3.** *S'impatronisa* : s'établit en maître.

répugnance instinctive qu'éprouve pour les détails de la vie
matérielle l'homme qui vit par la pensée. Pouvais-je résister à la
délicate attention avec laquelle Pauline m'apportait à pas muets
mon repas frugal, quand elle s'apercevait que, depuis sept ou huit
heures, je n'avais rien pris ? Avec les grâces de la femme et l'ingénuité de l'enfance, elle me souriait en faisant un signe pour me
dire que je ne devais pas la voir. C'était Ariel[1] se glissant comme
un sylphe sous mon toit, et prévoyant mes besoins. Un soir,
Pauline me raconta son histoire avec une touchante ingénuité.
Son père était chef d'escadron dans les grenadiers à cheval de la
garde impériale. Au passage de la Bérésina[2], il avait été fait
prisonnier par les Cosaques ; plus tard, quand Napoléon proposa
de l'échanger, les autorités russes le firent vainement chercher en
Sibérie ; au dire des autres prisonniers, il s'était échappé avec le
projet d'aller aux Indes. Depuis ce temps, madame Gaudin, mon
hôtesse, n'avait pu obtenir aucune nouvelle de son mari, les
désastres de 1814 et 1815 étaient arrivés, seule, sans ressources et
sans secours, elle avait pris le parti de tenir un hôtel garni pour
faire vivre sa fille. Elle espérait toujours revoir son mari. Son plus
cruel chagrin était de laisser Pauline sans éducation, sa Pauline,
filleule de la princesse Borghèse[3], et qui n'aurait pas dû mentir
aux belles destinées promises par son impériale protectrice.
Quand madame Gaudin me confia cette amère douleur qui la
tuait, et me dit avec un accent déchirant : « Je donnerais bien et
le chiffon de papier qui crée Gaudin baron de l'empire, et le droit
que nous avons à la dotation de Wistchnau, pour savoir Pauline
élevée à Saint-Denis ! » tout à coup je tressaillis, et pour reconnaître les soins que me prodiguaient ces deux femmes, j'eus l'idée
de m'offrir à finir l'éducation de Pauline. La candeur avec laquelle
ces deux femmes acceptèrent ma proposition fut égale à la naïveté
qui la dictait. J'eus ainsi des heures de récréation. La petite avait
les plus heureuses dispositions, elle apprit avec tant de facilité

---

1. *Ariel* : personnage de *La Tempête* de Shakespeare, esprit de l'air. \ **2.** *Bérésina* : fleuve de Russie, franchi dans des conditions désastreuses par l'armée napoléonienne en pleine déroute en
novembre 1812. \ **3.** *Princesse Borghèse* : Pauline Borghèse (1780-1825) était la sœur de
Napoléon.

qu'elle devint bientôt plus forte que je ne l'étais sur le piano. En s'accoutumant à penser tout haut près de moi, elle déployait les mille gentillesses d'un cœur qui s'ouvre à la vie comme le calice d'une fleur lentement dépliée par le soleil, elle m'écoutait avec recueillement et plaisir en arrêtant sur moi ses yeux noirs et veloutés qui semblaient sourire, elle répétait ses leçons d'un accent doux et caressant en témoignant une joie enfantine quand j'étais content d'elle. Sa mère, chaque jour plus inquiète d'avoir à préserver de tout danger une jeune fille qui développait en croissant toutes les promesses faites par les grâces de son enfance, la vit avec plaisir s'enfermant pendant toute la journée pour étudier. Mon piano étant le seul dont elle pût se servir, elle profitait de mes absences pour s'exercer. Quand je rentrais, je trouvais Pauline chez moi, dans la toilette la plus modeste ; mais au moindre mouvement, sa taille souple et les attraits de sa personne se révélaient sous l'étoffe grossière. Comme l'héroïne du conte de Peau d'Âne, elle laissait voir un pied mignon dans d'ignobles souliers. Mais ces jolis trésors, cette richesse de jeune fille, tout ce luxe de beauté fut comme perdu pour moi. Je m'étais ordonné à moi-même de ne voir qu'une sœur en Pauline, j'aurais eu horreur de tromper la confiance de sa mère, j'admirais cette charmante fille comme un tableau, comme le portrait d'une maîtresse morte. Enfin, c'était mon enfant, ma statue. Pygmalion[1] nouveau, je voulais faire d'une vierge vivante et colorée, sensible et parlante, un marbre ; j'étais très sévère avec elle, mais plus je lui faisais éprouver les effets de mon despotisme magistral, plus elle devenait douce et soumise. Si je fus encouragé dans ma retenue et dans ma continence par des sentiments nobles, néanmoins les raisons de procureur ne me manquèrent pas. Je ne comprends point la probité des écus sans la probité de la pensée. Tromper une femme ou faire faillite a toujours été même chose pour moi. Aimer une jeune fille ou se laisser aimer par elle constitue un vrai contrat dont les conditions doivent être bien

---

1. *Pygmalion* : sculpteur dans la mythologie grecque qui tomba amoureux de sa statue, Gala-tée. Aphrodite l'anima et la lui donna pour épouse.

entendues. Nous sommes maîtres d'abandonner la femme qui se vend, mais non pas la jeune fille qui se donne, car elle ignore l'étendue de son sacrifice. J'aurais donc épousé Pauline, et c'eût été une folie. N'était-ce pas livrer une âme douce et vierge à d'effroyables malheurs ? Mon indigence parlait son langage égoïste, et venait toujours mettre sa main de fer entre cette bonne créature et moi. Puis, je l'avoue à ma honte, je ne conçois pas l'amour dans la misère. Peut-être est-ce en moi une dépravation due à cette maladie humaine que nous nommons la civilisation ; mais une femme, fût-elle attrayante autant que la belle Hélène [1], la Galatée [2] d'Homère, n'a plus aucun pouvoir sur mes sens pour peu qu'elle soit crottée. Ah ! vive l'amour dans la soie, sur le cachemire, entouré des merveilles du luxe qui le parent merveilleusement bien, parce que lui-même est un luxe peut-être. J'aime à froisser sous mes désirs de pimpantes toilettes, à briser des fleurs, à porter une main dévastatrice dans les élégants édifices d'une coiffure embaumée. Des yeux brûlants, cachés par un voile de dentelle que les regards percent comme la flamme déchire la fumée du canon, m'offrent de fantastiques attraits. Mon amour veut des échelles de soie escaladées en silence, par une nuit d'hiver. Quel plaisir d'arriver couvert de neige dans une chambre éclairée par des parfums, tapissée de soies peintes et d'y trouver une femme qui, elle aussi, secoue de la neige, car quel autre nom donner à ces voiles de voluptueuses mousselines à travers lesquels elle se dessine vaguement comme un ange dans son nuage, et d'où elle va sortir ? Puis il me faut encore un craintif bonheur, une audacieuse sécurité. Enfin je veux revoir cette mystérieuse femme, mais éclatante, mais au milieu du monde, mais vertueuse, environnée d'hommages, vêtue de dentelles, de diamants, donnant ses ordres à la ville, et si haut placée et si imposante que nul n'ose lui adresser des voeux. Au milieu de sa cour, elle me jette un regard à la dérobée, un regard qui dément ces artifices, un regard qui me sacrifie le monde et les hommes !

---

1. *Hélène* : épouse de Ménélas, elle fut enlevée par le Troyen Pâris, ce qui provoqua la guerre de Troie. Elle fut immortalisée par *l'Iliade* d'Homère. \ **2.** *Galatée* : néréide qui préféra le bel Acis au cyclope Polyphème.

Certes, je me suis cent fois trouvé ridicule d'aimer quelques aunes de blonde[1], du velours, de fines batistes, les tours de force d'un coiffeur, des bougies, un carrosse, un titre, d'héraldiques[2] couronnes peintes par des vitriers ou fabriquées par un orfèvre, enfin tout ce qu'il y a de factice et de moins femme dans la femme ; je me suis moqué de moi, je me suis raisonné, tout a été vain. Une femme aristocratique et son sourire fin, la distinction de ses manières et son respect d'elle-même m'enchantent ; quand elle met une barrière entre elle et le monde, elle flatte en moi toutes les vanités, qui sont la moitié de l'amour. Enviée par tous, ma félicité me paraît avoir plus de saveur. En ne faisant rien de ce que font les autres femmes, en ne marchant pas, ne vivant pas comme elles, en s'enveloppant dans un manteau qu'elles ne peuvent avoir, en respirant des parfums à elle, ma maîtresse me semble être bien mieux à moi ; plus elle s'éloigne de la terre, même dans ce que l'amour a de terrestre, plus elle s'embellit à mes yeux. En France, heureusement pour moi, nous sommes depuis vingt ans sans reine, j'eusse aimé la reine ! Pour avoir les façons d'une princesse, une femme doit être riche. En présence de mes romanesques fantaisies, qu'était Pauline ? Pouvait-elle me vendre des nuits qui coûtent la vie, un amour qui tue et met en jeu toutes les facultés humaines ? Nous ne mourons guère pour de pauvres filles qui se donnent ! Je n'ai jamais pu détruire ces sentiments ni ces rêveries de poète. J'étais né pour l'amour impossible, et le hasard a voulu que je fusse servi par-delà mes souhaits. Combien de fois n'ai-je pas vêtu de satin les pieds mignons de Pauline, emprisonné sa taille svelte comme un jeune peuplier dans une robe de gaze, jeté sur son sein une légère écharpe en lui faisant fouler les tapis de son hôtel et la conduisant à une voiture élégante ? Je l'eusse adorée ainsi, je lui donnais une fierté qu'elle n'avait pas, je la dépouillais de toutes ses vertus, de ses grâces naïves, de son délicieux naturel, de son sourire ingénu, pour la plonger dans le Styx[3] de nos vices et lui rendre le cœur invulnérable, pour la farder de nos crimes, pour en faire la poupée fantasque de nos salons, une femme fluette qui se couche

---

1. *Blonde* : dentelle de soie. \ 2. *Héraldiques* : qui ont rapport au blason, aux armoiries.
\ 3. *Styx* : fleuve des Enfers dans la mythologie grecque.

au matin pour renaître le soir, à l'aurore des bougies. Pauline était tout sentiment, tout fraîcheur, je la voulais sèche et froide. Dans les derniers jours de ma folie, le souvenir m'a montré Pauline, comme il nous peint les scènes de notre enfance. Plus d'une fois, je suis resté attendri, songeant à de délicieux moments : soit que je revisse cette délicieuse fille assise près de ma table, occupée à coudre, paisible, silencieuse, recueillie et faiblement éclairée par le jour qui, descendant de ma lucarne, dessinait de légers reflets argentés sur sa belle chevelure noire ; soit que j'entendisse son rire jeune, ou sa voix au timbre riche chanter les gracieuses cantilènes[1] qu'elle composait sans efforts. Souvent ma Pauline s'exaltait en faisant de la musique, sa figure ressemblait alors d'une manière frappante à la noble tête par laquelle Carlo Dolci[2] a voulu représenter l'Italie. Ma cruelle mémoire me jetait cette jeune fille à travers les excès de mon existence comme un remords, comme une image de la vertu ! Mais laissons la pauvre enfant à sa destinée ! Quelque malheureuse qu'elle puisse être, au moins l'aurai-je mis à l'abri d'un effroyable orage en évitant de la traîner dans mon enfer. Jusqu'à l'hiver dernier, ma vie fut la vie tranquille et studieuse de laquelle j'ai tâché de te donner une faible image. Dans les premiers jours du mois de décembre 1829, je rencontrai Rastignac qui, malgré le misérable état de mes vêtements, me donna le bras et s'enquit de ma fortune avec un intérêt vraiment fraternel ; pris à la glu de ses manières, je lui racontai brièvement et ma vie et mes espérances ; il se mit à rire, me traita tout à la fois d'homme de génie et de sot, sa voix gasconne, son expérience du monde, l'opulence qu'il devait à son savoir-faire, agirent sur moi d'une manière irrésistible. Rastignac me fit mourir à l'hôpital, méconnu comme un niais, conduisit mon propre convoi, me jeta dans le trou des pauvres. Il me parla de charlatanisme. Avec cette verve aimable qui le rend si séduisant, il me montra tous les hommes de génie comme des charlatans. Il me déclara que j'avais un sens de moins, une cause de mort, si je restais seul, rue des Cordiers. Selon lui, je devais aller dans le monde, habituer les gens à prononcer mon nom

---

1. *Cantilènes* : mélodies douces et mélancoliques. \ 2. *La noble tête* [...]*l'Italie* : selon Pierre Citron, il pourrait s'agir d'une figure allégorique qui se trouve à Florence à la galerie Corsini.

et me dépouiller moi-même de l'humble *monsieur* qui messayait à un grand homme de son vivant. – «Les imbéciles, s'écria-t-il, nomment ce métier-là *intriguer*, les gens à morale le proscrivent sous le mot de *vie dissipée*; ne nous arrêtons pas aux hommes, interrogeons les résultats. Toi, tu travailles? Eh bien, tu ne feras jamais rien. Moi, je suis propre à tout et bon à rien, paresseux comme un homard? Eh bien, j'arriverai à tout. Je me répands, je me pousse, l'on me fait place; je me vante, l'on me croit, je fais des dettes, on les paie! La dissipation, mon cher, est un système politique. La vie d'un homme occupé à manger sa fortune devient souvent une spéculation; il place ses capitaux en amis, en plaisirs, en protecteurs, en connaissances. Un négociant risque-t-il un million? Pendant vingt ans il ne dort, ni ne boit, ni ne s'amuse; il couve son million, il le fait trotter par toute l'Europe; il s'ennuie, se donne à tous les démons que l'homme a inventés; puis une liquidation comme j'en ai vu faire, le laisse souvent sans un sou, sans un nom, sans un ami. Le dissipateur, lui, s'amuse à vivre, à faire courir ses chevaux. Si par hasard il perd ses capitaux, il a la chance d'être nommé receveur général, de se bien marier, d'être attaché à un ministre, à un ambassadeur. Il a encore des amis, une réputation et toujours de l'argent. Connaissant les ressorts du monde, il les manœuvre à son profit. Ce système est-il logique, ou ne suis-je qu'un fou? N'est-ce pas là la moralité de la comédie qui se joue tous les jours dans le monde? Ton ouvrage est achevé, reprit-il après une pause, tu as un talent immense! Eh bien, tu arrives à mon point de départ. Il faut maintenant faire ton succès toi-même, c'est plus sûr. Tu iras conclure des alliances avec les coteries, conquérir des prôneurs. Moi, je veux me mettre de moitié dans ta gloire, je serai le bijoutier qui aura monté les diamants de ta couronne. Pour commencer, dit-il, sois ici demain soir. Je te présenterai dans une maison où va tout Paris, notre Paris à nous, celui des beaux, des gens à millions, des célébrités, enfin des hommes qui parlent d'or comme Chrysostome [1]. Quand ces gens

---

1. *Chrysostome*: père de l'Église d'Orient (v. 344-407), menant une vie d'une grande austérité, il s'attaqua au luxe de la Cour. Il fut surnommé bouche d'or (*chrusostomos*).

ont adopté un livre, le livre devient à la mode ; s'il est réellement bon, ils ont donné quelque brevet de génie sans le savoir. Si tu as de l'esprit, mon cher enfant, tu feras toi-même la fortune de ta Théorie en comprenant mieux la théorie de la fortune. Demain soir tu verras la belle comtesse Foedora, la femme à la mode. — Je n'en ai jamais entendu parler. — Tu es un Cafre [1], dit Rastignac en riant. Ne pas connaître Foedora ! Une femme à marier qui possède près de quatre-vingt mille livres de rente, qui ne veut de personne ou de qui personne ne veut ! Espèce de problème féminin, une Parisienne à moitié Russe, une Russe à moitié Parisienne ! Une femme chez laquelle s'éditent toutes les productions romantiques qui ne paraissent pas, la plus belle femme de Paris, la plus gracieuse ! Tu n'es même pas un Cafre, tu es la bête intermédiaire qui joint le Cafre à l'animal. Adieu, à demain ! » Il fit une pirouette et disparut sans attendre ma réponse, n'admettant pas qu'un homme raisonnable pût refuser d'être présenté à Foedora. Comment expliquer la fascination d'un nom ? FOEDORA me poursuivit comme une mauvaise pensée avec laquelle on cherche à transiger. Une voix me disait : « Tu iras chez Foedora. » J'avais beau me débattre avec cette voix et lui crier qu'elle mentait, elle écrasait tous mes raisonnements avec ce nom : Foedora. Mais ce nom, cette femme n'étaient-ils pas le symbole de tous mes désirs et le thème de ma vie ? Le nom réveillait les poésies artificielles du monde, faisait briller les fêtes du haut Paris et les clinquants de la vanité. La femme m'apparaissait avec tous les problèmes de passion dont je m'étais affolé. Ce n'était peut-être ni la femme ni le nom, mais tous mes vices qui se dressaient debout dans mon âme pour me tenter de nouveau. La comtesse Foedora, riche et sans amant, résistant à des séductions parisiennes, n'était-ce pas l'incarnation de mes espérances, de mes visions ? Je me créai une femme, je la dessinai dans ma pensée, je la rêvai. Pendant la nuit, je ne dormis pas, je devins son amant, je fis tenir en peu d'heures une vie entière, une vie d'amour, et j'en savourai les fécondes, les brûlantes délices. Le lendemain, incapable de soutenir le supplice

---

1. *Cafre* : habitant de la Cafrerie, régions africaines situées au sud de l'Équateur.

d'attendre longuement la soirée, j'allai louer un roman, et passai la journée à le lire, me mettant ainsi dans l'impossibilité de penser ni de mesurer le temps. Pendant ma lecture le nom de Foedora retentissait en moi comme un son que l'on entend dans le lointain, qui ne vous trouble pas, mais qui se fait écouter. Je possédais heureusement encore un habit noir et un gilet blanc assez honorables ; puis de toute ma fortune il me restait environ trente francs, que j'avais semés dans mes hardes, dans mes tiroirs, afin de mettre entre une pièce de cent sous et mes fantaisies la barrière épineuse d'une recherche et les hasards d'une circumnavigation[1] dans ma chambre. Au moment de m'habiller, je poursuivis mon trésor à travers un océan de papiers. La rareté du numéraire peut te faire concevoir ce que mes gants et mon fiacre emportèrent de richesses, ils mangèrent le pain de tout un mois. Hélas ! nous ne manquons jamais d'argent pour nos caprices, nous ne discutons que le prix des choses utiles ou nécessaires. Nous jetons l'or avec insouciance à des danseuses, et nous marchandons un ouvrier dont la famille affamée attend le payement d'un mémoire. Combien de gens ont un habit de cent francs, un diamant à la pomme de leur canne, et qui dînent à vingt-cinq sous ! Il semble que nous n'achetions jamais assez chèrement les plaisirs de la vanité. Rastignac, fidèle au rendez-vous, sourit de ma métamorphose et m'en plaisanta ; mais, tout en allant chez la comtesse, il me donna de charitables conseils sur la manière de me conduire avec elle ; il me la peignit avare, vaine et défiante ; mais avare avec faste, vaine avec simplicité, défiante avec bonhomie. — « Tu connais mes engagements, me dit-il, et tu sais combien je perdrais à changer d'amour. En observant Foedora j'étais désintéressé, de sang-froid, mes remarques doivent être justes. En pensant à te présenter chez elle, je songeais à ta fortune ; ainsi prends garde à tout ce que tu lui dirais, elle a une mémoire cruelle, elle est d'une adresse à désespérer un diplomate, elle saurait deviner le moment où il dit vrai ; entre nous, je crois que son mariage n'est pas reconnu par l'empereur, car l'ambassadeur de Russie s'est mis à rire quand je

---

1. *Circumnavigation* : voyage par mer autour d'un continent.

lui ai parlé d'elle. Il ne la reçoit pas, et la salue fort légèrement quand il la rencontre au bois. Néanmoins elle est de la société de madame de Sérisy, va chez mesdames de Nucingen et de Restaud. En France sa réputation est intacte ; la duchesse de Carigliano, la maréchale la plus *collet-monté* de toute la coterie bonapartiste, va souvent passer avec elle la belle saison à sa terre. Beaucoup de jeunes fats, le fils d'un pair de France, lui ont offert un nom en échange de sa fortune ; elle les a tous poliment éconduits. Peut-être sa sensibilité ne commence-t-elle qu'au titre de comte ! N'es-tu pas marquis ? Marche en avant si elle te plaît ! Voilà ce que j'appelle donner des instructions. » Cette plaisanterie me fit croire que Rastignac voulait rire et piquer ma curiosité, en sorte que ma passion improvisée était arrivée à son paroxysme quand nous nous arrêtâmes devant un péristyle orné de fleurs. En montant un vaste escalier à tapis, où je remarquai toutes les recherches du *comfort* [1] anglais, le cœur me battit ; j'en rougissais, je démentais mon origine, mes sentiments, ma fierté, j'étais sottement bourgeois. Hélas ! je sortais d'une mansarde, après trois années de pauvreté, sans savoir encore mettre au-dessus des bagatelles de la vie ces trésors acquis, ces immenses capitaux intellectuels qui vous enrichissent en un moment quand le pouvoir tombe entre vos mains sans vous écraser, parce que l'étude vous a formé d'avance aux luttes politiques. J'aperçus une femme d'environ vingt-deux ans, de moyenne taille, vêtue de blanc, entourée d'un cercle d'hommes, mollement couchée sur une ottomane [2], et tenant à la main un écran de plumes. En voyant entrer Rastignac, elle se leva, vint à nous, sourit avec grâce, me fit d'une voix mélodieuse un compliment sans doute apprêté ; notre ami m'avait annoncé comme un homme de talent, et son adresse, son emphase gasconne me procurèrent un accueil flatteur. Je fus l'objet d'une attention particulière qui me rendit confus ; mais Rastignac avait heureusement parlé de ma modestie. Je rencontrai là des savants, des gens de lettres, d'anciens ministres, des pairs de France. La

---

1. *Comfort* : confort. Mot anglais entré dans notre langue vers 1815. \ 2. *Ottomane* : canapé à dossier arrondi.

conversation reprit son cours quelque temps après mon arrivée, et, sentant que j'avais une réputation à soutenir, je me rassurai ; puis, sans abuser de la parole quand elle m'était accordée, je tâchai de résumer les discussions par des mots plus ou moins incisifs, profonds ou spirituels. Je produisis quelque sensation. Pour la millième fois de sa vie Rastignac fut prophète. Quand il y eut assez de monde pour que chacun retrouvât sa liberté, mon introducteur me donna le bras, et nous nous promenâmes dans les appartements. – « N'aie pas l'air d'être trop émerveillé de la princesse, me dit-il, elle devinerait le motif de ta visite. » Les salons étaient meublés avec un goût exquis. J'y vis des tableaux de choix. Chaque pièce avait, comme chez les Anglais les plus opulents, son caractère particulier, et la tenture de soie, les agréments, la forme des meubles, le moindre décor s'harmoniaient avec une pensée première. Dans un boudoir gothique dont les portes étaient cachées par des rideaux en tapisserie, les encadrements de l'étoffe, la pendule, les dessins du tapis étaient gothiques ; le plafond formé de solives brunes sculptées présentait à l'oeil des caissons pleins de grâce et d'originalité, les boiseries étaient artistement travaillées, rien ne détruisait l'ensemble de cette jolie décoration, pas même les croisées dont les vitraux étaient coloriés et précieux. Je fus surpris à l'aspect d'un petit salon moderne où je ne sais quel artiste avait épuisé la science de notre décor si léger, si frais, si suave, sans éclat, sobre de dorures. C'était amoureux et vague comme une ballade allemande, un vrai réduit taillé pour une passion de 1827, embaumé par des jardinières pleines de fleurs rares. Après ce salon, j'aperçus en enfilade une pièce dorée où revivait le goût du siècle de Louis XIV qui, opposé à nos peintures actuelles, produisait un bizarre mais agréable contraste. – « Tu seras assez bien logé, me dit Rastignac avec un sourire où perçait une légère ironie. N'est-ce pas séduisant ? » ajouta-t-il en s'asseyant. Tout à coup il se leva, me prit par la main, me conduisit à la chambre à coucher, et me montra sous un dais de mousseline et de moire[1] blanches un lit

---

1. *Moire* : étoffe de soie à reflets chatoyants.

voluptueux doucement éclairé, le vrai lit d'une jeune fée fiancée à un génie. – «N'y a-t-il pas, s'écria-t-il à voix basse, de l'impudeur, de l'insolence et de la coquetterie outre mesure, à nous laisser contempler ce trône de l'amour? Ne se donner à personne, et permettre à tout le monde de mettre là sa carte! Si j'étais libre, je voudrais voir cette femme soumise et pleurant à ma porte. – Es-tu donc si certain de sa vertu? – Les plus audacieux de nos maîtres, et même les plus habiles, avouent avoir échoué près d'elle, l'aiment encore et sont ses amis dévoués. Cette femme n'est-elle pas une énigme?» Ces paroles excitèrent en moi une sorte d'ivresse, ma jalousie craignait déjà le passé. Tressaillant d'aise, je revins précipitamment dans le salon où j'avais laissé la comtesse que je rencontrai dans le boudoir gothique. Elle m'arrêta par un sourire, me fit asseoir près d'elle, me questionna sur mes travaux, et sembla s'y intéresser vivement, surtout quand je lui traduisis mon système en plaisanteries au lieu de prendre le langage d'un professeur pour le lui développer doctoralement. Elle parut s'amuser beaucoup en apprenant que la volonté humaine était une force matérielle semblable à la vapeur; que, dans le monde moral, rien ne résistait à cette puissance quand un homme s'habituait à la concentrer, à en manier la somme, à diriger constamment sur les âmes la projection de cette masse fluide; que cet homme pouvait à son gré tout modifier relativement à l'humanité, même les lois de la nature. Les objections de Foedora me révélèrent en elle une certaine finesse d'esprit, je me complus à lui donner raison pendant quelques moments pour la flatter, et je détruisis ses raisonnements de femme par un mot, en attirant son attention sur un fait journalier dans la vie, le sommeil, fait vulgaire en apparence, mais au fond plein de problèmes insolubles pour le savant, et je piquai sa curiosité. La comtesse resta même un instant silencieuse quand je lui dis que nos idées étaient des êtres organisés, complets qui vivaient dans un monde invisible et influaient sur nos destinées, en lui citant pour preuves les pensées de Descartes, de Diderot, de Napoléon qui avaient conduit, qui conduisaient encore tout un siècle. J'eus l'honneur d'amuser cette femme, elle me quitta en m'invitant à la venir voir; en style de cour, elle me donna les grandes entrées[1]. Soit que je prisse, selon ma louable habitude, des formules polies pour des paroles de cœur, soit que Foedora vît en moi quelque célébrité prochaine, et voulût augmenter sa ménagerie de savants, je crus lui plaire. J'évoquai toutes mes connaissances physiologiques et mes études antérieures sur la femme pour examiner minutieusement pendant cette soirée cette singulière personne et ses manières ; caché dans l'embrasure d'une fenêtre, j'espionnai ses pensées en les cherchant dans son maintien, en étudiant ce manège d'une maîtresse de maison qui va et vient, s'assied et cause, appelle un homme, l'interroge, et s'appuie pour l'écouter sur un chambranle de porte ; je remarquai dans sa démarche un mouvement brisé si doux, une ondulation de robe si gracieuse, elle excitait si puissamment le désir que je devins alors très incrédule sur sa vertu. Si Foedora méconnaissait aujourd'hui l'amour, elle avait dû jadis être fort passionnée ; car une volupté savante se peignait jusque dans la manière dont elle se posait devant son interlocuteur, elle se soutenait sur la boiserie avec coquetterie, comme une femme près de tomber, mais aussi près de s'enfuir si quelque regard trop vif l'intimide. Les bras mollement croisés, paraissant respirer les paroles, les écoutant même du regard et avec bienveillance, elle exhalait le sentiment. Ses lèvres fraîches et rouges tranchaient sur un teint d'une vive blancheur. Ses cheveux bruns faisaient assez bien valoir la couleur orangée de ses yeux mêlés de veines comme une pierre de Florence, et dont l'expression semblait ajouter de la finesse à ses paroles. Enfin son corsage était paré des grâces les plus attrayantes. Une rivale aurait peut-être accusé de dureté d'épais sourcils qui paraissaient se rejoindre, et blâmé l'imperceptible duvet qui ornait les contours du visage. Je trouvai la passion empreinte en tout. L'amour était écrit sur les paupières italiennes de cette femme, sur ses belles épaules dignes de la Vénus de Milo, dans ses traits, sur sa lèvre supérieure un peu forte et légèrement ombragée. C'était plus qu'une femme, c'était un roman. Oui, ces richesses féminines, l'ensemble harmonieux des lignes, les promesses que

---

1. *Grandes entrées* : elles permettaient d'entrer à toute heure dans la chambre du Roi.

cette riche structure faisait à la passion, étaient tempérés par une réserve constante, par une modestie extraordinaire, qui contrastaient avec l'expression de toute la personne. Il fallait une observation aussi sagace que la mienne pour découvrir dans cette nature les signes d'une destinée de volupté. Pour expliquer plus clairement ma pensée, il y avait en Foedora deux femmes séparées par le buste peut-être ; l'une était froide, la tête seule semblait être amoureuse ; avant d'arrêter ses yeux sur un homme, elle préparait son regard, comme s'il se passait je ne sais quoi de mystérieux en elle-même, vous eussiez dit d'une convulsion dans ses yeux si brillants. Enfin, ou ma science était imparfaite, et j'avais encore bien des secrets à découvrir dans le monde moral, ou la comtesse possédait une belle âme dont les sentiments et les émanations communiquaient à sa physionomie ce charme qui nous subjugue et nous fascine, ascendant tout moral et d'autant plus puissant qu'il s'accorde avec les sympathies du désir. Je sortis ravi, séduit par cette femme, enivré par son luxe, chatouillé dans tout ce que mon cœur avait de noble, de vicieux, de bon, de mauvais. En me sentant si ému, si vivant, si exalté, je crus comprendre l'attrait qui amenait là ces artistes, ces diplomates, ces hommes de pouvoir, ces agioteurs[1] doublés de tôle comme leurs caisses ; sans doute ils venaient chercher près d'elle l'émotion délirante qui faisait vibrer en moi toutes les forces de mon être, fouettait mon sang dans la moindre veine, agaçait le plus petit nerf et tressaillait dans mon cerveau ! Elle ne s'était donnée à aucun pour les garder tous. Une femme est coquette tant qu'elle n'aime pas. — « Puis, dis-je à Rastignac, elle a peut-être été mariée ou vendue à quelque vieillard, et le souvenir de ses premières noces lui donne de l'horreur pour l'amour. » Je revins à pied du faubourg Saint-Honoré, où Foedora demeure. Entre son hôtel et la rue des Cordiers il y a presque tout Paris ; le chemin me parut court, et cependant il faisait froid. Entreprendre la conquête de Foedora dans l'hiver, un rude hiver, quand je n'avais pas trente francs en ma possession, quand la distance qui nous séparait était si grande !

---

1. *Agioteurs* : spéculateurs qui fraudent sur les fonds publics, les changes, les valeurs mobilières. Balzac fait sans doute allusion ensuite à une double caisse.

Un jeune homme pauvre peut seul savoir ce qu'une passion coûte en voitures, en gants, en habits, linge, etc. Si l'amour reste un peu trop de temps platonique, il devient ruineux. Vraiment, il y a des Lauzun[1] de l'École de Droit auxquels il est impossible d'approcher d'une passion logée à un premier étage. Et comment pouvais-je lutter, moi, faible, grêle, mis simplement, pâle et hâve comme un artiste en convalescence d'un ouvrage, avec des jeunes gens bien frisés, jolis, pimpants, cravatés à désespérer toute la Croatie[2], riches, armés de tilburys et vêtus d'impertinence ? – « Bah ! Foedora ou la mort ! criai-je au détour d'un pont. Foedora, c'est la fortune ! » Le beau boudoir gothique et le salon à la Louis XIV passèrent devant mes yeux ; je revis la comtesse avec sa robe blanche, ses grandes manches gracieuses, et sa séduisante démarche, et son corsage tentateur. Quand j'arrivai dans ma mansarde nue, froide, aussi mal peignée que la perruque d'un naturaliste, j'étais encore environné par les images du luxe de Foedora. Ce contraste était un mauvais conseiller, les crimes doivent naître ainsi. Je maudis alors, en frissonnant de rage, ma décente et honnête misère, ma mansarde féconde où tant de pensées avaient surgi. Je demandai compte à Dieu, au diable, à l'État social, à mon père, à l'univers entier, de ma destinée, de mon malheur ; je me couchai tout affamé, grommelant de risibles imprécations, mais bien résolu de séduire Foedora. Ce cœur de femme était un dernier billet de loterie chargé de ma fortune. Je te ferai grâce de mes premières visites chez Foedora, pour arriver promptement au drame. Tout en tâchant de m'adresser à l'âme de cette femme, j'essayai de gagner son esprit, d'avoir sa vanité pour moi ; afin d'être sûrement aimé, je lui donnai mille raisons de mieux s'aimer elle-même, jamais je ne la laissai dans un état d'indifférence ; les femmes veulent des émotions à tout prix, je les lui prodiguai ; je l'eusse mise en colère plutôt que de la voir insou-ciante avec moi. Si d'abord, animé d'une volonté ferme et du désir de me faire aimer, je pris un peu d'ascendant sur elle, bientôt ma

---

1. *Lauzun* : officier français (1633-1723), séducteur réputé, il inspira une vive passion à mademoiselle de Montpensier qu'il finit par épouser en dépit de l'opposition du roi.
\ **2.** *Cravatés {…} Croatie :* les cavaliers croates furent les premiers à porter la cravate.

passion grandit, je ne fus plus maître de moi, je tombai dans le vrai, je me perdis et devins éperdument amoureux. Je ne sais pas bien ce que nous appelons, en poésie ou dans la conversation, *amour*; mais le sentiment qui se développa tout à coup dans ma double nature, je ne l'ai trouvé peint nulle part, ni dans les phrases rhétoriques et apprêtées de J.-J. Rousseau [1] de qui j'occupais peut-être le logis, ni dans les froides conceptions de nos deux siècles littéraires, ni dans les tableaux de l'Italie. La vue du lac de Bienne, quelques motifs de Rossini, la Madone de Murillo que possède le maréchal Soult, les lettres de la Lescombat [2], certains mots épars dans les recueils d'anecdotes, mais surtout les prières des extatiques et quelques passages de nos fabliaux, ont pu seuls me transporter dans les divines régions de mon premier amour. Rien dans les langages humains, aucune traduction de la pensée faite à l'aide des couleurs, des marbres, des mots ou des sons, ne saurait rendre le nerf, la vérité, le fini, la soudaineté du sentiment dans l'âme! Oui! Qui dit art, dit mensonge. L'amour passe par des transformations infinies avant de se mêler pour toujours à notre vie et de la teindre à jamais de sa couleur de flamme. Le secret de cette infusion imperceptible échappe à l'analyse de l'artiste. La vraie passion s'exprime par des cris, par des soupirs ennuyeux pour un homme froid. Il faut aimer sincèrement pour être de moitié dans les rugissements de Lovelace, en lisant *Clarisse Harlowe* [3]. L'amour est une source naïve, partie de son lit de cresson, de fleurs, de gravier, qui rivière, qui fleuve, change de nature et d'aspect à chaque flot, et se jette dans un incommensurable océan où les esprits incomplets voient la monotonie, où les grandes âmes s'abîment en de perpétuelles contemplations. Comment oser décrire ces teintes transitoires du sentiment, ces riens qui ont tant de prix, ces mots dont l'accent épuise les trésors du langage, ces regards plus féconds que les plus riches poèmes? Dans chacune

1. *Dans les phrases de {…} Rousseau*: allusion à *La Nouvelle Héloïse*, roman épistolaire de Jean-Jacques Rousseau que Balzac adorait. \ 2. *Lettres de la Lescombat*: lettres attribuées à la Lescombat, femme qui avait poussé son amant à assassiner son mari. \ 3. *Clarisse Harlowe*: roman anglais par lettres (1747-1748) de Richardson. Lovelace y poursuit Clarisse de ses assiduités.

des scènes mystiques par lesquelles nous nous éprenons insensiblement d'une femme, s'ouvre un abîme à engloutir toutes les poésies humaines. Eh ! Comment pourrions-nous reproduire par des gloses [1] les vives et mystérieuses agitations de l'âme, quand les paroles nous manquent pour peindre les mystères visibles de la beauté ? Quelles fascinations ! Combien d'heures ne suis-je pas resté plongé dans une extase ineffable occupé à *la voir* ! Heureux, de quoi ? je ne sais. Dans ces moments, si son visage était inondé de lumière, il s'y opérait je ne sais quel phénomène qui le faisait resplendir ; l'imperceptible duvet qui dore sa peau délicate et fine en dessinait mollement les contours avec la grâce que nous admirons dans les lignes lointaines de l'horizon quand elles se perdent dans le soleil. Il semblait que le jour la caressât en s'unissant à elle, ou qu'il s'échappât de sa rayonnante figure une lumière plus vive que la lumière même ; puis une ombre passant sur cette douce figure y produisait une sorte de couleur qui en variait les expressions en en changeant les teintes. Souvent une pensée semblait se peindre sur son front de marbre ; son œil paraissait rougir, sa paupière vacillait, ses traits ondulaient agités par un sourire ; le corail intelligent de ses lèvres s'animait, se dépliait, se repliait ; je ne sais quel reflet de ses cheveux jetait des tons bruns sur ses tempes fraîches ; à chaque accident, elle avait parlé. Chaque nuance de beauté donnait des fêtes nouvelles à mes yeux, révélait des grâces inconnues à mon cœur. Je voulais lire un sentiment, un espoir, dans toutes ces phases du visage. Ces discours muets pénétraient d'âme à âme comme un son dans l'écho, et me prodiguaient des joies passagères qui me laissaient des impressions profondes. Sa voix me causait un délire que j'avais peine à comprimer. Imitant je ne sais quel prince de Lorraine, j'aurais pu ne pas sentir un charbon ardent au creux de ma main pendant qu'elle aurait passé dans ma chevelure ses doigts chatouilleux. Ce n'était plus une admiration, un désir, mais un charme, une fatalité. Souvent, rentré sous mon toit, je voyais indistinctement Foedora chez elle, et participais vaguement à sa

---

1. *Gloses* : commentaires érudits.

vie ; si elle souffrait, je souffrais, et je lui disais le lendemain : –
« Vous avez souffert ! » Combien de fois n'est-elle pas venue au
milieu des silences de la nuit, évoquée par la puissance de mon
extase ! Tantôt, soudaine comme une lumière qui jaillit, elle
abattait ma plume, elle effarouchait la Science et l'Étude qui
s'enfuyaient désolées ; elle me forçait à l'admirer en reprenant la
pose attrayante où je l'avais vue naguère. Tantôt j'allais moi-même
au-devant d'elle dans le monde des apparitions, et la saluais
comme une espérance en lui demandant de me faire entendre sa
voix argentine ; puis je me réveillais en pleurant. Un jour, après
m'avoir promis de venir au spectacle avec moi, tout à coup elle
refusa capricieusement de sortir, et me pria de la laisser seule.
Désespéré d'une contradiction qui me coûtait une journée de
travail, et, le dirai-je ? mon dernier écu, je me rendis là où elle
aurait dû être, voulant voir la pièce qu'elle avait désiré voir. À
peine placé, je reçus un coup électrique dans le cœur. Une voix me
dit : – Elle est là ! Je me retourne, j'aperçois la comtesse au fond de
sa loge, cachée dans l'ombre, au rez-de-chaussée. Mon regard
n'hésita pas, mes yeux la trouvèrent tout d'abord avec une lucidité
fabuleuse, mon âme avait volé vers sa vie comme un insecte vole à
sa fleur. Par quoi mes sens avaient-ils été avertis ? Il est de ces
tressaillements intimes qui peuvent surprendre les gens superficiels, mais ces effets de notre nature intérieure sont aussi simples
que les phénomènes habituels de notre vision extérieure ; aussi ne
fus-je pas étonné, mais fâché. Mes études sur notre puissance
morale, si peu connue, servaient au moins à me faire rencontrer
dans ma passion quelques preuves vivantes de mon système. Cette
alliance du savant et de l'amoureux, d'une véritable idolâtrie et
d'un amour scientifique, avait je ne sais quoi de bizarre. La Science
était souvent contente de ce qui désespérait l'amant, et, quand il
croyait triompher, l'amant chassait loin de lui la Science avec
bonheur. Foedora me vit et devint sérieuse, je la gênais. Au
premier entracte, j'allai lui faire une visite ; elle était seule, je
restai. Quoique nous n'eussions jamais parlé d'amour, je pressentis
une explication. Je ne lui avais point encore dit mon secret, et
cependant il existait entre nous une sorte d'entente : elle me
confiait ses projets d'amusement, et me demandait la veille avec

une sorte d'inquiétude amicale si je viendrais le lendemain ; elle me consultait par un regard quand elle disait un mot spirituel, comme si elle eût voulu me plaire exclusivement ; si je boudais, elle devenait caressante ; si elle faisait la fâchée, j'avais en quelque sorte le droit de l'interroger ; si je me rendais coupable d'une faute, elle se laissait longtemps supplier avant de me pardonner. Ces querelles, auxquelles nous avions pris goût, étaient pleines d'amour. Elle y déployait tant de grâce et de coquetterie, et moi j'y trouvais tant de bonheur ! En ce moment notre intimité fut tout à fait suspendue, et nous restâmes l'un devant l'autre comme deux étrangers. La comtesse était glaciale ; moi, j'appréhendais un malheur. – « Vous allez m'accompagner », me dit-elle quand la pièce fut finie. Le temps avait changé subitement. Lorsque nous sortîmes il tombait une neige mêlée de pluie. La voiture de Foedora ne put arriver jusqu'à la porte du théâtre. En voyant une femme bien mise obligée de traverser le boulevard, un commissionnaire étendit son parapluie au-dessus de nos têtes, et réclama le prix de son service quand nous fûmes montés. Je n'avais rien, j'eusse alors vendu dix ans de ma vie pour avoir deux sous. Tout ce qui fait l'homme et ses mille vanités furent écrasés en moi par une douleur infernale. Ces mots : « Je n'ai pas de monnaie, mon cher ! » furent dits d'un ton dur qui parut venir de ma passion contrariée, dits par moi, frère de cet homme, moi qui connaissais si bien le malheur ! moi qui jadis avais donné sept cent mille francs avec tant de facilité ! Le valet repoussa le commissionnaire, et les chevaux fendirent l'air. En revenant à son hôtel, Foedora, distraite, ou affectant d'être préoccupée, répondit par de dédaigneux monosyllabes à mes questions. Je gardai le silence. Ce fut un horrible moment. Arrivés chez elle, nous nous assîmes devant la cheminée. Quand le valet de chambre se fut retiré après avoir attisé le feu, la comtesse se tourna vers moi d'un air indéfinissable et me dit avec une sorte de solennité : – « Depuis mon retour en France, ma fortune a tenté quelques jeunes gens, j'ai reçu des déclarations d'amour qui auraient pu satisfaire mon orgueil, j'ai rencontré des hommes dont l'attachement était si sincère et si profond qu'ils m'eussent encore épousée, même quand ils n'auraient trouvé en moi qu'une fille pauvre comme je l'étais jadis. Enfin sachez, monsieur de Valentin, que de nouvelles richesses et des titres nouveaux m'ont été offerts ; mais apprenez aussi que je n'ai jamais revu les personnes assez mal inspirées pour m'avoir parlé d'amour. Si mon affection pour vous était légère, je ne vous donnerais pas un avertissement dans lequel il entre plus d'amitié que d'orgueil. Une femme s'expose à recevoir une sorte d'affront lorsque, en se supposant aimée, elle se refuse par avance à un sentiment toujours flatteur. Je connais les scènes d'Arsinoé, d'Araminte[1], ainsi je me suis familiarisée avec les réponses que je puis entendre en pareille circonstance ; mais j'espère aujourd'hui ne pas être mal jugée par un homme supérieur pour lui avoir montré franchement mon âme. » Elle s'exprimait avec le sang-froid d'un avoué, d'un notaire, expliquant à leurs clients les moyens d'un procès ou les articles d'un contrat. Le timbre clair et séducteur de sa voix n'accusait pas la moindre émotion ; seulement sa figure et son maintien, toujours nobles et décents, me semblèrent avoir une froideur, une sécheresse diplomatiques. Elle avait sans doute médité ses paroles et fait le programme de cette scène. Oh ! mon cher ami, quand certaines femmes trouvent du plaisir à nous déchirer le cœur, quand elles se sont promis d'y enfoncer un poignard et de le retourner dans la plaie, ces femmes-là sont adorables, elles aiment ou veulent être aimées ! Un jour elles nous récompenseront de nos douleurs, comme Dieu doit, dit-on, rémunérer nos bonnes œuvres ; elles nous rendront en plaisirs le centuple d'un mal dont la violence est appréciée par elles, leur méchanceté n'est-elle pas pleine de passion ? Mais être torturé par une femme qui nous tue avec indifférence, n'est-ce pas un atroce supplice ? En ce moment Foedora marchait, sans le savoir, sur toutes mes espérances, brisait ma vie et détruisait mon avenir avec la froide insouciance et l'innocente cruauté d'un enfant qui, par curiosité, déchire les ailes d'un papillon. — « Plus tard, ajouta Foedora, vous reconnaîtrez, je l'espère, la solidité de l'affection que j'offre à mes amis. Pour eux, vous me trouverez toujours

---

1. *Arsinoé* : personnage prude du *Misanthrope* de Molière. *Araminte* est un personnage des *Fausses confidences* de Marivaux.

bonne et dévouée. Je saurais leur donner ma vie, mais vous me mépriseriez si je subissais leur amour sans le partager. Je m'arrête. Vous êtes le seul homme auquel j'aie encore dit ces derniers mots. » D'abord les paroles me manquèrent, et j'eus peine à maîtriser l'ouragan qui s'élevait en moi ; mais bientôt je refoulai mes sensations au fond de mon âme, et me mis à sourire : – « Si je vous dis que je vous aime, répondis-je, vous me bannirez ; si je m'accuse d'indifférence, vous m'en punirez. Les prêtres, les magistrats et les femmes ne dépouillent jamais leur robe entièrement. Le silence ne préjuge rien ; trouvez bon, madame, que je me taise. Pour m'avoir adressé de si fraternels avertissements, il faut que vous ayez craint de me perdre, cette pensée pourrait satisfaire mon orgueil. Mais laissons la personnalité loin de nous. Vous êtes peut-être la seule femme avec laquelle je puisse discuter en philosophe une résolution si contraire aux lois de la nature. Relativement aux autres sujets de votre espèce, vous êtes un phénomène. Eh bien, cherchons ensemble, de bonne foi, la cause de cette anomalie psychologique. Existe-t-il en vous, comme chez beaucoup de femmes fières d'elles-mêmes, amoureuses de leurs perfections, un sentiment d'égoïsme raffiné qui vous fasse prendre en horreur l'idée d'appartenir à un homme, d'abdiquer votre vouloir et d'être soumise à une supériorité de convention qui vous offense ? Vous me sembleriez mille fois plus belle. Auriez-vous été maltraitée une première fois par l'amour ? Peut-être le prix que vous devez attacher à l'élégance de votre taille, à votre délicieux corsage, vous fait-il craindre les dégâts de la maternité : ne serait-ce pas une de vos meilleures raisons secrètes pour vous refuser à être trop bien aimée ? Avez-vous des imperfections qui vous rendent vertueuse malgré vous ? Ne vous fâchez pas, je discute, j'étudie, je suis à mille lieues de la passion. La nature, qui fait des aveugles de naissance, peut bien créer des femmes sourdes, muettes et aveugles en amour. Vraiment vous êtes un sujet précieux pour l'observation médicale ! Vous ne savez pas tout ce que vous valez. Vous pouvez avoir un dégoût fort légitime pour les hommes, je vous approuve, ils me paraissent tous laids et odieux. Mais vous avez raison, ajoutai-je en sentant mon cœur se gonfler, vous devez nous mépriser, il n'existe pas d'homme qui soit digne de vous ! »

Je ne te dirai pas tous les sarcasmes que je lui débitai en riant. Eh bien, la parole la plus acérée, l'ironie la plus aiguë, ne lui arrachèrent ni un mouvement ni un geste de dépit. Elle m'écoutait en gardant sur ses lèvres dans ses yeux, son sourire d'habitude, ce sourire qu'elle prenait comme un vêtement, et toujours le même pour ses amis, pour ses simples connaissances, pour les étrangers. — «Ne suis-je pas bien bonne de me laisser mettre ainsi sur un amphithéâtre[1]? dit-elle en saisissant un moment pendant lequel je la regardais en silence. Vous le voyez, continua-t-elle en riant, je n'ai pas de sottes susceptibilités en amitié! Beaucoup de femmes puniraient votre impertinence en vous faisant fermer leur porte. — Vous pouvez me bannir de chez vous sans être tenue de donner la raison de vos sévérités. En disant cela, je me sentais prêt à la tuer si elle m'avait congédié. — Vous êtes fou, s'écria-t-elle en souriant. — Avez-vous jamais songé, repris-je, aux effets d'un violent amour? Un homme au désespoir a souvent assassiné sa maîtresse. — Il vaut mieux être morte que malheureuse, répondit-elle froidement. Un homme si passionné doit un jour abandonner sa femme et la laisser sur la paille après lui avoir mangé sa fortune.» Cette arithmétique m'abasourdit. Je vis clairement un abîme entre cette femme et moi. Nous ne pouvions jamais nous comprendre. — «Adieu, lui dis-je froidement. — Adieu, répondit-elle en inclinant la tête d'un air amical. À demain.» Je la regardai pendant un moment en lui dardant tout l'amour auquel je renonçais. Elle était debout, et me jetait son sourire banal, le détestable sourire d'une statue de marbre, paraissant exprimer l'amour, mais froid. Concevras-tu bien, mon cher, toutes les douleurs qui m'assaillirent en revenant chez moi par la pluie et la neige, en marchant sur le verglas des quais pendant une lieue, ayant tout perdu? Oh! savoir qu'elle ne pensait seulement pas à ma misère et me croyait, comme elle, riche et doucement voituré! Combien de ruines et de déceptions! Il ne s'agissait plus d'argent, mais de toutes les fortunes de mon âme. J'allais au hasard, en discutant avec moi-même les mots de

---

1. *Amphithéâtre*: lieu où l'on disséquait les cadavres en public à la faculté de médecine.

cette étrange conversation, je m'égarais si bien dans mes commentaires que je finissais par douter de la valeur nominale des paroles et des idées! Et j'aimais toujours, j'aimais cette femme froide dont le cœur voulait être conquis à tout moment, et qui, en effaçant toujours les promesses de la veille, se produisait le lendemain comme une maîtresse nouvelle. En tournant sous les guichets de l'Institut[1], un mouvement fiévreux me saisit. Je me souvins alors que j'étais à jeun. Je ne possédais pas un denier[2]. Pour comble de malheur, la pluie déformait mon chapeau. Comment pouvoir aborder désormais une femme élégante et me présenter dans un salon sans un chapeau mettable! Grâce à des soins extrêmes, et tout en maudissant la mode niaise et sotte qui nous condamne à exhiber la coiffe de nos chapeaux en les gardant constamment à la main, j'avais maintenu le mien jusque-là dans un état douteux. Sans être curieusement neuf ou sèchement vieux, dénué de barbe ou très soyeux, il pouvait passer pour le chapeau d'un homme soigneux; mais son existence artificielle arrivait à son dernier période, il était blessé, déjeté, fini, véritable haillon, digne représentant de son maître. Faute de trente sous, je perdais mon industrieuse élégance. Ah! combien de sacrifices ignorés n'avais-je pas faits à Foedora depuis trois mois! Souvent je consacrais l'argent nécessaire au pain d'une semaine pour aller la voir un moment. Quitter mes travaux et jeûner, ce n'était rien! Mais traverser les rues de Paris sans se laisser éclabousser, courir pour éviter la pluie, arriver chez elle aussi bien mis que les fats qui l'entouraient, ah! pour un poète amoureux et distrait, cette tâche avait d'innombrables difficultés. Mon bonheur, mon amour, dépendait d'une moucheture de fange sur mon seul gilet blanc! Renoncer à la voir si je me crottais, si je me mouillais! Ne pas posséder cinq sous pour faire effacer par un décrotteur la plus légère tache de boue sur ma botte! Ma passion s'était augmentée de tous ces petits supplices inconnus, immenses chez un homme irritable. Les malheureux ont des dévouements desquels il ne leur est point

---

1. *Institut* : siège des Académies dont l'Académie française, situé quai de Conti. \ 2. *Denier* : vingtième partie du franc.

permis de parler aux femmes qui vivent dans une sphère de luxe et d'élégance ; elles voient le monde à travers un prisme qui teint en or les hommes et les choses. Optimistes par égoïsme, cruelles par bon ton, ces femmes s'exemptent de réfléchir au nom de leurs jouissances, et s'absolvent de leur indifférence au malheur par l'entraînement du plaisir. Pour elles un denier n'est jamais un million, c'est le million qui leur semble être un denier. Si l'amour doit plaider sa cause par de grands sacrifices, il doit aussi les couvrir délicatement d'un voile, les ensevelir dans le silence ; mais, en prodiguant leur fortune et leur vie, en se dévouant, les hommes riches profitent des préjugés mondains qui donnent toujours un certain éclat à leurs amoureuses folies ; pour eux le silence parle et le voile est une grâce, tandis que mon affreuse détresse me condamnait à d'épouvantables souffrances sans qu'il me fût permis de dire : « J'aime ! » ou : « Je meurs ! » Était-ce du dévouement après tout ? N'étais-je pas richement récompensé par le plaisir que j'éprouvais à tout immoler pour elle ? La comtesse avait donné d'extrêmes valeurs, attaché d'excessives jouissances aux accidents les plus vulgaires de ma vie. Naguère insouciant en fait de toilette, je respectais maintenant mon habit comme un autre moi-même. Entre une blessure à recevoir et la déchirure de mon frac[1], je n'aurais pas hésité ! Tu dois alors épouser ma situation et comprendre les rages de pensées, la frénésie croissante qui m'agitaient en marchant, et que peut-être la marche animait encore ! J'éprouvais je ne sais quelle joie infernale à me trouver au faîte du malheur. Je voulais voir un présage de fortune dans cette dernière crise ; mais le mal a des trésors sans fond. La porte de mon hôtel était entrouverte. À travers les découpures en forme de cœur pratiquées dans le volet, j'aperçus une lumière projetée dans la rue. Pauline et sa mère causaient en m'attendant. J'entendis prononcer mon nom, j'écoutai. – « Raphaël, disait Pauline, est bien mieux que l'étudiant du numéro sept ! Ses cheveux blonds sont d'une si jolie couleur ! Ne trouves-tu pas quelque chose dans sa voix, je ne sais, mais quelque chose qui vous remue le cœur ? Et puis,

---

1. *Frac* : habit noir à basques en queue de morue.

quoiqu'il ait l'air un peu fier, il est si bon, il a des manières si distinguées ! Oh ! il est vraiment très bien ! Je suis sûre que toutes les femmes doivent être folles de lui. – Tu en parles comme si tu l'aimais, reprit madame Gaudin. – Oh ! je l'aime comme un frère, répondit-elle en riant. je serais joliment ingrate si je n'avais pas de l'amitié pour lui ! Ne m'a-t-il pas appris la musique, le dessin, la grammaire, enfin tout ce que je sais ? Tu ne fais pas grande attention à mes progrès, ma bonne mère ; mais je deviens si instruite que dans quelque temps je serai assez forte pour donner des leçons, et alors nous pourrons avoir une domestique. » Je me retirai doucement ; et, après avoir fait quelque bruit, j'entrai dans la salle pour y prendre ma lampe que Pauline voulut allumer. La pauvre enfant venait de jeter un baume délicieux sur mes plaies. Ce naïf éloge de ma personne me rendit un peu de courage. J'avais besoin de croire en moi-même et de recueillir un jugement impartial sur la véritable valeur de mes avantages. Mes espérances, ainsi ranimées, se reflétèrent peut-être sur les choses que je voyais. Peut-être aussi n'avais-je point encore bien sérieusement examiné la scène assez souvent offerte à mes regards par ces deux femmes au milieu de cette salle ; mais alors j'admirai dans sa réalité le plus délicieux tableau de cette nature modeste si naïvement reproduite par les peintres flamands. La mère, assise au coin d'un foyer à demi éteint, tricotait des bas, et laissait errer sur ses lèvres un bon sourire. Pauline coloriait des écrans, ses couleurs, ses pinceaux étalés sur une petite table parlaient aux yeux par de piquants effets ; mais, ayant quitté sa place et se tenant debout pour allumer ma lampe, sa blanche figure en recevait toute la lumière ; il fallait être subjugué par une bien terrible passion pour ne pas admirer ses mains transparentes et roses, l'idéal de sa tête et sa virginale attitude ! La nuit et le silence prêtaient leur charme à cette laborieuse veillée, à ce paisible intérieur. Ces travaux continus et gaiement supportés attestaient une résignation religieuse pleine de sentiments élevés. Une indéfinissable harmonie existait là entre les choses et les personnes. Chez Foedora le luxe était sec, il réveillait en moi de mauvaises pensées ; tandis que cette humble misère et ce bon naturel me rafraîchissaient l'âme. Peut-être étais-je humilié en présence du luxe ; près de ces deux femmes, au milieu de cette salle brune où la vie simplifiée semblait se réfugier dans les émotions du cœur, peut-être me réconciliai-je avec moi-même en trouvant à exercer la protection que l'homme est si jaloux de faire sentir. Quand je fus près de Pauline, elle me jeta un regard presque maternel, et s'écria, les mains tremblantes, en posant vivement la lampe : – « Dieu ! comme vous êtes pâle ! Ah ! il est tout mouillé ! Ma mère va vous essuyer. Monsieur Raphaël, reprit-elle après une légère pause, vous êtes friand de lait : nous avons eu ce soir de la crème, tenez, voulez-vous y goûter ? » Elle sauta comme un petit chat sur un bol de porcelaine plein de lait, et me le présenta si vivement, me le mit sous le nez d'une si gentille façon, que j'hésitai. – « Vous me refuseriez ? » dit-elle d'une voix altérée. Nos deux fiertés se comprenaient : Pauline paraissait souffrir de sa pauvreté, et me reprocher ma hauteur. Je fus attendri. Cette crème était peut-être son déjeuner du lendemain, j'acceptai cependant. La pauvre fille essaya de cacher sa joie, mais elle pétillait dans ses yeux. – « J'en avais besoin, lui dis-je en m'asseyant. (Une expression soucieuse passa sur son front.) Vous souvenez-vous, Pauline, de ce passage où Bossuet nous peint Dieu récompensant un verre d'eau plus richement qu'une victoire ? [1] – Oui, dit-elle. Et son sein battait comme celui d'une jeune fauvette entre les mains d'un enfant. – Eh bien, comme nous nous quitterons bientôt, ajoutai-je d'une voix mal assurée, laissez-moi vous témoigner ma reconnaissance pour tous les soins que vous et votre mère vous avez eus de moi. – Oh ! ne comptons pas, dit-elle en riant. Son rire cachait une émotion qui me fit mal. – Mon piano, repris-je sans paraître avoir entendu ses paroles, est un des meilleurs instruments d'Érard [2] : acceptez-le. Prenez-le sans scrupule, je ne saurais vraiment l'emporter dans le voyage que je compte entreprendre. » Éclairées peut-être par l'accent de mélancolie avec lequel je prononçai ces mots, les deux femmes semblèrent m'avoir compris et me regardèrent avec une

---

1. *Passage {…}victoire* : Balzac fait ici allusion à un passage de l'*Oraison funèbre de Louis de Bourbon* où il est dit que Dieu comptera « un verre d'eau donné en son nom plus que tous les autres ne feront jamais pour tout votre sang répandu ». \ **2.** *Érard* : Sébastien Érard (1752-1831), meilleur artisan-fabricant de pianos de son époque.

curiosité mêlée d'effroi. L'affection que je cherchais au milieu des froides régions du grand monde, était donc là, vraie, sans faste, mais onctueuse et peut-être durable. – « Il ne faut pas prendre tant de souci, me dit la mère. Restez ici. Mon mari est en route à cette heure, reprit-elle. Ce soir, j'ai lu l'Évangile de saint Jean pendant que Pauline tenait suspendue entre ses doigts notre clef attachée dans une Bible, la clef a tourné. Ce présage annonce que Gaudin se porte bien et prospère. Pauline a recommencé pour vous et pour le jeune homme du numéro sept ; mais la clef n'a tourné que pour vous. Nous serons tous riches, Gaudin reviendra millionnaire. Je l'ai vu en rêve sur un vaisseau plein de serpents ; heureusement l'eau était trouble, ce qui signifie or et pierreries d'outre-mer. » Ces paroles amicales et vides, semblables aux vagues chansons avec lesquelles une mère endort les douleurs de son enfant, me rendirent une sorte de calme. L'accent et le regard de la bonne femme exhalaient cette douce cordialité qui n'efface pas le chagrin, mais qui l'apaise, qui le berce et l'émousse. Plus perspicace que sa mère, Pauline m'examinait avec inquiétude, ses yeux intelligents semblaient deviner ma vie et mon avenir. Je remerciai par une inclination de tête la mère et la fille ; puis je me sauvai, craignant de m'attendrir. Quand je me trouvai seul sous mon toit, je me couchai dans mon malheur. Ma fatale imagination me dessina mille projets sans base et me dicta des résolutions impossibles. Quand un homme se traîne dans les décombres de sa fortune, il y rencontre encore quelques ressources ; mais j'étais dans le néant. Ah ! mon cher, nous accusons trop facilement la misère. Soyons indulgents pour les effets du plus actif de tous les dissolvants sociaux. Là, où règne la misère, il n'existe plus ni pudeur, ni crimes, ni vertus, ni esprit. J'étais alors sans idées, sans force, comme une jeune fille tombée à genoux devant un tigre. Un homme sans passion et sans argent reste maître de sa personne ; mais un malheureux qui aime ne s'appartient plus et ne peut pas se tuer. L'amour nous donne une sorte de religion pour nous-mêmes, nous respectons en nous une autre vie ; il devient alors le plus horrible des malheurs, le malheur avec une espérance, une espérance qui vous fait accepter des tortures. Je m'endormis avec l'idée d'aller le lendemain confier à Rastignac la singulière détermination de Foedora. – « Ah ! ah ! me dit Rastignac en me voyant entrer chez lui dès neuf heures du matin, je sais ce qui t'amène, tu dois être congédié par Foedora. Quelques bonnes âmes jalouses de ton empire sur la comtesse ont annoncé votre mariage. Dieu sait les folies que tes rivaux t'ont prêtées et les calomnies dont tu as été l'objet ! – Tout s'explique ! » m'écriai-je. Je me souvins de toutes mes impertinences et trouvai la comtesse sublime. À mon gré, j'étais un infâme qui n'avait pas encore assez souffert, et je ne vis plus dans son indulgence que la patiente charité de l'amour. – « N'allons pas si vite, me dit le prudent Gascon. Foedora possède la pénétration naturelle aux femmes profondément égoïstes, elle t'aura jugé peut-être au moment où tu ne voyais encore en elle que sa fortune et son luxe ; en dépit de ton adresse, elle aura lu dans ton âme. Elle est assez dissimulée pour qu'aucune dissimulation ne trouve grâce devant elle. Je crois, ajouta-t-il, t'avoir mis dans une mauvaise voie. Malgré la finesse de son esprit et de ses manières, cette créature me semble impérieuse comme toutes les femmes qui ne prennent de plaisir que par la tête. Pour elle le bonheur gît tout entier dans le bien-être de la vie, dans les jouissances sociales ; chez elle, le sentiment est un rôle, elle te rendrait malheureux, et ferait de toi son premier valet ! » Rastignac parlait à un sourd. Je l'interrompis, en lui exposant avec une apparente gaieté ma situation financière. – « Hier au soir, me répondit-il, une veine contraire m'a emporté tout l'argent dont je pouvais disposer. Sans cette vulgaire infortune, j'eusse partagé volontiers ma bourse avec toi. Mais, allons déjeuner au cabaret, les huîtres nous donneront peut-être un bon conseil. – Il s'habilla, fit atteler son tilbury [1] ; puis semblables à deux millionnaires, nous arrivâmes au Café de Paris avec l'impertinence de ces audacieux spéculateurs qui vivent sur des capitaux imaginaires. Ce diable de Gascon me confondait par l'aisance de ses manières et par son aplomb imperturbable. Au moment où nous prenions le café, après avoir fini un repas fort délicat et très bien entendu, Rastignac, qui distribuait des coups de tête à une foule de jeunes

---

1. *Tilbury* : voiture à cheval à deux places, découverte et légère.

gens également recommandables par les grâces de leur personne et par l'élégance de leur mise, me dit en voyant entrer un de ces *dandys* : – « Voici ton affaire ! » Et il fit signe à un gentilhomme bien cravaté, qui semblait chercher une table à sa convenance, de venir lui parler. – « Ce gaillard-là, me dit Rastignac à l'oreille, est décoré pour avoir publié des ouvrages qu'il ne comprend pas ; il est chimiste, historien, romancier, publiciste ; il possède des quarts, des tiers, des moitiés, dans je ne sais combien de pièces de théâtre, et il est ignorant comme la mule de don Miguel[1]. Ce n'est pas un homme, c'est un nom, une étiquette familière au public. Aussi se garderait-il bien d'entrer dans ces cabinets sur lesquels il y a cette inscription : *Ici l'on peut écrire soi-même.* Il est fin à jouer tout un congrès. En deux mots, c'est un métis en morale, ni tout à fait probe, ni complètement fripon. Mais chut ! il s'est déjà battu, le monde n'en demande pas davantage et dit de lui : C'est un homme honorable. – Eh bien, mon excellent ami, mon honorable ami, comment se porte Votre Intelligence ? lui dit Rastignac au moment où l'inconnu s'assit à la table voisine. – Mais ni bien, ni mal. Je suis accablé de travail. J'ai entre les mains tous les matériaux nécessaires pour faire des mémoires historiques très curieux, et je ne sais à qui les attribuer. Cela me tourmente, il faut se hâter, les mémoires vont passer de mode. – Sont-ce des mémoires contemporains[2], anciens, sur la cour, sur quoi ? – Sur l'affaire du Collier[3]. – N'est-ce pas un miracle ? me dit Rastignac en riant. Puis, se retournant vers le spéculateur : – Monsieur de Valentin, reprit-il en me désignant, est un de mes amis que je vous présente comme l'une de nos futures célébrités littéraires. Il avait jadis une tante fort bien en cour, marquise, et depuis deux ans il travaille à une histoire royaliste de la révolution. Puis, se penchant à l'oreille de ce singulier négociant, il lui dit : – C'est un homme de talent ; mais un niais qui peut vous faire vos mémoires, au nom de sa tante, pour cent écus par volume. – Le marché me

1. *Mule de don Miguel* : en 1828, les mules du carosse de don Miguel, roi du Portugal, s'étaient emportées, provoquant un accident. \ **2.** *Mémoires* : l'écriture de mémoires, quelquefois apocryphes, sur l'Ancien Régime est très en vogue dans ces années-là. \ **3.** *Affaire du Collier* : la reine Marie-Antoinette avait été compromise injustement dans cette affaire entre 1784 et 1786.

va, répondit l'autre en haussant sa cravate. Garçon, mes huîtres, donc ! – Oui, mais vous me donnerez vingt-cinq louis de commission et lui paierez un volume d'avance, reprit Rastignac. Non, non. Je n'avancerai que cinquante écus pour être plus sûr d'avoir promptement mon manuscrit. » Rastignac me répéta cette conversation mercantile à voix basse. Puis sans me consulter : – « Nous sommes d'accord, lui répondit-il. Quand pouvons-nous aller vous voir pour terminer cette affaire ? – Eh bien, venez dîner ici, demain soir, à sept heures. » Nous nous levâmes, Rastignac jeta de la monnaie au garçon, mit la carte à payer dans sa poche, et nous sortîmes. J'étais stupéfait de la légèreté, de l'insouciance avec laquelle il avait vendu ma respectable tante, la marquise de Montbauron. – « J'aime mieux m'embarquer pour le Brésil, et y enseigner aux Indiens l'algèbre que je ne sais pas, que de salir le nom de ma famille ! » Rastignac m'interrompit par un éclat de rire. – « Es-tu bête ! Prends d'abord les cinquante écus et fais les mémoires. Quand ils seront achevés, tu refuseras de les mettre sous le nom de ta tante, imbécile ! Madame de Montbauron, morte sur l'échafaud, ses paniers [1], ses considérations, sa beauté, son fard, ses mules valent bien plus de six cents francs. Si le libraire ne veut pas alors payer ta tante ce qu'elle vaut, il trouvera quelque vieux chevalier d'industrie, ou je ne sais quelle fangeuse comtesse pour signer les mémoires. – Oh ! m'écriai-je, pourquoi suis-je sorti de ma vertueuse mansarde ? Le monde a des envers bien salement ignobles. – Bon, répondit Rastignac, voilà de la poésie, et il s'agit d'affaires. Tu es un enfant. Écoute : quant aux mémoires, le public les jugera ; quant à mon proxénète [2] littéraire, n'a-t-il pas dépensé huit ans de sa vie, et payé ses relations avec la librairie par de cruelles expériences ? En partageant inégalement avec lui le travail du livre, ta part d'argent n'est-elle pas aussi la plus belle ? Vingt-cinq louis sont une bien plus grande somme pour toi, que mille francs pour lui. Va, tu peux écrire des mémoires historiques, oeuvres d'art si jamais il en fut, quand Diderot a fait six sermons pour cent écus. – Enfin, lui dis-je tout ému, c'est pour moi une

---

1. *Paniers* : robes à paniers, c'est-à-dire doublées par un jupon et soutenues par une armature, garnie de baleines . \ **2.** *Proxénète* : celui qui tire des revenus de la prostitution d'autrui.

nécessité : ainsi, mon pauvre ami, je te dois des remerciements. Vingt-cinq louis me rendront bien riche. – Et plus riche que tu ne penses, reprit-il en riant. Si Finot me donne une commission dans l'affaire, ne devines-tu pas qu'elle sera pour toi ? Allons au bois de Boulogne, dit-il ; nous y verrons ta comtesse, et je te montrerai la jolie petite veuve que je dois épouser, une charmante personne, Alsacienne un peu grasse. Elle lit Kant[1], Schiller[2], Jean-Paul[3], et une foule de livres hydrauliques[4]. Elle a la manie de toujours me demander mon opinion, je suis obligé d'avoir l'air de comprendre toute cette sensiblerie allemande, de connaître un tas de ballades, toutes drogues qui me sont défendues par le médecin. Je n'ai pas encore pu la déshabituer de son enthousiasme littéraire, elle pleure des averses à la lecture de Goethe, et je suis obligé de pleurer un peu, par complaisance, car il y a cinquante mille livres de rentes, mon cher, et le plus joli petit pied, la plus jolie petite main de la terre ! Ah ! si elle ne disait pas *mon anche*, et *proulier* pour mon *ange* et *brouiller*, ce serait une femme accomplie. » Nous vîmes la comtesse, brillante dans un brillant équipage. La coquette nous salua fort affectueusement en me jetant un sourire qui me parut alors divin et plein d'amour. Ah ! j'étais bien heureux, je me croyais aimé, j'avais de l'argent et des trésors de passion, plus de misère. Léger, gai, content de tout, je trouvai la maîtresse de mon ami charmante. Les arbres, l'air, le ciel, toute la nature semblait me répéter le sourire de Foedora. En revenant des Champs-Élysées, nous allâmes chez le chapelier et chez le tailleur de Rastignac. L'affaire du Collier me permit de quitter mon misérable pied de paix, pour passer à un formidable pied de guerre. Désormais je pouvais sans crainte lutter de grâce et d'élégance avec les jeunes gens qui tourbillonnaient autour de Foedora. Je revins chez moi. Je m'y enfermai, restant tranquille en apparence, près de ma lucarne ; mais disant d'éternels adieux à mes toits, vivant dans l'avenir, dramatisant ma vie, escomptant

1. *Kant* : Emmanuel Kant, philosophe allemand (1724-1804). \ **2.** *Schiller* : Friedrich von Schiller, poète et dramaturge allemand (1759-1805). \ **3.** *Jean-Paul* : pseudonyme de Jean-Paul Richter, écrivain romantique allemand (1763-1821). \ **4.** *Hydrauliques* : qui font pleurer.

l'amour et ses joies. Ah! comme une existence peut devenir orageuse entre les quatre murs d'une mansarde! L'âme humaine est une fée, elle métamorphose une paille en diamants; sous sa baguette les palais enchantés éclosent comme les fleurs des champs sous les chaudes inspirations du soleil. Le lendemain, vers midi, Pauline frappa doucement à ma porte et m'apporta, devine quoi? une lettre de Foedora. La comtesse me priait de venir la prendre au Luxembourg pour aller, de là, voir ensemble le Muséum et le jardin des Plantes. – « Un commissionnaire attend la réponse », me dit-elle après un moment de silence. Je griffonnai promptement une lettre de remerciement que Pauline emporta. Je m'habillai. Au moment où, assez content de moi-même, j'achevais ma toilette, un frisson glacial me saisit à cette pensée: Foedora est-elle venue en voiture ou à pied? pleuvra-t-il, fera-t-il beau? Mais, me dis-je, qu'elle soit à pied ou en voiture, est-on jamais certain de l'esprit fantasque d'une femme? Elle sera sans argent et voudra donner cent sous à un petit Savoyard parce qu'il aura de jolies guenilles. J'étais sans un rouge liard et ne devais avoir de l'argent que le soir. Oh! combien, dans ces crises de notre jeunesse, un poète paie cher la puissance intellectuelle dont il est investi par le régime et par le travail! En un instant, mille pensées vives et douloureuses me piquèrent comme autant de dards. Je regardai le ciel par ma lucarne, le temps était fort incertain. En cas de malheur, je pouvais bien prendre une voiture pour la journée; mais aussi ne tremblerais-je pas à tout moment, au milieu de mon bonheur, de ne pas rencontrer Finot le soir? Je ne me sentis pas assez fort pour supporter tant de craintes au sein de ma joie. Malgré la certitude de ne rien trouver, j'entrepris une grande exploration à travers ma chambre, je cherchai des écus imaginaires jusque dans les profondeurs de ma paillasse, je fouillai tout, je secouai même de vieilles bottes. En proie à une fièvre nerveuse, je regardais mes meubles d'un œil hagard après les avoir renversés tous. Comprendras-tu le délire qui m'anima, lorsqu'en ouvrant pour la septième fois le tiroir de ma table à écrire que je visitais avec cette espèce d'indolence dans laquelle nous plonge le désespoir, j'aperçus collée contre une planche latérale, tapie sournoisement, mais propre, brillante, lucide comme une étoile à son lever, une belle et noble pièce de cent sous ? Ne lui demandant compte ni de son silence ni de la cruauté dont elle était coupable en se tenant ainsi cachée, je la baisai comme un ami fidèle au malheur et la saluai par un cri qui trouva de l'écho. Je me retournai brusquement et vis Pauline devenue pâle. – « J'ai cru, dit-elle d'une voix émue, que vous vous faisiez mal. Le commissionnaire... Elle s'interrompit comme si elle étouffait. Mais ma mère l'a payé », ajouta-t-elle. Puis elle s'enfuit, enfantine et follette comme un caprice. Pauvre petite ! je lui souhaitai mon bonheur. En ce moment, il me semblait avoir dans l'âme tout le plaisir de la terre, et j'aurais voulu restituer aux malheureux la part que je croyais leur voler. Nous avons presque toujours raison dans nos pressentiments d'adversité, la comtesse avait renvoyé sa voiture. Par un de ces caprices que les jolies femmes ne s'expliquent pas toujours à elles-mêmes, elle voulait aller au jardin des Plantes par les boulevards et à pied. – « Mais il va pleuvoir », lui dis-je. Elle prit plaisir à me contredire. Par hasard, il fit beau pendant tout le temps que nous marchâmes dans le Luxembourg. Quand nous en sortîmes, un gros nuage dont la marche excitait mon inquiétude, ayant laissé tomber quelques gouttes d'eau, nous montâmes dans un fiacre. Lorsque nous eûmes atteint les boulevards, la pluie cessa, le ciel reprit sa sérénité. En arrivant au Muséum, je voulus renvoyer la voiture, Foedora me pria de la garder. Que de tortures ! Mais causer avec elle en comprimant un secret délire qui sans doute se formulait sur mon visage par quelque sourire niais et arrêté ; errer dans le jardin des Plantes, en parcourir les allées bocagères et sentir son bras appuyé sur le mien, il y eut dans tout cela je ne sais quoi de fantastique : c'était un rêve en plein jour. Cependant ses mouvements, soit en marchant, soit en nous arrêtant, n'avaient rien de doux ni d'amoureux, malgré leur apparente volupté. Quand je cherchais à m'associer en quelque sorte à l'action de sa vie, je rencontrais en elle une intime et secrète vivacité, je ne sais quoi de saccadé, d'excentrique. Les femmes sans âme n'ont rien de moelleux dans leurs gestes. Aussi n'étions-nous unis, ni par une même volonté, ni par un même pas. Il n'existe point de mots pour rendre ce désaccord matériel de deux êtres, car nous ne sommes pas encore habitués à reconnaître une pensée dans le mouvement. Ce phénomène de notre nature se sent instinctivement, il ne s'exprime pas.

« Pendant ces violents paroxysmes de ma passion, reprit Raphaël après un moment de silence, et comme s'il répondait à une objection qu'il se fût adressée à lui-même, je n'ai pas disséqué mes sensations, analysé mes plaisirs, ni supputé les battements de mon cœur, comme un avare examine et pèse ses pièces d'or. Oh ! non, l'expérience jette aujourd'hui sa triste lumière sur les événements passés, et le souvenir m'apporte ces images, comme par un beau temps les flots de la mer amènent brin à brin les débris d'un naufrage sur la grève. — « Vous pouvez me rendre un service assez important, me dit la comtesse en me regardant d'un air confus. Après vous avoir confié mon antipathie pour l'amour, je me sens plus libre en réclamant de vous un bon office au nom de l'amitié. N'aurez-vous pas, reprit-elle en riant, beaucoup plus de mérite à m'obliger aujourd'hui ? » Je la regardais avec douleur. N'éprouvant rien près de moi, elle était pateline[1] et non pas affectueuse ; elle me paraissait jouer un rôle en actrice consommée ; puis tout à coup son accent, un regard, un mot réveillaient mes espérances ; mais si mon amour ranimé se peignait alors dans mes yeux, elle en soutenait les rayons sans que la clarté des siens s'en altérât, car ils semblaient, comme ceux des tigres, être doublés par une feuille de métal. En ces moments-là, je la détestais. — « La protection du duc de Navarreins, dit-elle en continuant avec des inflexions de voix pleines de câlinerie, me serait très utile auprès d'une personne toute-puissante en Russie, et dont l'intervention est nécessaire pour me faire rendre justice dans une affaire qui concerne à la fois ma fortune et mon état dans le monde, la reconnaissance de mon mariage par l'empereur. Le duc de Navarreins n'est-il pas votre cousin ? Une lettre de lui déciderait tout. — Je vous appartiens, lui répondis-je, ordonnez. — Vous êtes bien aimable, reprit-elle en me serrant la main. Venez dîner avec moi, je vous dirai tout comme à un confesseur. » Cette femme si méfiante, si discrète, et à laquelle

---

1. *Pateline* : mielleuse.

personne n'avait entendu dire un mot sur ses intérêts, allait donc me consulter. — « Oh ! combien j'aime maintenant le silence que vous m'avez imposé ! m'écriai-je. Mais j'aurais voulu quelque épreuve plus rude encore. » En ce moment, elle accueillit l'ivresse de mes regards et ne se refusa point à mon admiration, elle m'aimait donc ! Nous arrivâmes chez elle. Fort heureusement, le fond de ma bourse put satisfaire le cocher. Je passai délicieusement la journée, seul avec elle, chez elle ; c'était la première fois que je pouvais la voir ainsi. Jusqu'à ce jour, le monde, sa gênante politesse et ses façons froides nous avaient toujours séparés, même pendant ses somptueux dîners ; mais alors j'étais chez elle comme si j'eusse vécu sous son toit, je la possédais pour ainsi dire. Ma vagabonde imagination brisait les entraves, arrangeait les événements de la vie à ma guise, et me plongeait dans les délices d'un amour heureux. Me croyant son mari, je l'admirais occupée de petits détails ; j'éprouvais même du bonheur à lui voir ôter son schall [1] et son chapeau. Elle me laissa seul un moment, et revint les cheveux arrangés, charmante. Cette jolie toilette avait été faite pour moi ! Pendant le dîner, elle me prodigua ses attentions et déploya des grâces infinies dans mille choses qui semblent des riens et qui cependant sont la moitié de la vie. Quand nous fûmes tous deux devant un foyer pétillant, assis sur la soie, environnés des plus désirables créations d'un luxe oriental ; quand je vis si près de moi cette femme dont la beauté célèbre faisait palpiter tant de cœurs, cette femme si difficile à conquérir, me parlant, me rendant l'objet de toutes ses coquetteries, ma voluptueuse félicité devint presque de la souffrance. Pour mon malheur, je me souvins de l'importante affaire que je devais conclure, et voulus aller au rendez-vous qui m'avait été donné la veille. — « Quoi ! déjà ! » dit-elle en me voyant prendre mon chapeau. Elle m'aimait ! je le crus du moins, en l'entendant prononcer ces deux mots d'une voix caressante. Pour prolonger mon extase, j'aurais alors volontiers troqué deux années de ma vie contre chacune des heures qu'elle voulait bien m'accorder. Mon bonheur s'augmenta de tout l'ar-

---

1. *Schall* : châle.

gent que je perdais ! Il était minuit quand elle me renvoya. Néanmoins le lendemain, mon héroïne me coûta bien des remords, je
craignis d'avoir manqué l'affaire des mémoires, devenue si capitale
pour moi ; je courus chez Rastignac, et nous allâmes surprendre à
son lever le titulaire de mes travaux futurs. Finot me lut un petit
acte où il n'était point question de ma tante, et après la signature
duquel il me compta cinquante écus. Nous déjeunâmes tous les
trois. Quand j'eus payé mon nouveau chapeau, soixante cachets [1] à
trente sous et mes dettes, il ne me resta plus que trente francs ;
mais toutes les difficultés de la vie s'étaient aplanies pour quelques
jours. Si j'avais voulu écouter Rastignac, je pouvais avoir des
trésors en adoptant avec franchise le *système anglais*. Il voulait absolument m'établir un crédit et me faire faire des emprunts, en
prétendant que les emprunts soutiendraient le crédit. Selon lui,
l'avenir était de tous les capitaux du monde le plus considérable et
le plus solide. En hypothéquant ainsi mes dettes sur de futurs
contingents, il donna ma pratique à son tailleur, un artiste qui
comprenait *le jeune homme* et devait me laisser tranquille jusqu'à
mon mariage. Dès ce jour, je rompis avec la vie monastique et
studieuse que j'avais menée pendant trois ans. J'allai fort assidû-
ment chez Foedora, où je tâchai de surpasser en apparence les
impertinents ou les héros de coterie qui s'y trouvaient. En croyant
avoir échappé pour toujours à la misère, je recouvrai ma liberté
d'esprit, j'écrasai mes rivaux, et passai pour un homme plein de
séductions, prestigieux, irrésistible. Cependant les gens habiles
disaient en parlant de moi : « Un garçon aussi spirituel ne doit
avoir de passions que dans la tête ! »

Ils vantaient charitablement mon esprit aux dépens de ma sensibilité. « Est-il heureux de ne pas aimer ! s'écriaient-ils. S'il
aimait, aurait-il autant de gaieté, de verve ? » J'étais cependant
bien amoureusement stupide en présence de Foedora ! Seul avec
elle, je ne savais rien lui dire, ou si je parlais, je médisais de
l'amour ; j'étais tristement gai comme un courtisan qui veut cacher
un cruel dépit. Enfin, j'essayai de me rendre indispensable à sa vie,

---

1. *Cachets* : dettes pour des repas pris au restaurant.

à son bonheur, à sa vanité : tous les jours près d'elle, j'étais un esclave, un jouet sans cesse à ses ordres. Après avoir ainsi dissipé ma journée, je revenais chez moi pour y travailler pendant les nuits, ne dormant guère que deux ou trois heures de la matinée. Mais n'ayant pas, comme Rastignac, l'habitude du système anglais, je me vis bientôt sans un sou. Dès lors, mon cher ami, fat sans bonnes fortunes, élégant sans argent, amoureux anonyme, je retombai dans cette vie précaire, dans ce froid et profond malheur soigneusement caché sous les trompeuses apparences du luxe. Je ressentis alors mes souffrances premières, mais moins aiguës : je m'étais familiarisé sans doute avec leurs terribles crises. Souvent les gâteaux et le thé, si parcimonieusement offerts dans les salons, étaient ma seule nourriture. Quelquefois, les somptueux dîners de la comtesse me substantaient pendant deux jours. J'employai tout mon temps, mes efforts et ma science d'observation à pénétrer plus avant dans l'impénétrable caractère de Foedora. Jusqu'alors, l'espérance ou le désespoir avaient influencé mon opinion, je voyais en elle tour à tour la femme la plus aimante ou la plus insensible de son sexe ; mais ces alternatives de joie et de tristesse devinrent intolérables : je voulus chercher un dénouement à cette lutte affreuse, en tuant mon amour. De sinistres lueurs brillaient parfois dans mon âme et me faisaient entrevoir des abîmes entre nous. La comtesse justifiait toutes mes craintes, je n'avais pas encore surpris de larmes dans ses yeux ; au théâtre une scène attendrissante la trouvait froide et rieuse, elle réservait toute sa finesse pour elle, et ne devinait ni le malheur ni le bonheur d'autrui. Enfin elle m'avait joué ! Heureux de lui faire un sacrifice, je m'étais presque avili pour elle en allant voir mon parent le duc de Navarreins, homme égoïste qui rougissait de ma misère et qui avait de trop grands torts envers moi pour ne pas me haïr ; il me reçut donc avec cette froide politesse qui donne aux gestes et aux paroles l'apparence de l'insulte, son regard inquiet excita ma pitié. J'eus honte pour lui de sa petitesse au milieu de tant de grandeur, de sa pauvreté au milieu de tant de luxe. Il me parla des pertes considérables que lui occasionnait le trois pour cent, je lui dis alors quel était l'objet de ma visite. Le changement de ses manières qui de glaciales devinrent insensiblement affectueuses, me dégoûta. Eh bien, mon ami, il vint chez la comtesse, il m'y écrasa. Foedora trouva pour lui des enchantements, des prestiges inconnus ; elle le séduisit, traita sans moi cette affaire mystérieuse de laquelle je ne sus pas un mot : j'avais été pour elle un moyen !… Elle paraissait ne plus m'apercevoir quand mon cousin était chez elle, elle m'acceptait alors avec moins de plaisir peut-être que le jour où je lui fus présenté. Un soir, elle m'humilia devant le duc par un de ces gestes et par un de ces regards qu'aucune parole ne saurait peindre. Je sortis pleurant, formant mille projets de vengeance, combinant d'épouvantables viols. Souvent je l'accompagnais aux Bouffons ; là, près d'elle, tout entier à mon amour, je la contemplais en me livrant au charme d'écouter la musique, épuisant mon âme dans la double jouissance d'aimer et de retrouver les mouvements de mon cœur bien rendus par les phrases du musicien. Ma passion était dans l'air, sur la scène ; elle triomphait partout, excepté chez ma maîtresse. Je prenais alors la main de Foedora, j'étudiais ses traits et ses yeux en sollicitant une fusion de nos sentiments, une de ces soudaines harmonies qui, réveillées par les notes, font vibrer les âmes à l'unisson ; mais sa main était muette et ses yeux ne disaient rien. Quand le feu de mon cœur émané de tous mes traits la frappait trop fortement au visage, elle me jetait ce sourire cherché, phrase convenue qui se reproduit au salon sur les lèvres de tous les portraits. Elle n'écoutait pas la musique. Les divines pages de Rossini [1], de Cimarosa [2], de Zingarelli [3] ne lui rappelaient aucun sentiment, ne lui traduisaient aucune poésie de sa vie ; son âme était aride. Foedora se produisait là comme un spectacle dans le spectacle. Sa lorgnette voyageait incessamment de loge en loge ; inquiète, quoique tranquille, elle était victime de la mode ; sa loge, son bonnet, sa voiture, sa personne étaient tout pour elle. Vous rencontrez souvent des gens de colossale apparence de qui le cœur est tendre et délicat sous un corps de bronze ; mais elle cachait un cœur de bronze sous sa frêle et gracieuse enveloppe. Ma fatale science me déchirait bien des voiles. Si le bon ton consiste à s'oublier pour autrui, à mettre dans sa voix et dans ses gestes une constante

---

1. *Rossini* : Gioacchino Rossini (1792-1868), compositeur italien. \ 2. *Cimarosa* : Domenico Cimarosa (1749-1801), compositeur italien. \ 3. *Zingarelli* : Nicolo Zingarelli (1752-1837), compositeur italien.

douceur, à plaire aux autres en les rendant contents d'eux-mêmes, malgré sa finesse, Foedora n'avait pas effacé tout vestige de sa plébéienne origine : son oubli d'elle-même était fausseté ; ses manières, au lieu d'être innées, avaient été laborieusement conquises ; enfin sa politesse sentait la servitude. Eh bien, ses paroles emmiellées étaient pour ses favoris l'expression de la bonté, sa prétentieuse exagération était un noble enthousiasme. Moi seul avais étudié ses grimaces, j'avais dépouillé son être intérieur de la mince écorce qui suffit au monde, et n'étais plus la dupe de ses singeries ; je connaissais à fond son âme de chatte. Quand un niais la complimentait, la vantait, j'avais honte pour elle. Et je l'aimais toujours ! j'espérais fondre ses glaces sous les ailes d'un amour de poète. Si je pouvais une fois ouvrir son cœur aux tendresses de la femme, si je l'initiais à la sublimité des dévouements, je la voyais alors parfaite ; elle devenait un ange. Je l'aimais en homme, en amant, en artiste, quand il aurait fallu ne pas l'aimer pour l'obtenir ; un fat bien gourmé, un froid calculateur, en aurait triomphé peut-être. Vaine, artificieuse, elle eût sans doute entendu le langage de la vanité, se serait laissé entortiller dans les pièges d'une intrigue ; elle eût été dominée par un homme sec et glacé. Des douleurs acérées entraient jusqu'au vif dans mon âme, quand elle me révélait naïvement son égoïsme. Je l'apercevais avec douleur seule un jour dans la vie et ne sachant à qui tendre la main, ne rencontrant pas de regards amis où reposer les siens. Un soir, j'eus le courage de lui peindre, sous des couleurs animées, sa vieillesse déserte, vide et triste. À l'aspect de cette épouvantable vengeance de la nature trompée, elle dit un mot atroce. – « J'aurai toujours de la fortune, me répondit-elle. Eh bien, avec de l'or nous pouvons toujours créer autour de nous les sentiments qui sont nécessaires à notre bien-être. » Je sortis foudroyé par la logique de ce luxe, de cette femme, de ce monde, en me blâmant d'en être si sottement idolâtre. Je n'aimais pas Pauline pauvre, Foedora riche n'avait-elle pas le droit de repousser Raphaël ? Notre conscience est un juge infaillible, quand nous ne l'avons pas encore assassinée. « Foedora, me criait une voix sophistique [1], n'aime ni ne repousse

---

1. *Sophistique* : fausse, captieuse.

personne ; elle est libre, mais elle s'est autrefois donnée pour de l'or. Amant ou époux, le comte russe l'a possédée. Elle aura bien une tentation dans sa vie ! Attends-la. » Ni vertueuse ni fautive, cette femme vivait loin de l'humanité, dans une sphère à elle, enfer ou paradis. Ce mystère femelle vêtu de cachemire et de broderies mettait en jeu dans mon cœur tous les sentiments humains, orgueil, ambition, amour, curiosité. Un caprice de la mode, ou cette envie de paraître original qui nous poursuit tous, avait amené la manie de vanter un petit spectacle du boulevard. La comtesse témoigna le désir de voir la figure enfarinée d'un acteur qui faisait les délices de quelques gens d'esprit, et j'obtins l'honneur de la conduire à la première représentation de je ne sais quelle mauvaise farce. La loge coûtait à peine cent sous, je ne possédais pas un traître liard. Ayant encore un demi-volume de mémoires à écrire, je n'osais pas aller mendier un secours à Finot, et Rastignac, ma providence, était absent. Cette gêne constante maléficiait[1] toute ma vie. Une fois, au sortir des Bouffons, par une horrible pluie, Foedora m'avait fait avancer une voiture sans que je pusse me soustraire à son obligeance de parade : elle n'admit aucune de mes excuses, ni mon goût pour la pluie, ni mon envie d'aller au jeu. Elle ne devinait mon indigence ni dans l'embarras de mon maintien, ni dans mes paroles tristement plaisantes. Mes yeux rougissaient, mais comprenait-elle un regard ? La vie des jeunes gens est soumise à de singuliers caprices ! Pendant le voyage, chaque tour de roue réveilla des pensées qui me brûlèrent le cœur ; j'essayai de détacher une planche au fond de la voiture en espérant glisser sur le pavé ; mais rencontrant des obstacles invincibles, je me pris à rire convulsivement et demeurai dans un calme morne, hébété comme un homme au carcan[2]. À mon arrivée au logis, aux premiers mots que je balbutiai, Pauline m'interrompit en disant : — « Si vous n'avez pas de monnaie… » Ah ! la musique de Rossini n'était rien auprès de ces paroles. Mais revenons aux Funambules[3]. Pour pouvoir y conduire la comtesse, je pensai à mettre en gage le cercle d'or qui entourait

---

1. *Maléficiait* : jetait un mauvais sort à. \ **2.** *Carcan* : collier de fer fixé à un poteau pour y attacher par le cou un criminel condamné à l'exposition publique. \ **3.** *Funambules* : théâtre où se produisait le célèbre mime Debureau.

le portrait de ma mère. Quoique le Mont-de-Piété[1] se fût toujours dessiné dans ma pensée comme une des portes du bagne, il valait encore mieux y porter mon lit moi-même que de solliciter une aumône. Le regard d'un homme à qui vous demandez de l'argent fait tant de mal! Certains emprunts nous coûtent notre honneur, comme certains refus prononcés par une bouche amie nous enlèvent une dernière illusion. Pauline travaillait, sa mère était couchée. Jetant un regard furtif sur le lit dont les rideaux étaient légèrement relevés, je crus madame Gaudin profondément endormie, en apercevant au milieu de l'ombre son profil calme et jaune imprimé sur l'oreiller. — «Vous avez du chagrin, me dit Pauline qui posa son pinceau sur son coloriage. — Ma pauvre enfant, vous pouvez me rendre un grand service», lui répondis-je. Elle me regarda d'un air si heureux que je tressaillis. «M'aimerait-elle?» pensai-je. — «Pauline?» repris-je. Et je m'assis près d'elle pour la bien étudier. Elle me devina, tant mon accent était interrogateur; elle baissa les yeux, et je l'examinai, croyant pouvoir lire dans son cœur comme dans le mien, tant sa physionomie était naïve et pure. — «Vous m'aimez? lui dis-je. — Un peu, passionnément, pas du tout!» s'écria-t-elle. Elle ne m'aimait pas. Son accent moqueur et la gentillesse du geste qui lui échappa peignaient seulement une folâtre reconnaissance de jeune fille. Je lui avouai donc ma détresse, l'embarras dans lequel je me trouvais, et la priai de m'aider. — «Comment, monsieur Raphaël, dit-elle, vous ne voulez pas aller au Mont-de-Piété, et vous m'y envoyez!» Je rougis, confondu par la logique d'un enfant. Elle me prit alors la main comme si elle eût voulu compenser par une caresse la vérité de son exclamation. — «Oh! j'irais bien, dit-elle, mais la course est inutile. Ce matin, j'ai trouvé derrière le piano deux pièces de cent sous qui s'étaient glissées à votre insu entre le mur et la barre, et je les ai mises sur votre table. — Vous devez bientôt recevoir de l'argent, monsieur Raphaël, me dit la bonne mère qui montra sa tête entre les rideaux, je puis bien vous prêter quelques écus en attendant. — Oh! Pauline, m'écriai-je en lui serrant la main, je voudrais être riche. — Bah!

---

1. *Mont-de-Piété:* établissement public où l'on prête de l'argent sur gage.

pourquoi ? » dit-elle d'un air mutin. Sa main tremblant dans la mienne répondait à tous les battements de mon cœur ; elle retira vivement ses doigts, examina les miens : – « Vous épouserez une femme riche ! dit-elle, mais elle vous donnera bien du chagrin. Ah ! Dieu ! elle vous tuera. J'en suis sûre ! » Il y avait dans son cri une sorte de croyance aux folles superstitions de sa mère. – « Vous êtes bien crédule, Pauline ! – Oh ! bien certainement ! dit-elle en me regardant avec terreur, la femme que vous aimerez vous tuera. » Elle reprit son pinceau, le trempa dans la couleur en laissant paraître une vive émotion, et ne me regarda plus. En ce moment, j'aurais bien voulu croire à des chimères. Un homme n'est pas tout à fait misérable quand il est superstitieux. Une superstition, c'est souvent une espérance. Retiré dans ma chambre, je vis en effet deux nobles écus dont la présence me parut inexplicable. Au sein des pensées confuses du premier sommeil, je tâchai de vérifier mes dépenses pour me justifier cette trouvaille inespérée, mais je m'endormis perdu dans d'inutiles calculs. Le lendemain, Pauline vint me voir au moment où je sortais pour aller louer une loge. – « Vous n'avez peut-être pas assez de dix francs, me dit en rougissant cette bonne et aimable fille, ma mère m'a chargée de vous offrir cet argent. Prenez, prenez ! » Elle jeta trois écus sur ma table et voulut se sauver ; mais je la retins. L'admiration sécha les larmes qui roulaient dans mes yeux : – « Pauline, lui dis-je, vous êtes un ange ! Ce prêt me touche bien moins que la pudeur de sentiment avec laquelle vous me l'offrez. Je désirais une femme riche, élégante, titrée ; hélas ! maintenant je voudrais posséder des millions et rencontrer une jeune fille pauvre comme vous et comme vous riche de cœur, je renoncerais à une passion fatale qui me tuera. Vous aurez peut-être raison. – Assez ! » dit-elle. Elle s'enfuit, et sa voix de rossignol, ses roulades [1] fraîches retentirent dans l'escalier. « Elle est bien heureuse de ne pas aimer encore ! » me dis-je en pensant aux tortures que je souffrais depuis plusieurs mois. Les quinze francs de Pauline me furent bien précieux. Foedora, songeant aux émanations populacières de la salle où nous devions rester pendant

---

1. *Roulades* : succession de notes chantées sur une seule syllabe.

quelques heures, regretta de ne pas avoir un bouquet, j'allai lui
chercher des fleurs, je lui apportai ma vie et ma fortune. J'eus à la
fois des remords et des plaisirs en lui donnant un bouquet dont le
prix me révéla tout ce que la galanterie superficielle en usage dans
le monde avait de dispendieux. Bientôt elle se plaignit de l'odeur
un peu trop forte d'un jasmin du Mexique, elle éprouva un intolé-
rable dégoût en voyant la salle, en se trouvant assise sur de dures
banquettes, elle me reprocha de l'avoir amenée là. Quoiqu'elle fût
près de moi, elle voulut s'en aller ; elle s'en alla. M'imposer des
nuits sans sommeil, avoir dissipé deux mois de mon existence, et
ne pas lui plaire ! Jamais ce démon ne fut ni plus gracieux ni plus
insensible. Pendant la route, assis près d'elle dans un étroit coupé,
je respirais son souffle, je touchais son gant parfumé, je voyais distinctement les trésors de sa beauté, je sentais une vapeur douce
comme l'iris : toute la femme et point de femme. En ce moment,
un trait de lumière me permit de voir les profondeurs de cette vie
mystérieuse. Je pensai tout à coup au livre récemment publié par
un poète, une vraie conception d'artiste taillée dans la statue de
Polyclès [1]. Je croyais voir ce monstre qui, tantôt officier, dompte un
cheval fougueux, tantôt jeune fille, se met à sa toilette et désespère
ses amants, amant, désespère une vierge douce et modeste. Ne
pouvant plus résoudre autrement Foedora, je lui racontai cette histoire fantastique ; mais rien ne décela sa ressemblance avec cette
poésie de l'impossible, elle s'en amusa de bonne foi, comme un
enfant d'une fable prise aux *Mille et Une Nuits*. Pour résister à
l'amour d'un homme de mon âge, à la chaleur communicative de
cette belle contagion de l'âme, Foedora doit être gardée par
quelque mystère, me dis-je en revenant chez moi. Peut-être, semblable à lady Delacour [2], est-elle dévorée par un cancer ? Sa vie est
sans doute une vie artificielle. À cette pensée, j'eus froid. Puis je
formai le projet le plus extravagant et le plus raisonnable en même
temps auquel un amant puisse jamais songer. Pour examiner cette
femme corporellement comme je l'avais étudiée intellectuelle-

1. *Polyclès* : sculpteur grec qui avait peint une statue d'Hermaphrodite. Le livre récemment
publié est *Fragoletta* d'Henri Latouche dont l'héroïne était à la fois femme et homme.
\ 2. *Lady Delacour* : personnage du roman *Belinda* de Maria Edgeworth.

ment, pour la connaître enfin tout entière, je résolus de passer une nuit chez elle, dans sa chambre, à son insu. Voici comment j'exécutai cette entreprise, qui me dévorait l'âme comme un désir de vengeance mord le cœur d'un moine corse. Aux jours de réception, Foedora réunissait une assemblée trop nombreuse pour qu'il fût possible au portier d'établir une balance exacte entre les entrées et les sorties. Sûr de pouvoir rester dans la maison sans y causer de scandale, j'attendis impatiemment la prochaine soirée de la comtesse. En m'habillant, je mis dans la poche de mon gilet un petit canif anglais, à défaut de poignard. Trouvé sur moi, cet instrument littéraire n'avait rien de suspect, et ne sachant jusqu'où me conduirait ma résolution romanesque, je voulais être armé. Lorsque les salons commencèrent à se remplir, j'allai dans la chambre à coucher y examiner les choses, et trouvai les persiennes et les volets fermés, ce fut un premier bonheur ; comme la femme de chambre pourrait venir pour détacher les rideaux drapés aux fenêtres, je lâchai leurs embrasses ; je risquais beaucoup en me hasardant ainsi à faire le ménage par avance, mais je m'étais soumis aux périls de ma situation et les avais froidement calculés. Vers minuit, je vins me cacher dans l'embrasure d'une fenêtre. Afin de ne pas laisser voir mes pieds, j'essayai de grimper sur la plinthe [1] de la boiserie, le dos appuyé contre le mur, en me cramponnant à l'espagnolette. Après avoir étudié mon équilibre, mes points d'appui, mesuré l'espace qui me séparait des rideaux, je parvins à me familiariser avec les difficultés de ma position, de manière à demeurer là sans être découvert, si les crampes, la toux et les éternuements me laissaient tranquille. Pour ne pas me fatiguer inutilement, je me tins debout en attendant le moment critique pendant lequel je devais rester suspendu comme une araignée dans sa toile. La moire blanche et la mousseline des rideaux formaient devant moi de gros plis semblables à des tuyaux d'orgue, où je pratiquai des trous avec mon canif afin de tout voir par ces espèces de meurtrières. J'entendis vaguement le murmure des salons, les rires des causeurs, leurs éclats de voix. Ce tumulte vaporeux, cette sourde agitation

---

1. *Plinthe* : bande de bois au bas d'un mur.

diminua par degrés. Quelques hommes vinrent prendre leurs chapeaux placés près de moi, sur la commode de la comtesse. Quand ils froissaient les rideaux, je frissonnais en pensant aux distractions, aux hasards de ces recherches faites par des gens pressés de partir et qui furètent alors partout. J'augurai bien de mon entreprise en n'éprouvant aucun de ces malheurs. Le dernier chapeau fut emporté par un vieil amoureux de Foedora, qui se croyant seul regarda le lit, et poussa un gros soupir suivi de je ne sais quelle exclamation assez énergique. La comtesse, qui n'avait plus autour d'elle, dans le boudoir voisin de sa chambre, que cinq ou six personnes intimes, leur proposa d'y prendre le thé. Les calomnies, pour lesquelles la société actuelle a réservé le peu de croyance qui lui reste, se mêlèrent alors à des épigrammes, à des jugements spirituels, au bruit des tasses et des cuillers. Sans pitié pour mes rivaux, Rastignac excitait un rire fou par de mordantes saillies. – « Monsieur de Rastignac est un homme avec lequel il ne faut pas se brouiller, dit la comtesse en riant. – Je le crois, répondit-il naïvement. J'ai toujours eu raison dans mes haines. Et dans mes amitiés, ajouta-t-il. Mes ennemis me servent autant que mes amis peut-être. J'ai fait une étude assez spéciale de l'idiome [1] moderne et d'artifices naturels dont on se sert pour tout attaquer ou pour tout défendre. L'éloquence ministérielle est un perfectionnement social. Un de vos amis est-il sans esprit ? Vous parlez de sa probité, de sa franchise. L'ouvrage d'un autre est-il lourd ? Vous le présentez comme un travail consciencieux. Si le livre est mal écrit, vous en vantez les idées. Tel homme est sans foi, sans constance, vous échappe à tout moment ? Bah ! il est séduisant, prestigieux, il charme. S'agit-il de vos ennemis ? Vous leur jetez à la tête les morts et les vivants ; vous renversez pour eux les termes de votre langage, et vous êtes aussi perspicace à découvrir leurs défauts que vous étiez habile à mettre en relief les vertus de vos amis. Cette application de la lorgnette à la vue morale est le secret de nos conversations et tout l'art du courtisan. N'en pas user, c'est vouloir combattre sans armes des gens bardés de fer comme des chevaliers

---

1. *Idiome* : langue.

bannerets [1]. Et j'en use ! J'en abuse même quelquefois. Aussi me respecte-t-on moi et mes amis, car, d'ailleurs, mon épée vaut ma langue. » Un des plus fervents admirateurs de Foedora, jeune homme dont l'impertinence était célèbre, et qui s'en faisait même un moyen de parvenir, releva le gant si dédaigneusement jeté par Rastignac. Il se mit, en parlant de moi, à vanter outre mesure mes talents et ma personne. Rastignac avait oublié ce genre de médisance. Cet éloge sardonique trompa la comtesse qui m'immola sans pitié ; pour amuser ses amis, elle abusa de mes secrets, de mes prétentions et de mes espérances. — « Il a de l'avenir, dit Rastignac. Peut-être sera-t-il un jour homme à prendre de cruelles revanches, ses talents égalent au moins son courage ; aussi regardé-je comme bien hardis ceux qui s'attaquent à lui, car il a de la mémoire... — Et fait des mémoires, dit la comtesse, à qui parut déplaire le profond silence qui régna. — Des mémoires de fausse comtesse, madame, répliqua Rastignac. Pour les écrire, il faut avoir une autre sorte de courage. — Je lui crois beaucoup de courage, reprit-elle, il m'est fidèle. » Il me prit une vive tentation de me montrer soudain aux rieurs comme l'ombre de Banquo dans *Macbeth* [2]. Je perdais une maîtresse, mais j'avais un ami ! Cependant l'amour me souffla tout à coup un de ces lâches et subtils paradoxes avec lesquels il sait endormir toutes nos douleurs. Si Foedora m'aime, pensé-je, ne doit-elle pas dissimuler son affection sous une plaisanterie malicieuse ? Combien de fois le cœur n'a-t-il pas démenti les mensonges de la bouche ? Enfin bientôt mon impertinent rival resté seul avec la comtesse, voulut partir. — « Eh ! quoi, déjà ? lui dit-elle avec un son de voix plein de câlineries et qui me fit palpiter. Ne me donnerez-vous pas encore un moment ? N'avez-vous donc plus rien à me dire, et ne me sacrifierez-vous point quelques-uns de vos plaisirs ? » Il s'en alla. — « Ah ! s'écria-t-elle en bâillant, ils sont tous bien ennuyeux ! » Et tirant avec force un cordon, le bruit d'une sonnette retentit dans les appartements. La comtesse rentra dans sa chambre en fredonnant une phrase du *Pria che spunti* [3]. Jamais

---

1. *Chevalier banneret* : seigneur qui pouvait lever bannière en réunissant ses vassaux. \ 2. *Macbeth* : l'ombre de Banco apparaît à son meurtrier dans le drame *Macbeth* de Shakespeare. \ 3. *Pria che spunti* : premier vers du second acte du *Matrimonio segreto* de Cimarosa.

personne ne l'avait entendue chanter, et ce mutisme donnait lieu à de bizarres interprétations. Elle avait, dit-on, promis à son premier amant, charmé de ses talents et jaloux d'elle par-delà le tombeau, de ne donner à personne un bonheur qu'il voulait avoir goûté seul. Je tendis les forces de mon âme pour aspirer les sons. De note en note la voix s'éleva, Foedora sembla s'animer, les richesses de son gosier se déployèrent, et cette mélodie prit alors quelque chose de divin. La comtesse avait dans l'organe une clarté vive, une justesse de ton, je ne sais quoi d'harmonique et de vibrant qui pénétrait, remuait et chatouillait le cœur. Les musiciennes sont presque toujours amoureuses. Celle qui chantait ainsi devait savoir bien aimer. La beauté de cette voix fut donc un mystère de plus dans une femme déjà si mystérieuse. Je la voyais alors comme je te vois, elle paraissait s'écouter elle-même et ressentir une volupté qui lui fût particulière; elle éprouvait comme une jouissance d'amour. Elle vint devant la cheminée en achevant le principal motif de ce rondo; mais quand elle se tut, sa physionomie changea, ses traits se décomposèrent et sa figure exprima la fatigue. Elle venait d'ôter un masque; actrice, son rôle était fini. Cependant l'espèce de flétrissure imprimée à sa beauté par son travail d'artiste, ou par la lassitude de la soirée, n'était pas sans charme. La voilà vraie, me dis-je. Elle mit, comme pour se chauffer, un pied sur la barre de bronze qui surmontait le garde-cendre, ôta ses gants, détacha ses bracelets, et enleva par-dessus sa tête une chaîne d'or au bout de laquelle était suspendue sa cassolette [1] ornée de pierres précieuses. J'éprouvais un plaisir indicible à voir ses mouvements empreints de la gentillesse dont les chattes font preuve en se toilettant au soleil. Elle se regarda dans la glace, et dit tout haut d'un air de mauvaise humeur: «Je n'étais pas jolie ce soir, mon teint se fane avec une effrayante rapidité. Je devrais peut-être me coucher plus tôt, renoncer à cette vie dissipée. Mais Justine se moque-t-elle de moi?» Elle sonna de nouveau, la femme de chambre accourut. Où logeait-elle? Je ne sais. Elle arriva par un escalier dérobé. J'étais curieux de l'examiner. Mon imagination de poète avait souvent

---

1. *Cassolette*: bijou creux contenant des parfums.

incriminé cette invisible servante, grande fille brune, bien faite.
« Madame a sonné ? – Deux fois, répondit Foedora. Vas-tu donc
maintenant devenir sourde ? – J'étais à faire le lait d'amandes de
Madame. » Justine s'agenouilla, défit les cothurnes[1] des souliers,
déchaussa sa maîtresse, qui nonchalamment étendue sur un fauteuil à ressorts, au coin du feu, bâillait en se grattant la tête. Il n'y
avait rien que de très naturel dans tous ses mouvements, et nul
symptôme ne me révéla ni les souffrances secrètes, ni les passions
que j'avais supposées. – « Georges est amoureux, dit-elle, je le ren-
verrai. N'a-t-il pas encore défait les rideaux ce soir ? à quoi pense-
t-il ? » À cette observation, tout mon sang reflua vers mon cœur,
mais il ne fut plus question des rideaux. – « L'existence est bien
vide, reprit la comtesse. Ah çà ! prends garde de m'égratigner
comme hier. Tiens, vois-tu, dit-elle en lui montrant un petit genou
satiné, je porte encore la marque de tes griffes. » Elle mit ses pieds
nus dans des pantoufles de velours fourrées de cygne, et détacha sa
robe pendant que Justine prit un peigne pour lui arranger les cheveux. – « Il faut vous marier, Madame, avoir des enfants. – Des
enfants ! Il ne me manquerait plus que cela pour m'achever, s'écria-
t-elle. Un mari ? Quel est l'homme auquel je pourrais me… Étais-
je bien coiffée ce soir ? – Mais, pas très bien. – Tu es une sotte. –
Rien ne vous va plus mal que de trop crêper vos cheveux, reprit
Justine. Les grosses boucles bien lisses vous sont plus avanta-
geuses. – Vraiment ? – Mais oui, Madame, les cheveux crêpés clair
ne vont bien qu'aux blondes. – Me marier ? non, non. Le mariage
est un trafic pour lequel je ne suis pas née. » Quelle épouvantable
scène pour un amant ! Cette femme solitaire, sans parents, sans
amis, athée en amour, ne croyant à aucun sentiment ; et quelque
faible que fût en elle ce besoin d'épanchement cordial, naturel à
toute créature humaine, réduite pour le satisfaire à causer avec sa
femme de chambre, à dire des phrases sèches ou des riens ! J'en eus
pitié. Justine la délaça. Je la contemplai curieusement au moment
où le dernier voile s'enleva. Elle avait un corsage de vierge qui
m'éblouit ; à travers sa chemise et à la lueur des bougies, son corps

---

1. *Cothurnes* : chaussures montantes à semelles très épaisses.

blanc et rose étincela comme une statue d'argent qui brille sous son enveloppe de gaze. Non, nulle imperfection ne devait lui faire redouter les yeux furtifs de l'amour. Hélas! un beau corps triomphera toujours des résolutions les plus martiales. La maîtresse s'assit devant le feu, muette et pensive, pendant que la femme de chambre allumait la bougie de la lampe d'albâtre suspendue devant le lit. Justine alla chercher une bassinoire, prépara le lit, aida sa maîtresse à se coucher; puis, après un temps assez long employé par de minutieux services qui accusaient la profonde vénération de Foedora pour elle-même, cette fille partit. La comtesse se retourna plusieurs fois, elle était agitée, elle soupirait; ses lèvres laissaient échapper un léger bruit perceptible à l'ouïe et qui indiquait des mouvements d'impatience; elle avança la main vers la table, y prit une fiole, versa dans son lait avant de le boire quelques gouttes d'une liqueur brune; enfin, après quelques soupirs pénibles, elle s'écria: – «Mon Dieu!» Cette exclamation, et surtout l'accent qu'elle y mit, me brisa le cœur. Insensiblement elle resta sans mouvement. J'eus peur, mais bientôt j'entendis retentir la respiration égale et forte d'une personne endormie; j'écartai la soie criarde des rideaux, quittai ma position et vins me placer au pied de son lit, en la regardant avec un sentiment indéfinissable. Elle était ravissante ainsi. Elle avait la tête sous le bras comme un enfant; son tranquille et joli visage enveloppé de dentelles exprimait une suavité qui m'enflamma. Présumant trop de moi-même, je n'avais pas compris mon supplice: être si près et si loin d'elle. Je fus obligé de subir toutes les tortures que je m'étais préparées. *Mon Dieu*! ce lambeau d'une pensée inconnue, que je devais remporter pour toute lumière, avait tout à coup changé mes idées sur Foedora. Ce mot insignifiant ou profond, sans substance ou plein de réalités, pouvait s'interpréter également par le bonheur ou par la souffrance, par une douleur de corps ou par des peines. Était-ce imprécation ou prière, souvenir ou avenir, regret ou crainte? Il y avait toute une vie dans cette parole, vie d'indigence ou de richesse; il y tenait même un crime! L'énigme cachée dans ce beau semblant de femme renaissait, Foedora pouvait être expliquée de tant de manières qu'elle devenait inexplicable. Les fantaisies du souffle qui passait entre ses dents, tantôt faible, tantôt accentué, grave ou léger, formaient une sorte de langage auquel j'attachais des pensées et des sentiments. Je rêvais avec elle, j'espérais m'initier à ses secrets en pénétrant dans son sommeil, je flottais entre mille partis contraires, entre mille jugements. À voir ce beau visage, calme et pur, il me fut impossible de refuser un cœur à cette femme. Je résolus de faire encore une tentative. En lui racontant ma vie, mon amour, mes sacrifices, peut-être pourrais-je réveiller en elle la pitié, lui arracher une larme, à celle qui ne pleurait jamais. J'avais placé toutes mes espérances dans cette dernière épreuve, quand le tapage de la rue m'annonça le jour. Il y eut un moment où je me représentai Foedora se réveillant dans mes bras. Je pouvais me mettre tout doucement à ses côtés, m'y glisser, et l'étreindre. Cette idée me tyrannisa si cruellement, que, voulant y résister, je me sauvai dans le salon sans prendre aucune précaution pour éviter le bruit ; mais j'arrivai heureusement à une porte dérobée qui donnait sur un petit escalier. Ainsi que je le présumai, la clef se trouvait à la serrure ; je tirai la porte avec force, je descendis hardiment dans la cour, et sans regarder si j'étais vu, je sautai vers la rue en trois bonds. Deux jours après, un auteur devait lire une comédie chez la comtesse, j'y allai dans l'intention de rester le dernier pour lui présenter une requête assez singulière ; je voulais la prier de m'accorder la soirée du lendemain, et de me la consacrer tout entière, en faisant fermer sa porte. Quand je me trouvai seul avec elle, le cœur me faillit. Chaque battement de la pendule m'épouvantait. Il était minuit moins un quart. – « Si je ne lui parle pas, me dis-je, il faut me briser le crâne sur l'angle de la cheminée. Je m'accordai trois minutes de délai, les trois minutes se passèrent, je ne me brisai pas le crâne sur le marbre, mon cœur s'était alourdi comme une éponge dans l'eau. – Vous êtes extrêmement aimable, me dit-elle. – Ah ! madame, répondis-je, si vous pouviez me comprendre ! – Qu'avez-vous ! reprit-elle, vous pâlissez. – J'hésite à réclamer de vous une grâce. Elle m'encouragea par un geste, et je lui demandai le rendez-vous. – Volontiers, dit-elle. Mais pourquoi ne me parleriez-vous pas en ce moment ? – Pour ne pas vous tromper, je dois vous montrer l'étendue de votre engagement, je désire passer cette soirée près de vous, comme si nous étions frère et sœur. Soyez sans crainte, je connais vos antipathies ; vous avez pu m'apprécier assez pour être certaine que je ne veux rien de vous qui puisse vous déplaire ; d'ailleurs, les audacieux ne procèdent pas ainsi. Vous m'avez témoigné de l'amitié, vous êtes bonne, pleine d'indulgence. Eh bien, sachez que je dois vous dire adieu demain. Ne vous rétractez pas ! » m'écriai-je en la voyant près de parler, et je disparus. En mai dernier, vers huit heures du soir, je me trouvai seul avec Foedora, dans son boudoir gothique. Je ne tremblai pas alors, j'étais sûr d'être heureux. Ma maîtresse devait m'appartenir, ou je me réfugiais dans les bras de la mort. J'avais condamné mon lâche amour. Un homme est bien fort quand il s'avoue sa faiblesse. Vêtue d'une robe de cachemire bleu, la comtesse était étendue sur un divan, les pieds sur un coussin. Un béret oriental, coiffure que les peintres attribuent aux premiers Hébreux, avait ajouté je ne sais quel piquant attrait d'étrangeté à ses séductions. Sa figure était empreinte d'un charme fugitif, qui semblait prouver que nous sommes à chaque instant des êtres nouveaux, uniques, sans aucune similitude avec le *nous* de l'avenir et le *nous* du passé. Je ne l'avais jamais vue aussi éclatante. — « Savez-vous, dit-elle en riant, que vous avez piqué ma curiosité ? — Je ne la tromperai pas, répondis-je froidement, en m'asseyant près d'elle et lui prenant une main qu'elle m'abandonna. Vous avez une bien belle voix ! — Vous ne m'avez jamais entendue, s'écria-t-elle en laissant échapper un mouvement de surprise. — Je vous prouverai le contraire quand cela sera nécessaire. Votre chant délicieux serait-il donc encore un mystère ? Rassurez-vous, je ne veux pas le pénétrer. » Nous restâmes environ une heure à causer familièrement. Si je pris le ton, les manières et les gestes d'un homme auquel Foedora ne devait rien refuser, j'eus aussi tout le respect d'un amant. En jouant ainsi, j'obtins la faveur de lui baiser la main ; elle se déganta par un mouvement mignon, et j'étais alors si voluptueusement enfoncé dans l'illusion à laquelle j'essayais de croire, que mon âme se fondit et s'épancha dans ce baiser. Foedora se laissa flatter, caresser avec un incroyable abandon. Mais ne m'accuse pas de niaiserie ; si j'avais voulu faire un pas de plus au-delà de cette câlinerie fraternelle, j'eusse senti les griffes de la chatte. Nous restâmes dix minutes environ, plongés dans un profond silence. Je l'admirais, lui prêtant des charmes auxquels elle mentait. En ce moment, elle était à moi,

à moi seul. Je possédais cette ravissante créature, con
permis de la posséder, intuitivement ; je l'enveloppa
désir, la tins, la serrai, mon imagination l'épousa. Je v
la comtesse par la puissance d'une fascination magn
ai-je toujours regretté de ne pas m'être entièrement soumis cett.
femme ; mais, en ce moment, je n'en voulais pas à son corps, je souhaitais une âme, une vie, ce bonheur idéal et complet, beau rêve
auquel nous ne croyons pas longtemps. – « Madame, lui dis-je
enfin, sentant que la dernière heure de mon ivresse était arrivée,
écoutez-moi. Je vous aime, vous le savez, je vous l'ai dit mille fois,
vous auriez dû m'entendre. Ne voulant devoir votre amour ni à des
grâces de fat, ni à des flatteries ou à des importunités de niais, je
n'ai pas été compris. Combien de maux n'ai-je pas soufferts pour
vous, et dont cependant vous êtes innocente ! Mais dans quelques
moments vous me jugerez. Il y a deux misères, madame : celle qui
va par les rues effrontément en haillons, qui, sans le savoir, recommence Diogène, se nourrissant de peu, réduisant la vie au simple ;
heureuse plus que la richesse peut-être, insouciante du moins, elle
prend le monde là où les puissants n'en veulent plus. Puis la misère
du luxe, une misère espagnole, qui cache la mendicité sous un
titre ; fière, emplumée, cette misère en gilet blanc, en gants jaunes,
a des carrosses, et perd une fortune faute d'un centime. L'une est la
misère du peuple ; l'autre, celle des escrocs, des rois et des gens de
talent. Je ne suis ni peuple, ni roi, ni escroc ; peut-être n'ai-je pas
de talent : je suis une exception. Mon nom m'ordonne de mourir
plutôt que de mendier. Rassurez-vous, madame, je suis riche
aujourd'hui, je possède de la terre tout ce qu'il m'en faut, lui dis-
je en voyant sa physionomie prendre la froide expression qui se
peint dans nos traits quand nous sommes surpris par des quêteuses
de bonne compagnie. Vous souvenez-vous du jour où vous avez
voulu venir au Gymnase[1] sans moi, croyant que je ne m'y trou-
verais point ? » Elle fit un signe de tête affirmatif. « J'avais
employé mon dernier écu pour aller vous y voir. Vous rappelez-

1. *Gymnase* : il s'agit du théâtre du Gymnase-dramatique, situé sur le boulevard Bonne-Nou-
velle.

vous la promenade que nous fîmes au jardin des Plantes ? Votre voiture me coûta toute ma fortune. » Je lui racontai mes sacrifices, je lui peignis ma vie, non pas comme je te la raconte aujourd'hui, dans l'ivresse du vin, mais dans la noble ivresse du cœur. Ma passion déborda par des mots flamboyants, par des traits de sentiment oubliés depuis, et que ni l'art, ni le souvenir ne sauraient reproduire. Ce ne fut pas la narration sans chaleur d'un amour détesté, mon amour dans sa force et dans la beauté de son espérance m'inspira ces paroles qui projettent toute une vie en répétant les cris d'une âme déchirée. Mon accent fut celui des dernières prières faites par un mourant sur le champ de bataille. Elle pleura. Je m'arrêtai. Grand Dieu ! Ses larmes étaient le fruit de cette émotion factice achetée cent sous à la porte d'un théâtre, j'avais eu le succès d'un bon acteur. − «Si j'avais su, dit-elle. − N'achevez pas, m'écriai-je. Je vous aime encore assez en ce moment pour vous tuer... » Elle voulut saisir le cordon de la sonnette. J'éclatai de rire. « N'appelez pas, repris-je. Je vous laisserai paisiblement achever votre vie. Ce serait mal entendre la haine que de vous tuer ! Ne craignez aucune violence ; j'ai passé toute une nuit au pied de votre lit, sans... − Monsieur, dit-elle en rougissant ; mais après ce premier mouvement donné à la pudeur que doit posséder toute femme, même la plus insensible, elle me jeta un regard méprisant et me dit : Vous avez dû avoir bien froid ! − Croyez-vous, madame, que votre beauté me soit si précieuse ? lui répondis-je en devinant les pensées qui l'agitaient. Votre figure est pour moi la promesse d'une âme plus belle encore que vous n'êtes belle. Eh ! madame, les hommes qui ne voient que la femme dans une femme peuvent acheter tous les soirs des odalisques[1] dignes du sérail et se rendre heureux à bas prix ! Mais j'étais ambitieux, je voulais vivre cœur à cœur avec vous, avec vous qui n'avez pas de cœur. Je le sais maintenant. Si vous deviez être à un homme, je l'assassinerais. Mais non, vous l'aimeriez, et sa mort vous ferait peut-être de la peine. Combien je souffre ! m'écriai-je. − Si cette promesse peut vous consoler, dit-elle en riant, je puis vous assurer que je n'appartiendrai à

---

1. *Odalisques* : femmes de chambre esclaves qui étaient au service des femmes du harem.

personne. – Eh bien, repris-je en l'interrompant, vous
Dieu même, et vous en serez punie ! Un jour, couchée su
ne pouvant supporter ni le bruit ni la lumière, condan
dans une sorte de tombe, vous souffrirez des maux in
vous chercherez la cause de ces lentes et vengeresses douleurs,
venez-vous alors des malheurs que vous avez si largement jetés sur
votre passage ! Ayant semé partout des imprécations, vous trouverez la haine au retour. Nous sommes les propres juges, les bourreaux d'une Justice qui règne ici-bas, et marche au-dessus de celle
des hommes, au-dessous de celle de Dieu. – Ah ! dit-elle en riant,
je suis sans doute bien criminelle de ne pas vous aimer ? Est-ce ma
faute ? Non, je ne vous aime pas ; vous êtes un homme, cela suffit.
Je me trouve heureuse d'être seule, pourquoi changerais-je ma vie,
égoïste si vous voulez, contre les caprices d'un maître ? Le mariage
est un sacrement en vertu duquel nous ne nous communiquons
que des chagrins. D'ailleurs, les enfants m'ennuient. Ne vous ai-je
pas loyalement prévenu de mon caractère ? Pourquoi ne vous êtes-
vous pas contenté de mon amitié ? Je voudrais pouvoir consoler les
peines que je vous ai causées en ne devinant pas le compte de vos
petits écus, j'apprécie l'étendue de vos sacrifices ; mais l'amour
peut seul payer votre dévouement, vos délicatesses, et je vous aime
si peu, que cette scène m'affecte désagréablement. – Je sens combien je suis ridicule, pardonnez-moi, lui dis-je avec douceur sans
pouvoir retenir mes larmes. Je vous aime assez, repris-je, pour
écouter avec délices les cruelles paroles que vous prononcez. Oh ! je
voudrais pouvoir signer mon amour de tout mon sang. – Tous les
hommes nous disent plus ou moins bien ces phrases classiques,
reprit-elle en riant. Mais il paraît qu'il est très difficile de mourir
à nos pieds, car je rencontre de ces morts-là partout. Il est minuit,
permettez-moi de me coucher. – Et dans deux heures vous vous
écrierez : *Mon Dieu !* lui dis-je. – Avant-hier ! Oui dit-elle en riant,
je pensais à mon agent de change, j'avais oublié de lui faire conver-
tir mes rentes de *cinq* en *trois*, et dans la journée le *trois* avait
baissé[1]. » Je la contemplais d'un œil étincelant de rage. Ah !

---

1. *Rentes {…} baissé* : il s'agit de rentes à trois et cinq pour cent.

quelquefois un crime doit être tout un poème, je l'ai compris. Familiarisée sans doute avec les déclarations les plus passionnées, elle avait déjà oublié mes larmes et mes paroles. – « Épouseriez-vous un pair de France ? lui demandai-je froidement. – Peut-être, s'il était duc. » Je pris mon chapeau, je la saluai. – « Permettez-moi de vous accompagner jusqu'à la porte de mon appartement, dit-elle en mettant une ironie perçante dans son geste, dans la pose de sa tête et dans son accent. Madame. – Monsieur. – Je ne vous verrai plus. – Je l'espère, répondit-elle en inclinant la tête avec une impertinente expression. – Vous voulez être duchesse ? repris-je animé par une sorte de frénésie que son geste alluma dans mon cœur. Vous êtes folle de titres et d'honneurs ? Eh bien, laissez-vous seulement aimer par moi, dites à ma plume de ne parler, à ma voix de ne retentir que pour vous, soyez le principe secret de ma vie, soyez mon étoile ! Puis ne m'acceptez pour époux que ministre, pair de France, duc. Je me ferai tout ce que vous voudrez que je sois ! – Vous avez, dit-elle en souriant, assez bien employé votre temps chez l'avoué, vos plaidoyers ont de la chaleur. – Tu as le présent, m'écriai-je, et moi l'avenir. Je ne perds qu'une femme, et tu perds un nom, une famille. Le temps est gros de ma vengeance, il t'apportera la laideur et une mort solitaire, à moi la gloire ! – « Merci de la péroraison[1] ! » dit-elle en retenant un bâillement et témoignant par son attitude le désir de ne plus me voir. Ce mot m'imposa silence. Je lui jetai ma haine dans un regard et je m'enfuis. Il fallait oublier Foedora, me guérir de ma folie, reprendre ma studieuse solitude ou mourir. Je m'imposai donc des travaux exorbitants, je voulus achever mes ouvrages. Pendant quinze jours, je ne sortis pas de ma mansarde, et consumai toutes mes nuits en de pâles études. Malgré mon courage et les inspirations de mon désespoir, je travaillais difficilement et par saccades. La muse avait fui. Je ne pouvais chasser le fantôme brillant et moqueur de Foedora. Chacune de mes pensées couvait une autre pensée maladive, je ne sais quel désir, terrible comme un remords. J'imitai les anachorètes de la Thébaïde. Sans prier comme eux, comme eux je vivais dans

---

1. *Péroraison* : en rhétorique, il s'agit de la conclusion d'un discours.

un désert, creusant mon âme au lieu de creuser des rochers. Je me serais au besoin serré les reins avec une ceinture armée de pointes, pour dompter la douleur morale par la douleur physique. Un soir, Pauline pénétra dans ma chambre. – « Vous vous tuez, me dit-elle d'une voix suppliante ; vous devriez sortir, allez voir vos amis. – Ah ! Pauline ! votre prédiction était vraie. Foedora me tue, je veux mourir. La vie m'est insupportable. – Il n'y a donc qu'une femme dans le monde ? dit-elle en souriant. Pourquoi mettez-vous des peines infinies dans une vie si courte ? » Je regardai Pauline avec stupeur. Elle me laissa seul. Je ne m'étais pas aperçu de sa retraite, j'avais entendu sa voix, sans comprendre le sens de ses paroles. Bientôt je fus obligé de porter le manuscrit de mes mémoires à mon entrepreneur de littérature. Préoccupé par ma passion, j'ignorais comment j'avais pu vivre sans argent, je savais seulement que les quatre cent cinquante francs qui m'étaient dus suffiraient à payer mes dettes ; j'allai donc chercher mon salaire, et je rencontrai Rastignac, qui me trouva changé, maigri. – « De quel hôpital sors-tu ? me dit-il. – Cette femme me tue, répondis-je. Je ne puis ni la mépriser ni l'oublier. – Il vaut mieux la tuer, tu n'y songeras peut-être plus, s'écria-t-il en riant. – J'y ai bien pensé, répondis-je. Mais si parfois je rafraîchis mon âme par l'idée d'un crime, viol ou assassinat, et les deux ensemble, je me trouve incapable de le commettre en réalité. La comtesse est un admirable monstre qui demanderait grâce, et n'est pas Othello [1] qui veut ! – Elle est comme toutes les femmes que nous ne pouvons pas avoir, dit Rastignac en m'interrompant. – Je suis fou, m'écriai-je. Je sens la folie rugir par moments dans mon cerveau. Mes idées sont comme des fantômes, elles dansent devant moi sans que je puisse les saisir. Je préfère la mort à cette vie. Aussi cherché-je avec conscience le meilleur moyen de terminer cette lutte. Il ne s'agit plus de la Foedora vivante, de la Foedora du faubourg Saint-Honoré, mais de ma Foedora, de celle qui est là, dis-je en me frappant le front. Que penses-tu de l'opium ? – Bah ! des souffrances atroces, répondit Rastignac. – L'asphyxie ? – Canaille ! – La Seine ? – Les filets et la Morgue sont

1. *Othello* : dans la tragédie de Shakespeare, Othello ne pardonne pas à Desdémone malgré ses protestations d'innocence, et il la tue.

bien sales. – Un coup de pistolet ? – Et si tu te manques, tu restes défiguré. Écoute, reprit-il, j'ai comme tous les jeunes gens médité sur les suicides. Qui de nous, à trente ans, ne s'est pas tué deux ou trois fois ? Je n'ai rien trouvé de mieux que d'user l'existence par le plaisir. Plonge-toi dans une dissolution profonde, ta passion ou toi, vous y périrez. L'intempérance, mon cher, est la reine de toutes les morts. Ne commande-t-elle pas à l'apoplexie foudroyante ? L'apoplexie est un coup de pistolet qui ne nous manque point. Les orgies nous prodiguent tous les plaisirs physiques, n'est-ce pas l'opium en petite monnaie ? En nous forçant de boire à outrance, la débauche porte de mortels défis au vin. Le tonneau de malvoisie du duc de Clarence n'a-t-il pas meilleur goût que les bourbes de la Seine ? Quand nous tombons noblement sous la table, n'est-ce pas une petite asphyxie périodique ? Si la patrouille nous ramasse, en restant étendus sur les lits froids des corps de garde, ne jouissons-nous pas des plaisirs de la Morgue, moins les ventres enflés, turgides [1], bleus, verts, plus l'intelligence de la crise ? Ah ! reprit-il ce long suicide n'est pas une mort d'épicier en faillite. Les négociants ont déshonoré la rivière, ils se jettent à l'eau pour attendrir leurs créanciers. À ta place, je tâcherais de mourir avec élégance. Si tu veux créer un nouveau genre de mort en te débattant ainsi contre la vie, je suis ton second. Je m'ennuie, je suis désappointé. L'Alsacienne qu'on m'a proposée pour femme a six doigts au pied gauche, je ne puis pas vivre avec une femme qui a six doigts ! Cela se saurait, je deviendrais ridicule. Elle n'a que dix-huit mille francs de rente, sa fortune diminue et ses doigts augmentent. Au diable ! En menant une vie enragée, peut-être trouverons-nous le bonheur par hasard ! » Rastignac m'entraîna. Ce projet faisait briller de trop fortes séductions, il rallumait trop d'espérances, enfin il avait une couleur trop poétique pour ne pas plaire à un poète. – « Et de l'argent ? lui dis-je. – N'as-tu pas quatre cent cinquante francs ? – Oui, mais je dois à mon tailleur, à mon hôtesse. – Tu payes ton tailleur ? Tu ne seras jamais rien, pas même ministre. – Mais que pouvons-nous avec vingt louis ? – Aller au jeu. Je frissonnai. – Ah !

---

1. *Turgides* : gonflés, enflés.

reprit-il en s'apercevant de ma pruderie, tu veux te lancer dans ce que je nomme le *Système dissipationnel*, et tu as peur d'un tapis vert ! – Écoute, lui répondis-je, j'ai promis à mon père de ne jamais mettre le pied dans une maison de jeu. Non seulement cette promesse est sacrée, mais encore j'éprouve une horreur invincible en passant devant un tripot ; prends mes cent écus, et vas-y seul. Pendant que tu risqueras notre fortune, j'irai mettre mes affaires en ordre et reviendrai t'attendre chez toi. » Voilà, mon cher, comment je me perdis. Il suffit à un jeune homme de rencontrer une femme qui ne l'aime pas, ou une femme qui l'aime trop, pour que toute sa vie soit dérangée. Le bonheur engloutit nos forces, comme le malheur éteint nos vertus. Revenu à mon hôtel Saint-Quentin, je contemplai longtemps la mansarde où j'avais mené la chaste vie d'un savant, une vie qui peut-être aurait été honorable, longue, et que je n'aurais pas dû quitter pour la vie passionnée qui m'entraînait dans un gouffre. Pauline me surprit dans une attitude mélancolique. – « Eh bien, qu'avez-vous ? » dit-elle. Je me levai froidement et comptai l'argent que je devais à sa mère en y ajoutant le prix de mon loyer pour six mois. Elle m'examina avec une sorte de terreur. – « Je vous quitte, ma chère Pauline. – Je l'ai deviné, s'écria-t-elle. – Écoutez, mon enfant, je ne renonce pas à revenir ici. Gardez-moi ma cellule pendant une demi-année. Si je ne suis pas de retour vers le quinze novembre, vous hériterez de moi. Ce manuscrit cacheté, dis-je en lui montrant un paquet de papiers, est la copie de mon grand ouvrage sur *La Volonté*, vous le déposerez à la Bibliothèque du roi. Quant à tout ce que je laisse ici, vous en ferez ce que vous voudrez. Elle me jetait des regards qui pesaient sur mon cœur. Pauline était là comme une conscience vivante. – Je n'aurai plus de leçons, dit-elle en me montrant le piano. Je ne répondis pas. – M'écrirez-vous ? – Adieu, Pauline. » Je l'attirai doucement à moi, puis sur son front d'amour, vierge comme la neige qui n'a pas touché terre, je mis un baiser de frère, un baiser de vieillard. Elle se sauva. Je ne voulus pas voir madame Gaudin. Je mis ma clef à sa place habituelle et partis. En quittant la rue de Cluny, j'entendis derrière moi le pas léger d'une femme. – « Je vous avais brodé cette bourse, la refuserez-vous aussi ? » me dit Pauline. Je crus apercevoir à la lueur du réverbère une larme dans les yeux de Pauline, et je soupirai. Poussés tous deux par la même pensée peut-être, nous nous séparâmes avec l'empressement de gens qui auraient voulu fuir la peste. La vie de dissipation à laquelle je me vouais apparut devant moi bizarrement exprimée par la chambre où j'attendais avec une noble insouciance le retour de Rastignac. Au milieu de la cheminée, s'élevait une pendule surmontée d'une Vénus accroupie sur sa tortue, et qui tenait entre ses bras un cigare à demi consumé. Des meubles élégants, présents de l'amour, étaient épars. De vieilles chaussettes traînaient sur un voluptueux divan. Le confortable fauteuil à ressorts dans lequel j'étais plongé portait des cicatrices comme un vieux soldat, il offrait aux regards ses bras déchirés, et montrait incrustées sur son dossier la pommade et l'huile antique apportées par toutes les têtes d'amis. L'opulence et la misère s'accouplaient naïvement dans le lit, sur les murs, partout. Vous eussiez dit les palais de Naples bordés de lazzaroni [1]. C'était une chambre de joueur ou de mauvais sujet dont le luxe est tout personnel, qui vit de sensations, et des incohérences ne se soucie guère. Ce tableau ne manquait pas d'ailleurs de poésie. La vie s'y dressait avec ses paillettes et ses haillons, soudaine, incomplète comme elle est réellement, mais vive, mais fantasque comme dans une halte où le maraudeur a pillé tout ce qui fait sa joie. Un Byron auquel manquaient des pages avait allumé la falourde [2] du jeune homme qui risque au jeu mille francs et n'a pas une bûche, qui court en tilbury sans posséder une chemise saine et valide. Le lendemain, une comtesse, une actrice ou l'écarté [3] lui donnent un trousseau de roi. Ici la bougie était fichée dans le fourreau vert d'un briquet phosphorique ; là gisait un portrait de femme dépouillé de sa monture d'or ciselé. Comment un jeune homme naturellement avide d'émotions renoncerait-il aux attraits d'une vie aussi riche d'oppositions et qui lui donne les plaisirs de la guerre en temps de paix ? J'étais presque assoupi quand, d'un coup de pied, Rastignac enfonça la porte de sa chambre, et s'écria : « Victoire ! nous pourrons mourir à notre aise ! » Il me montra son chapeau plein d'or, le

---

1. *Lazzaroni* : mendiants. \ 2. *Falourde* : fagot de bûches liées ensemble. \ 3. *Écarté* : jeu de cartes.

mit sur la table, et nous dansâmes autour comme deux cannibales ayant une proie à manger, hurlant, trépignant, sautant, nous donnant des coups de poing à tuer un rhinocéros, et chantant à l'aspect de tous les plaisirs du monde contenus pour nous dans ce chapeau.
— « Vingt-sept mille francs, répétait Rastignac en ajoutant quelques billets de banque au tas d'or. À d'autres cet argent suffirait pour vivre, mais nous suffira-t-il pour mourir ? Oh ! oui, nous expirerons dans un bain d'or. Hourra ! » Et nous cabriolâmes derechef. Nous partageâmes en héritiers, pièce à pièce, commençant par les doubles napoléons, allant des grosses pièces aux petites, et distillant notre joie en disant longtemps : « À toi. À moi. » — « Nous ne dormirons pas, s'écria Rastignac. Joseph, du punch ! » Il jeta de l'or à son fidèle domestique. « Voilà ta part, dit-il, enterre-toi si tu peux. » Le lendemain, j'achetai des meubles chez Lesage, je louai l'appartement où tu m'as connu, rue Taitbout, et chargeai le meilleur tapissier de le décorer. J'eus des chevaux. Je me lançai dans un tourbillon de plaisirs creux et réels tout à la fois. Je jouais, gagnais et perdais tour à tour d'énormes sommes, mais au bal, chez nos amis ; jamais dans les maisons de jeu pour lesquelles je conservai ma sainte et primitive horreur. Insensiblement je me fis des amis. Je dus leur attachement à des querelles ou à cette facilité confiante avec laquelle nous nous livrons nos secrets en nous avilissant de compagnie ; mais peut-être aussi, ne nous accrochons-nous bien que par nos vices ? Je hasardai quelques compositions littéraires qui me valurent des compliments. Les grands hommes de la littérature marchande, ne voyant point en moi de rival à craindre, me vantèrent, moins sans doute pour mon mérite personnel que pour chagriner celui de leurs camarades. Je devins un *viveur*, pour me servir de l'expression pittoresque consacrée par votre langage d'orgie. Je mettais de l'amour-propre à me tuer promptement, à écraser les plus gais compagnons par ma verve et par ma puissance. J'étais toujours frais, élégant. Je passais pour spirituel. Rien ne trahissait en moi cette épouvantable existence qui fait d'un homme un entonnoir, un appareil à chyle [1], un cheval de

---

1. *Chyle* : liquide d'aspect laiteux formé dans l'intestin pendant la digestion.

luxe. Bientôt la Débauche m'apparut dans toute la majesté de son horreur, et je la compris ! Certes les hommes sages et rangés qui étiquettent des bouteilles pour leurs héritiers ne peuvent guère concevoir ni la théorie de cette large vie, ni son état normal ; en inculquerez-vous la poésie aux gens de province pour qui l'opium et le thé, si prodigues de délices, ne sont encore que deux médicaments ? À Paris même, dans cette capitale de la pensée, ne se rencontre-t-il pas des sybarites[1] incomplets ? Inhabiles à supporter l'excès du plaisir, ne s'en vont-ils pas fatigués après une orgie, comme le sont ces bons bourgeois qui, après avoir entendu quelque nouvel opéra de Rossini, condamnent la musique ? Ne renoncent-ils pas à cette vie, comme un homme sobre ne veut plus manger de pâtés de Ruffec[2], parce que le premier lui a donné une indigestion ? La débauche est certainement un art comme la poésie, et veut des âmes fortes. Pour en saisir les mystères, pour en savourer les beautés, un homme doit en quelque sorte s'adonner à de consciencieuses études. Comme toutes les sciences, elle est d'abord repoussante, épineuse. D'immenses obstacles environnent les grands plaisirs de l'homme, non ses jouissances de détail, mais les systèmes qui érigent en habitude ses sensations les plus rares, les résument, les lui fertilisent en lui créant une vie dramatique dans sa vie, en nécessitant une exorbitante, une prompte dissipation de ses forces. La Guerre, le Pouvoir, les Arts sont des corruptions mises aussi loin de la portée humaine, aussi profondes que l'est la Débauche, et toutes sont de difficile accès. Mais quand une fois l'homme est monté à l'assaut de ces grands mystères, ne marche-t-il pas dans un monde nouveau ? Les généraux, les ministres, les artistes sont tous plus ou moins portés vers la dissolution par le besoin d'opposer de violentes distractions à leur existence si fort en dehors de la vie commune. Après tout, la guerre est la débauche du sang, comme la politique est celle des intérêts. Tous les excès sont frères. Ces monstruosités sociales possèdent la puissance des abîmes, elles nous attirent comme Sainte-Hélène appelait Napo-

---

1. *Sybarite* : personne qui recherche les plaisirs de la vie dans une atmosphère de luxe et de raffinement. \ 2. *Ruffec* : ville de Charente renommée pour ses pâtés.

léon; elles donnent des vertiges, elles fascinent, et nous voulons en voir le fond sans savoir pourquoi. La pensée de l'infini existe peut-être dans ces précipices, peut-être renferment-ils quelque grande flatterie pour l'homme; n'intéresse-t-il pas alors tout à lui-même? Pour contraster avec le paradis de ses heures studieuses, avec les délices de la conception, l'artiste fatigué demande, soit comme Dieu le repos du dimanche, soit comme le diable les voluptés de l'enfer, afin d'opposer le travail des sens au travail de ses facultés. Le délassement de lord Byron ne pouvait pas être le boston[1] babillard qui charme un rentier; poète, il voulait la Grèce à jouer contre Mahmoud[2]. En guerre, l'homme ne devient-il pas un ange exterminateur, une espèce de bourreau, mais gigantesque. Ne faut-il pas des enchantements bien extraordinaires pour nous faire accepter ces atroces douleurs, ennemies de notre frêle enveloppe, qui entourent les passions comme d'une enceinte épineuse? S'il se roule convulsivement et souffre une sorte d'agonie après avoir abusé du tabac, le fumeur n'a-t-il pas assisté je ne sais en quelles régions à de délicieuses fêtes? Sans se donner le temps d'essuyer ses pieds qui trempent dans le sang jusqu'à la cheville, l'Europe n'a-t-elle pas sans cesse recommencé la guerre? L'homme en masse a-t-il donc aussi son ivresse, comme la nature a ses accès d'amour! Pour l'homme privé, pour le Mirabeau[3] qui végète sous un règne paisible et rêve des tempêtes, la débauche comprend tout; elle est une perpétuelle étreinte de toute la vie, ou mieux, un duel avec une puissance inconnue, avec un monstre: d'abord le monstre épouvante, il faut l'attaquer par les cornes, c'est des fatigues inouïes; la nature vous a donné je ne sais quel estomac étroit ou paresseux? vous le domptez, vous l'élargissez, vous apprenez à porter le vin, vous apprivoisez l'ivresse, vous passez les nuits sans sommeil, vous vous faites enfin un tempérament de colonel de cuirassiers, en

---

1. *Boston*: jeu de cartes. \ 2. *Mahmoud*: Mahmoud II (1784-1839), sultan ottoman, il fit face à l'insurrection grecque (1820) qui aboutit à l'indépendance. Lord Byron avait pris parti pour la Grèce où il est mort en 1824. \ 3. *Mirabeau*: orateur révolutionnaire (1749-1791), il fut élu député par le Tiers État. Il participa à la rédaction de la Déclaration des droits de l'homme et du citoyen. Célèbre pour sa vie de débauche.

vous créant vous-même une seconde fois, comme pour fronder Dieu! Quand l'homme s'est ainsi métamorphosé, quand, vieux soldat, le néophyte a façonné son âme à l'artillerie, ses jambes à la marche, sans encore appartenir au monstre, mais sans savoir entre eux quel est le maître, ils se roulent l'un sur l'autre, tantôt vainqueurs, tantôt vaincus, dans une sphère où tout est merveilleux, où s'endorment les douleurs de l'âme, où revivent seulement des fantômes d'idées. Déjà cette lutte atroce est devenue nécessaire. Réalisant ces fabuleux personnages qui, selon les légendes, ont vendu leur âme au diable pour en obtenir la puissance de mal faire, le dissipateur a troqué sa mort contre toutes les jouissances de la vie, mais abondantes, mais fécondes! Au lieu de couler longtemps entre deux rives monotones, au fond d'un Comptoir ou d'une Étude, l'existence bouillonne et fuit comme un torrent. Enfin la débauche est sans doute au corps ce que sont à l'âme les plaisirs mystiques. L'ivresse vous plonge en des rêves dont les fantasmagories sont aussi curieuses que peuvent l'être celles de l'extase. Vous avez des heures ravissantes comme les caprices d'une jeune fille, des causeries délicieuses avec des amis, des mots qui peignent toute une vie, des joies franches et sans arrière-pensée, des voyages sans fatigue, des poèmes déroulés en quelques phrases. La brutale satisfaction de la bête au fond de laquelle la science a été chercher une âme, est suivie de torpeurs enchanteresses après lesquelles soupirent les hommes ennuyés de leur intelligence. Ne sentent-ils pas tous la nécessité d'un repos complet, et la débauche n'est-elle pas une sorte d'impôt que le génie paie au mal? Vois tous les grands hommes : s'ils ne sont pas voluptueux, la nature les crée chétifs. Moqueuse ou jalouse, une puissance leur vicie l'âme ou le corps pour neutraliser les efforts de leurs talents. Pendant ces heures avinées, les hommes et les choses comparaissent devant vous, vêtus de vos livrées. Roi de la création, vous la transformez à vos souhaits. À travers ce délire perpétuel, le jeu vous verse, à votre gré, son plomb fondu dans les veines. Un jour, vous appartenez au monstre, vous avez alors, comme je l'eus, un réveil enragé : l'impuissance est assise à votre chevet. Vieux guerrier, une phtisie vous dévore; diplomate, un anévrisme suspend dans votre cœur la mort à un fil; moi, peut-

être une pulmonie [1] va me dire : « Partons ! » comme elle a dit
jadis à Raphaël d'Urbin [2], tué par un excès d'amour. Voilà comment j'ai vécu ! J'arrivais ou trop tôt ou trop tard dans la vie du
monde ; sans doute ma force y eût été dangereuse si je ne l'avais
amortie ainsi ; l'univers n'a-t-il pas été guéri d'Alexandre par la
coupe d'Hercule [3], à la fin d'une orgie ! Enfin à certaines destinées
trompées, il faut le ciel ou l'enfer, la débauche ou l'hospice du
mont Saint-Bernard [4]. Tout à l'heure je n'avais pas le courage de
moraliser ces deux créatures, dit-il en montrant Euphrasie et
Aquilina. N'étaient-elles pas mon histoire personnifiée, une
image de ma vie ! Je ne pouvais guère les accuser, elles m'apparaissaient comme des juges. Au milieu de ce poème vivant, au
sein de cette étourdissante maladie, j'eus cependant deux crises
bien fertiles en âcres douleurs. D'abord quelques jours après
m'être jeté comme Sardanapale [5] dans mon bûcher, je rencontrai
Foedora sous le péristyle des Bouffons. Nous attendions nos voitures. – « Ah ! je vous retrouve encore en vie. » Ce mot était la traduction de son sourire, des malicieuses et sourdes paroles qu'elle
dit à son sigisbée [6] en lui racontant sans doute mon histoire, et
jugeant mon amour comme un amour vulgaire. Elle applaudis-
sait à sa fausse perspicacité. Oh ! mourir pour elle, l'adorer
encore, la voir dans mes excès, dans mes ivresses, dans le lit des
courtisanes, et me sentir victime de sa plaisanterie ! Ne pouvoir
déchirer ma poitrine et y fouiller mon amour pour le jeter à ses
pieds ! Enfin, j'épuisai facilement mon trésor ; mais trois années
de régime m'avaient constitué la plus robuste de toutes les san-
tés, et, le jour où je me trouvai sans argent, je me portais à
merveille. Pour continuer de mourir, je signai des lettres de
change à courte échéance, et le jour du payement arriva. Cruelles

---

1. *Pulmonie* : tuberculose. \ **2.** *Raphaël d'Urbin* : selon la légende, Raphaël serait mort dans les
bras d'une femme. \ **3.** *L'univers {…} Hercule* : selon une légende, Alexandre mourut en 323
av. J.-C. pour avoir avalé d'un trait le vin contenu dans une coupe immense appelée coupe
d'Hercule. \ **4.** *Hospice du mont Saint-Bernard* : saint Bernard de Menthon fonda au Xᵉ siècle
sur ce mont des Alpes Pennines un hospice et un couvent où des chiens étaient dressés à
retrouver les voyageurs égarés dans la montagne. \ **5.** *Sardanapale* : roi légendaire d'Assyrie
qui, assiégé, se suicida avec ses femmes et ses trésors en se jetant dans le brasier qu'il avait
allumé pour brûler la ville de Ninive. \ **6.** *Sigisbée* : chevalier servant.

émotions ! et comme elles font vivre de jeunes cœurs ! Je n'étais pas fait pour vieillir encore ; mon âme était toujours jeune, vivace et verte. Ma première dette ranima toutes mes vertus qui vinrent à pas lents et m'apparurent désolées. Je sus transiger avec elles comme avec ces vieilles tantes qui commencent par nous gronder et finissent en nous donnant des larmes et de l'argent. Plus sévère, mon imagination me montrait mon nom voyageant, de ville en ville, dans les places de l'Europe. *Notre nom, c'est nous-mêmes*, a dit Eusèbe Salverte [1]. Après des courses vagabondes, j'allais, comme le double d'un Allemand [2], revenir à mon logis d'où je n'étais pas sorti, pour me réveiller moi-même en sursaut. Ces hommes de la banque, ces remords commerciaux, vêtus de gris, portant la livrée de leur maître, une plaque d'argent, jadis je les voyais avec indifférence quand ils allaient par les rues de Paris ; mais, aujourd'hui, je les haïssais par avance. Un matin, l'un d'eux ne viendrait-il pas me demander raison des onze lettres de change que j'avais griffonnées ? Ma signature valait trois mille francs, je ne les valais pas moi-même ! Les huissiers, aux faces insouciantes à tous les désespoirs, même à la mort, se levaient devant moi, comme les bourreaux qui disent à un condamné : – « Voici trois heures et demie qui sonnent. » Leurs clercs avaient le droit de s'emparer de moi, de griffonner mon nom, de le salir, de s'en moquer. JE DEVAIS ! Devoir, est-ce donc s'appartenir ? D'autres hommes ne pouvaient-ils pas me demander compte de ma vie ? pourquoi j'avais mangé des puddings à la *chipolata*, pourquoi je buvais à la glace [3] ? pourquoi je dormais, marchais, pensais, m'amusais sans les payer ? Au milieu d'une poésie, au sein d'une idée, ou à déjeuner, entouré d'amis, de joie, de douces railleries, je pouvais voir entrer un monsieur en habit marron, tenant à la main un chapeau râpé. Ce monsieur sera ma dette, ce sera ma lettre de change, un spectre qui flétrira ma joie, me forcera de quitter la table pour lui parler ; il m'enlèvera ma gaieté, ma maîtresse, tout jusqu'à mon lit. Le remords est plus

---

1. *Eusèbe Salverte* : historien (1771-1839), auteur de l'*Essai historique et philosophique sur les noms d'hommes, de peuples et de dieux* (1824). \ 2. *Double d'un Allemand* : peut-être une allusion à un conte fantastique d'Hoffmann *La Princesse Brambilla*. \ 3. *À la glace* : à cette époque, boire glacé était un luxe.

tolérable, il ne nous met ni dans la rue ni à Sainte-Pélagie, il ne nous plonge pas dans cette exécrable sentine[1] du vice, il ne nous jette qu'à l'échafaud où le bourreau anoblit : au moment de notre supplice, tout le monde croit à notre innocence ; tandis que la société ne laisse pas une vertu au débauché sans argent. Puis ces dettes à deux pattes, habillées de drap vert, portant des lunettes bleues ou des parapluies multicolores ; ces dettes incarnées avec lesquelles nous nous trouvons face à face au coin d'une rue, au moment où nous sourions, ces gens allaient avoir l'horrible privilège de dire : – « Monsieur de Valentin me doit et ne me paie pas. Je le tiens. Ah ! qu'il n'ait pas l'air de me faire mauvaise mine ! » Il faut saluer nos créanciers, les saluer avec grâce. « Quand me paierez-vous ? » disent-ils. Et nous sommes dans l'obligation de mentir, d'implorer un autre homme pour de l'argent, de nous courber devant un sot assis sur sa caisse, de recevoir son froid regard, son regard de sangsue plus odieux qu'un soufflet, de subir sa morale de Barême[2] et sa crasse ignorance. Une dette est une œuvre d'imagination qu'ils ne comprennent pas. Des élans de l'âme entraînent, subjuguent souvent un emprunteur, tandis que rien de grand ne subjugue, rien de généreux ne guide ceux qui vivent dans l'argent et ne connaissent que l'argent. J'avais horreur de l'argent. Enfin la lettre de change peut se métamorphoser en vieillard chargé de famille, flanqué de vertus. Je devrais peut-être à un vivant tableau de Greuze[3], à un paralytique environné d'enfants, à la veuve d'un soldat, qui tous me tendront des mains suppliantes. Terribles créanciers avec lesquels il faut pleurer, et quand nous les avons payés, nous leur devons encore des secours. La veille de l'échéance, je m'étais couché dans ce calme faux des gens qui dorment avant leur exécution, avant un duel, ils se laissent toujours bercer par une menteuse espérance. Mais en me réveillant, quand je fus de sang-froid, quand je sentis mon âme emprisonnée dans le portefeuille d'un banquier, couchée sur des états, écrite à l'encre rouge, mes dettes jaillirent partout comme des sauterelles ; elles étaient

---

1. *Sentine* : lieu sale et humide. \ 2. *Barême* : arithméticien français (1640-1703). Une morale de Barême est une morale froide et logique. \ 3. *Greuze* : peintre français (1725-1805), spécialisé dans les tableaux sentimentaux et édifiants.

dans ma pendule, sur mes fauteuils, ou incrustées dans les meubles desquels je me servais avec le plus de plaisir. Devenus la proie des harpies du Châtelet[1], ces doux esclaves matériels allaient donc être enlevés par des recors[2], et brutalement jetés sur la place. Ah ! ma dépouille était encore moi-même. La sonnette de mon appartement retentissait dans mon cœur, elle me frappait où l'on doit frapper les rois, à la tête. C'était un martyre, sans le ciel pour récompense. Oui, pour un homme généreux, une dette est l'enfer, mais l'enfer avec des huissiers et des agents d'affaires. Une dette impayée est la bassesse, un commencement de friponnerie, et pis que tout cela, un mensonge ! Elle ébauche des crimes, elle assemble les madriers de l'échafaud. Mes lettres de change furent protestées. Trois jours après je les payai ; voici comment. Un spéculateur vint me proposer de lui vendre l'île que je possédais dans la Loire et où était le tombeau de ma mère. J'acceptai. En signant le contrat chez le notaire de mon acquéreur, je sentis au fond de l'étude obscure une fraîcheur semblable à celle d'une cave. Je frissonnai en reconnaissant le même froid humide qui m'avait saisi sur le bord de la fosse où gisait mon père. J'accueillis ce hasard comme un funeste présage. Il me semblait entendre la voix de ma mère et voir son ombre ; je ne sais quelle puissance faisait retentir vaguement mon propre nom dans mon oreille, au milieu d'un bruit de cloches ! Le prix de mon île me laissa toutes dettes payées, deux mille francs. Certes, j'eusse pu revenir à la paisible existence du savant, retourner à ma mansarde après avoir expérimenté la vie, y revenir la tête pleine d'observations immenses et jouissant déjà d'une espèce de réputation. Mais Foedora n'avait pas lâché sa proie. Nous nous étions souvent trouvés en présence. Je lui faisais corner mon nom aux oreilles par ses amants étonnés de mon esprit, de mes chevaux, de mes succès, de mes équipages. Elle restait froide et insensible à tout, même à cette horrible phrase : « Il se tue pour vous ! » dite par Rastignac. Je chargeais le monde entier de ma vengeance, mais je n'étais pas heureux ! En creusant

---

1. *Harpies du Châtelet* : métaphore pour les huissiers. \ **2.** *Recors* : personne qui accompagnait un huissier et lui servait de témoin.

ainsi la vie jusqu'à la fange, j'avais toujours senti davantage les délices d'un amour partagé, j'en poursuivais le fantôme à travers les hasards de mes dissipations, au sein des orgies. Pour mon malheur, j'étais trompé dans mes belles croyances, j'étais puni de mes bienfaits par l'ingratitude, récompensé de mes fautes par mille plaisirs. Sinistre philosophie, mais vraie pour la débauche! Enfin Foedora m'avait communiqué la lèpre de sa vanité. En sondant mon âme, je la trouvais gangrenée, pourrie. Le démon m'avait imprimé son ergot au front. Il m'était désormais impossible de me passer des tressaillements continuels d'une vie à tout moment risquée, et des exécrables raffinements de la richesse. Riche à millions, j'aurais toujours joué, mangé, couru. Je ne voulais plus rester seul avec moi-même. J'avais besoin de courtisanes, de faux amis de vin, de bonne chère pour m'étourdir. Les liens qui attachent un homme à la famille étaient brisés en moi pour toujours. Galérien du plaisir, je devais accomplir ma destinée de suicide. Pendant les derniers jours de ma fortune, je fis chaque soir des excès incroyables ; mais, chaque matin, la mort me rejetait dans la vie. Semblable à un rentier viager, j'aurais pu passer tranquillement dans un incendie. Enfin je me trouvai seul avec une pièce de vingt francs, je me souvins alors du bonheur de Rastignac… « Hé! Hé! » s'écria-t-il en pensant tout à coup à son talisman qu'il tira de sa poche.

Soit que, fatigué des luttes de cette longue journée, il n'eût plus la force de gouverner son intelligence dans les flots de vin et de punch ; soit qu'exaspéré par l'image de sa vie, il se fût insensiblement enivré par le torrent de ses paroles, Raphaël s'anima, s'exalta comme un homme complètement privé de raison. – « Au diable la mort ! s'écria-t-il en brandissant la Peau. Je veux vivre maintenant ! Je suis riche, j'ai toutes les vertus. Rien ne me résistera. Qui ne serait pas bon quand il peut tout ? Hé! hé! Ohé! J'ai souhaité deux cent mille livres de rente, je les aurai. Saluez-moi, pourceaux qui vous vautrez sur ces tapis comme sur du fumier ! Vous m'appartenez, fameuse propriété ! Je suis riche, je peux vous acheter tous, même le député qui ronfle là. Allons, canaille de la haute société, bénissez-moi ! je suis pape. »

En ce moment les exclamations de Raphaël, jusque-là couvertes par la basse continue[1] des ronflements, furent entendues soudain. La plupart des dormeurs se réveillèrent en criant, ils virent l'interrupteur mal assuré sur ses jambes, et maudirent sa bruyante ivresse par un concert de juremnts.

— Taisez-vous ! reprit Raphaël. Chiens, à vos niches ! Émile, j'ai des trésors, je te donnerai des cigares de La Havane.

— Je t'entends, répondit le poète, *Foedora ou la mort*. Va ton train ! Cette sucrée de Foedora t'a trompé. Toutes les femmes sont filles d'Ève. Ton histoire n'est pas du tout dramatique.

— Ah ! tu dormais, sournois ?

— Non ! Foedora ou la mort, j'y suis.

— Réveille-toi, s'écria Raphaël en frappant Émile avec la Peau de chagrin comme s'il voulait en tirer du fluide électrique.

— Tonnerre ! dit Émile en se levant et en saisissant Raphaël à bras-le-corps, mon ami, songe donc que tu es avec des femmes de mauvaise vie.

— Je suis millionnaire.

— Si tu n'es pas millionnaire, tu es bien certainement ivre.

— Ivre du pouvoir. Je peux te tuer ! Silence, je suis Néron[2] ! je suis Nabuchodonosor[3] !

— Mais, Raphaël, nous sommes en méchante compagnie, tu devrais rester silencieux, par dignité.

— Ma vie a été un trop long silence. Maintenant, je vais me venger du monde entier. Je ne m'amuserai pas à dissiper de vils écus, j'imiterai, je résumerai mon époque en consommant des vies humaines, et des intelligences, des âmes. Voilà un luxe qui n'est pas mesquin, n'est-ce pas l'opulence de la peste ! Je lutterai avec la fièvre jaune, bleue, verte, avec les armées, avec les échafauds. Je puis avoir Foedora. Mais non, je ne veux pas de Foedora, c'est ma maladie, je meurs de Foedora ! Je veux oublier Foedora.

— Si tu continues à crier, je t'emporte dans la salle à manger.

---

1. *Basse continue* : basse qui ne s'interrompt pas pendant la durée d'un morceau. \ 2. *Néron* : empereur romain (37-68), tyran sanguinaire qui incendia Rome pour son plaisir. \ 3. *Nabuchodonosor* : roi de Babylone (605 av. J.-C. -562 av. J.-C.), souverain cruel.

— Vois-tu cette Peau ? c'est le testament de Salomon[1]. Il est à moi, Salomon, ce petit cuistre de roi ! J'ai l'Arabie, Pétrée encore. L'univers à moi. Tu es à moi, si je veux. Ah ! si je veux, prends garde ! Je peux acheter toute ta boutique de journaliste, tu seras mon valet. Tu me feras des couplets, tu régleras mon papier. Valet ! *Valet*[2], cela veut dire : il se porte bien, parce qu'il ne pense à rien.

À ce mot, Émile emporta Raphaël dans la salle à manger.

— Eh bien, oui, mon ami, lui dit-il, je suis ton valet. Mais tu vas être rédacteur en chef d'un journal, tais-toi ! sois décent, par considération pour moi ! M'aimes-tu ?

— Si je t'aime ! Tu auras des cigares de La Havane, avec cette Peau. Toujours la Peau, mon ami, la Peau souveraine ! Excellent topique[3], je peux guérir les cors. As-tu des cors ? je te les ôte.

— Jamais je ne l'ai vu si stupide.

— Stupide, mon ami ? Non. Cette Peau se rétrécit quand j'ai un désir… c'est une antiphrase[4]. Le brachmane[5], il se trouve un brachmane là-dessous ! le brachmane donc était un goguenard, parce que les désirs, vois-tu, doivent étendre…

— Eh bien, oui.

— Je te dis…

— Oui, cela est très vrai, je pense comme toi. Le désir étend…

— Je te dis, la Peau…

— Oui.

— Tu ne me crois pas. Je te connais, mon ami, tu es menteur comme un nouveau roi.

— Comment veux-tu que j'adopte les divagations de ton ivresse ?

— Je te parie, je peux te le prouver. Prenons la mesure.

— Allons, il ne s'endormira pas, s'écria Émile en voyant Raphaël occupé à fureter dans la salle à manger.

Valentin animé d'une adresse de singe, grâce à cette singulière lucidité dont les phénomènes contrastent parfois chez les ivrognes

---

1. *Salomon* : roi d'Israël (972-932 av. J.-C). Son règne marque l'apogée de la puissance d'Israël. Il est considéré comme magicien. \ **2.** *Valet* : troisième personne du singulier du verbe latin *valeo* : je me porte bien. \ **3.** *Topique* : remède. \ **4.** *Cette Peau {…} étendre* : allusion aux érections masculines. \ **5.** *Brachmane* : brahmine.

avec les obtuses visions de l'ivresse, sut trouver une écritoire et une serviette, en répétant toujours : – Prenons la mesure ! Prenons la mesure !

– Eh bien, oui, reprit Émile, prenons la mesure !

Les deux amis étendirent la serviette et y superposèrent la Peau de chagrin. Émile, dont la main semblait être plus assurée que celle de Raphaël, décrivit à la plume, par une ligne d'encre, les contours du talisman, pendant que son ami lui disait : – J'ai souhaité deux cent mille livres de rente, n'est-il pas vrai ? Eh bien, quand je les aurai, tu verras la diminution de tout mon chagrin.

– Oui, maintenant dors. Veux-tu que je t'arrange sur ce canapé ? Allons, es-tu bien ?

– Oui, mon nourrisson de la Presse. Tu m'amuseras, tu chasseras mes mouches. L'ami du malheur a droit d'être l'ami du pouvoir. Aussi, te donnerai-je des ci… ga… res… de La Hav…

– Allons, cuve ton or, millionnaire.

– Toi, cuve tes articles. Bonsoir. Dis donc bonsoir à Nabuchodonosor ? Amour ! À boire ! France… gloire et riche… Riche…

Bientôt les deux amis unirent leurs ronflements à la musique qui retentissait dans les salons. Concert inutile ! Les bougies s'éteignirent une à une en faisant éclater leurs bobèches[1] de cristal. La nuit enveloppa d'un crêpe cette longue orgie dans laquelle le récit de Raphaël avait été comme une orgie de paroles, de mots sans idées, et d'idées auxquelles les expressions avaient souvent manqué.

Le lendemain, vers midi, la belle Aquilina se leva, bâillant, fatiguée, et les joues marbrées par les empreintes du tabouret en velours peint sur lequel sa tête avait reposé. Euphrasie, réveillée par le mouvement de sa compagne, se dressa tout à coup en jetant un cri rauque ; sa jolie figure si blanche, si fraîche la veille, était jaune et pâle comme celle d'une fille allant à l'hôpital. Insensiblement les convives se remuèrent en poussant des gémissements sinistres, ils se sentirent les bras et les jambes raidis, mille fatigues diverses les accablèrent à leur réveil. Un valet vint ouvrir les

---

1. *Bobèche* : disque destiné à recueillir la cire coulant des bougies.

persiennes et les fenêtres des salons. L'assemblée se trouva sur
pied, rappelée à la vie par les chauds rayons du soleil qui pétilla
sur les têtes des dormeurs. Les mouvements du sommeil ayant
brisé l'élégant édifice de leurs coiffures et fané leurs toilettes, les
femmes frappées par l'éclat du jour présentèrent un hideux
spectacle : leurs cheveux pendaient sans grâce, leurs physionomies
avaient changé d'expression, leurs yeux si brillants étaient ternis
par la lassitude. Les teints bilieux qui jettent tant d'éclat aux
lumières faisaient horreur, les figures lymphatiques[1], si blanches,
si molles, quand elles sont reposées, étaient devenues vertes ; les
bouches naguère délicieuses et rouges, maintenant sèches et
blanches, portaient les honteux stigmates de l'ivresse. Les
hommes reniaient leurs maîtresses nocturnes à les voir ainsi
décolorées, cadavéreuses comme des fleurs écrasées dans une rue
après le passage des processions. Ces hommes dédaigneux étaient
plus horribles encore. Vous eussiez frémi de voir ces faces
humaines, aux yeux caves et cernés qui semblaient ne rien voir,
engourdies par le vin, hébétées par un sommeil gêné, plus fatigant
que réparateur. Ces visages hâves où paraissaient à nu les appétits
physiques sans la poésie dont les décore notre âme, avaient je ne
sais quoi de féroce et de froidement bestial. Ce réveil du vice sans
vêtement ni fard, ce squelette du mal déguenillé, froid, vide et
privé des sophismes de l'esprit ou des enchantements du luxe,
épouvanta ces intrépides athlètes, quelque habitués qu'ils fussent
à lutter avec la débauche. Artistes et courtisanes gardèrent le
silence en examinant d'un oeil hagard le désordre de l'appartement où tout avait été dévasté, ravagé par le feu des passions. Un
rire satanique s'éleva tout à coup lorsque Taillefer, entendant le
râle sourd de ses hôtes, essaya de les saluer par une grimace ; son
visage en sueur et sanguinolent fit planer sur cette scène infernale
l'image du crime sans remords. (Voir *L'Auberge rouge*[2].) Le tableau
fut complet. C'était la vie fangeuse au sein du luxe, un horrible
mélange des pompes et des misères humaines, le réveil de la
débauche, quand de ses mains fortes elle a pressé tous les fruits de

---

1. *Lymphatique* : un des quatre tempéraments de l'ancienne médecine, caractérisé par la len-
teur et des formes alourdies. \ 2. *L'Auberge rouge* : roman de Balzac lui-même.

la vie, pour ne laisser autour d'elle que d'ignobles débris ou des mensonges auxquels elle ne croit plus. Vous eussiez dit la Mort souriant au milieu d'une famille pestiférée : plus de parfums ni de lumières étourdissantes, plus de gaieté ni de désirs ; mais le dégoût avec ses odeurs nauséabondes et sa poignante philosophie, mais le soleil éclatant comme la vérité, mais un air pur comme la vertu, qui contrastaient avec une atmosphère chaude, chargée de miasmes, les miasmes d'une orgie ! Malgré leur habitude du vice, plusieurs de ces jeunes filles pensèrent à leur réveil d'autrefois, quand innocentes et pures elles entrevoyaient par leurs croisées champêtres ornées de chèvrefeuilles et de roses, un frais paysage enchanté par les joyeuses roulades de l'alouette, vaporeusement illuminé par les lueurs de l'aurore et paré des fantaisies de la rosée. D'autres se peignirent le déjeuner de la famille, la table autour de laquelle riaient innocemment les enfants et le père, où tout respirait un charme indéfinissable, où les mets étaient simples comme les cœurs. Un artiste songeait à la paix de son atelier, à sa chaste statue, au gracieux modèle qui l'attendait. Un jeune homme, se souvenant du procès d'où dépendait le sort d'une famille, pensait à la transaction importante qui réclamait sa présence. Le savant regrettait son cabinet où l'appelait un noble ouvrage. Presque tous se plaignaient d'eux-mêmes. En ce moment, Émile, frais et rose comme le plus joli des commis-marchands d'une boutique en vogue, apparut en riant.

— Vous êtes plus laids que des recors, s'écria-t-il. Vous ne pourrez rien faire aujourd'hui ; la journée est perdue, m'est avis de déjeuner.

À ces mots, Taillefer sortit pour donner des ordres. Les femmes allèrent languissamment rétablir le désordre de leurs toilettes devant les glaces. Chacun se secoua. Les plus vicieux prêchèrent les plus sages. Les courtisanes se moquèrent de ceux qui paraissaient ne pas se trouver de force à continuer ce rude festin. En un moment, ces spectres s'animèrent, formèrent des groupes, s'interrogèrent et sourirent. Quelques valets habiles et lestes remirent promptement les meubles et chaque chose en sa place. Un déjeuner splendide fut servi. Les convives se ruèrent alors dans la salle à manger. Là, si tout porta l'empreinte ineffaçable des excès de la veille, au moins y eut-il trace d'existence et de pensée comme dans les dernières convulsions d'un mourant. Semblable au convoi du mardi gras, la saturnale[1] était enterrée par des masques fatigués de leurs danses, ivres de l'ivresse, et voulant convaincre le plaisir d'impuissance pour ne pas s'avouer la leur. Au moment où cette intrépide assemblée borda la table du capitaliste, Cardot, qui, la veille, avait disparu prudemment après le dîner, pour finir son orgie dans le lit conjugal, montra sa figure officieuse sur laquelle errait un doux sourire. Il semblait avoir deviné quelque succession à déguster, à partager, à inventorier, à grossoyer[2], une succession pleine d'actes à faire, grosse d'honoraires, aussi juteuse que le filet tremblant dans lequel l'amphitryon plongeait alors son couteau.

— Oh! oh! nous allons déjeuner par-devant notaire, s'écria de Cursy.

— Vous arrivez à propos pour coter et parapher toutes ces pièces, lui dit le banquier en lui montrant le festin.

— Il n'y a pas de testament à faire, mais pour des contrats de mariage, peut-être! dit le savant qui pour la première fois depuis un an s'était supérieurement marié.

— Oh! oh!

— Ah! ah!

— Un instant, répliqua Cardot assourdi par un chœur de mauvaises plaisanteries, je viens ici pour affaire sérieuse. J'apporte six millions à l'un de vous. (Silence profond.) Monsieur, dit-il en s'adressant à Raphaël, qui, dans ce moment, s'occupait sans cérémonie à s'essuyer les yeux avec un coin de sa serviette, madame votre mère n'était-elle pas une demoiselle O'Flaharty?

— Oui, répondit Raphaël assez machinalement, *Barbe Marie*.

— Avez-vous ici, reprit Cardot, votre acte de naissance et celui de madame de Valentin?

— Je le crois.

— Eh bien, monsieur, vous êtes seul et unique héritier du major O'Flaharty, décédé en août 1828, à Calcutta.

---

1. *Saturnale*: temps de débauche. \ 2. *Grossoyer*: copier un acte.

— C'est une fortune *incalculable*! s'écria le jugeur.

— Le major ayant disposé par son testament de plusieurs sommes en faveur de quelques établissements publics, sa succession a été réclamée à la Compagnie des Indes par le gouvernement français, reprit le notaire. Elle est en ce moment liquide et palpable. Depuis quinze jours je cherchais infructueusement les ayants cause de la demoiselle Barbe-Marie O'Flaharty, lorsque hier à table…

En ce moment, Raphaël se leva soudain en laissant échapper le mouvement brusque d'un homme qui reçoit une blessure. Il se fit comme une acclamation silencieuse, le premier sentiment des convives fut dicté par une sourde envie, tous les yeux se tournèrent vers lui comme autant de flammes. Puis, un murmure, semblable à celui d'un parterre qui se courrouce, une rumeur d'émeute commença, grossit, et chacun dit un mot pour saluer cette fortune immense apportée par le notaire. Rendu à toute sa raison par la brusque obéissance du sort, Raphaël étendit promptement sur la table la serviette avec laquelle il avait mesuré, naguère, la Peau de chagrin. Sans rien écouter, il y superposa le talisman, et frissonna violemment en voyant une petite distance entre le contour tracé sur le linge et celui de la Peau.

— Hé bien! qu'a-t-il donc! s'écria Taillefer, il a sa fortune à bon compte.

— *Soutiens-le, Châtillon*[1], dit Bixiou à Émile, la joie va le tuer.

Une horrible pâleur dessina tous les muscles de la figure flétrie de cet héritier, ses traits se contractèrent, les saillies de son visage blanchirent, les creux devinrent sombres, le masque fut livide, et les yeux se fixèrent. Il voyait la MORT. Ce banquier splendide entouré de courtisanes fanées, de visages rassasiés, cette agonie de la joie, était une vivante image de sa vie. Raphaël regarda trois fois le talisman qui jouait à l'aise dans les impitoyables lignes imprimées sur la serviette, il essayait de douter; mais un clair pressentiment anéantissait son incrédulité. Le monde lui appartenait, il pouvait tout et ne voulait plus rien. Comme un voyageur

---

1. *Soutiens-le, Châtillon* : expression proverbiale tirée de la tragédie *Zaïre* de Voltaire, acte II, scène 3.

au milieu du désert, il avait un peu d'eau pour la soif et devait mesurer sa vie au nombre des gorgées. Il voyait ce que chaque désir devait lui coûter de jours. Puis il croyait à la Peau de chagrin, il s'écoutait respirer, il se sentait déjà malade, il se demandait : Ne suis-je pas pulmonique ? Ma mère n'est-elle pas morte de la poitrine ?

— Ah ! ah ! Raphaël, vous allez bien vous amuser ! Que me donnerez-vous ? disait Aquilina.

— Buvons à la mort de son oncle, le major Martin O'Flaharty ! Voilà un homme.

— Il sera pair de France.

— Bah ! qu'est-ce qu'un pair de France après Juillet ? dit le jugeur.

— Auras-tu loge aux Bouffons ?

— J'espère que vous nous régalerez tous, dit Bixiou.

— Un homme comme lui sait faire grandement les choses, dit Émile.

Le hourra de cette assemblée rieuse résonnait aux oreilles de Valentin sans qu'il pût saisir le sens d'un seul mot ; il pensait vaguement à l'existence mécanique et sans désirs d'un paysan de Bretagne, chargé d'enfants, labourant son champ, mangeant du sarrazin, buvant du cidre à même son *piché*, croyant à la Vierge et au roi, communiant à Pâques, dansant le dimanche sur une pelouse verte et ne comprenant pas le sermon de son *recteur* [1]. Le spectacle offert en ce moment à ses regards, ces lambris dorés, ces courtisanes, ce repas, ce luxe, le prenaient à la gorge et le faisaient tousser.

— Désirez-vous des asperges ? lui cria le banquier.

— *Je ne désire rien*, lui répondit Raphaël d'une voix tonnante.

— Bravo ! répliqua Taillefer. Vous comprenez la fortune, elle est un brevet d'impertinence. Vous êtes des nôtres ! Messieurs, buvons à la puissance de l'or. Monsieur de Valentin devenu six fois millionnaire arrive au pouvoir. Il est roi, il peut tout, il est au-dessus de tout, comme sont tous les riches. Pour lui désormais, LES

---

1. *Recteur* : curé.

FRANÇAIS SONT ÉGAUX DEVANT LA LOI est un mensonge inscrit en tête de la Charte. Il n'obéira pas aux lois, les lois lui obéiront. Il n'y a pas d'échafaud, pas de bourreaux pour les millionnaires !

— Oui, répliqua Raphaël, ils sont eux-mêmes leurs bourreaux !

— Encore un préjugé ! cria le banquier.

— Buvons, dit Raphaël en mettant le talisman dans sa poche.

— Que fais-tu là ? dit Émile en lui arrêtant la main. Messieurs, ajouta-t-il en s'adressant à l'assemblée assez surprise des manières de Raphaël, apprenez que notre ami de Valentin, que dis-je ? MONSIEUR LE MARQUIS DE VALENTIN, possède un secret pour faire fortune. Ses souhaits sont accomplis au moment même où il les forme. À moins de passer pour un laquais, pour un homme sans cœur, il va nous enrichir tous.

— Ah ! mon petit Raphaël, je veux une parure de perles, s'écria Euphrasie.

— S'il est reconnaissant, il me donnera deux voitures attelées de beaux chevaux et qui aillent vite ! dit Aquilina.

— Souhaitez cent mille livres de rente pour moi.

— Des cachemires !

— Payez mes dettes !

— Envoie une apoplexie à mon oncle, le grand sec !

— Raphaël, je te tiens quitte à dix mille livres de rente.

— Voilà bien des donations ! s'écria le notaire.

— Il devrait bien me guérir de la goutte.

— Faites baisser les rentes, s'écria le banquier.

Toutes ces phrases partirent comme les gerbes du bouquet qui termine un feu d'artifice. Ces furieux désirs étaient peut-être plus sérieux que plaisants.

— Mon cher ami, dit Émile d'un air grave, je me contenterai de deux cent mille livres de rente, exécute-toi de bonne grâce, allons !

— Émile, dit Raphaël, tu ne sais donc pas à quel prix ?

— Belle excuse ! s'écria le poète. Ne devons-nous pas nous sacrifier pour nos amis ?

— J'ai presque envie de souhaiter votre mort à tous, répondit Valentin en jetant un regard sombre et profond sur les convives.

— Les mourants sont furieusement cruels, dit Émile en riant. Te voilà riche, ajouta-t-il sérieusement, eh bien, je ne te donne pas deux mois pour devenir fangeusement[1] égoïste. Tu es déjà stupide, tu ne comprends pas une plaisanterie. Il ne te manque plus que de croire à ta Peau de chagrin.

Raphaël, qui craignit les moqueries de cette assemblée, garda le silence, but outre mesure et s'enivra pour oublier un moment sa funeste puissance.

---

1. *Fangeusement* : abjectement.

aprés des mois ... ans ?

L'Agonie

Dans les premiers jours du mois de décembre, un vieillard septuagénaire allait, malgré la pluie, par la rue de Varenne en levant le nez à la porte de chaque hôtel, et cherchant l'adresse de monsieur le marquis de Valentin, avec la naïveté d'un enfant et l'air absorbé des philosophes. L'empreinte d'un violent chagrin aux prises avec un caractère despotique éclatait sur cette figure accompagnée de longs cheveux gris en désordre, desséchés comme un vieux parchemin qui se tord dans le feu. Si quelque peintre eût rencontré ce singulier personnage, vêtu de noir, maigre et ossu, sans doute, il l'aurait, de retour à l'atelier, transfiguré sur son album, en inscrivant au-dessous du portrait : *Poète classique en quête d'une rime*. Après avoir vérifié le numéro qui lui avait été indiqué, cette vivante palingénésie [1] de Rollin [2] frappa doucement à la porte d'un magnifique hôtel.

— Monsieur Raphaël y est-il ? demanda le bonhomme à un suisse en livrée.

— Monsieur le marquis ne reçoit personne, répondit le valet en avalant une énorme mouillette qu'il retirait d'un large bol de café.

— Sa voiture est là, répondit le vieil inconnu en montrant un brillant équipage arrêté sous le dais de bois qui représentait une tente de coutil [3] et par lequel les marches du perron étaient abritées. Il va sortir, je l'attendrai.

— Ah ! mon ancien, vous pourriez bien rester ici jusqu'à demain matin, reprit le suisse. Il y a toujours une voiture prête pour

---

1. *Palingénésie* : renaissance des êtres ou des sociétés. \ **2.** *Rollin* : Charles Rollin (1661-1741), professeur de rhétorique, réformateur de l'enseignement. \ **3.** *Coutil* : toile serrée.

monsieur. Mais sortez, je vous prie, je perdrais six cents francs de rente viagère si je laissais une seule fois entrer sans ordre une personne étrangère à l'hôtel.

En ce moment, un grand vieillard dont le costume ressemblait assez à celui d'un huissier ministériel sortit du vestibule et descendit précipitamment quelques marches en examinant le vieux solliciteur ébahi.

— Au surplus, voici monsieur Jonathas, dit le suisse. Parlez-lui.

Les deux vieillards, attirés l'un vers l'autre par une sympathie ou par une curiosité mutuelle, se rencontrèrent au milieu de la vaste cour d'honneur, à un rond-point où croissaient quelques touffes d'herbe entre les pavés. Un silence effrayant régnait dans cet hôtel. En voyant Jonathas, vous eussiez voulu pénétrer le mystère qui planait sur sa figure, et dont parlaient les moindres choses dans cette maison morne. Le premier soin de Raphaël, en recueillant l'immense succession de son oncle, avait été de découvrir où vivait le vieux serviteur dévoué sur l'affection duquel il pouvait compter. Jonathas pleura de joie en revoyant son jeune maître auquel il croyait avoir dit un éternel adieu ; mais rien n'égala son bonheur quand le marquis le promut aux éminentes fonctions d'intendant. Le vieux Jonathas devint une puissance intermédiaire placée entre Raphaël et le monde entier. Ordonnateur suprême de la fortune de son maître, exécuteur aveugle d'une pensée inconnue, il était comme un sixième sens à travers lequel les émotions de la vie arrivaient à Raphaël.

— Monsieur, je désirerais parler à monsieur Raphaël, dit le vieillard à Jonathas en montant quelques marches du perron pour se mettre à l'abri de la pluie.

— Parler à monsieur le marquis ! s'écria l'intendant. À peine m'adresse-t-il la parole, à moi son père nourricier.

— Mais je suis aussi son père nourricier, s'écria le vieil homme. Si votre femme l'a jadis allaité, je lui ai fait sucer moi-même le sein des muses. Il est mon nourrisson, mon enfant, *carus alumnus* [1] ! J'ai façonné sa cervelle, cultivé son entendement, développé son

---

1. *Carus alumnus* : cher élève.

génie, et j'ose le dire, à mon honneur et gloire. N'est-il pas un des hommes les plus remarquables de notre époque ? Je l'ai eu, sous moi, en sixième, en troisième et en rhétorique. Je suis son professeur.

— Ah ! monsieur est monsieur Porriquet.

— Précisément. Mais monsieur…

— Chut, chut ! fit Jonathas à deux marmitons dont les voix rompaient le silence claustral dans lequel la maison était ensevelie.

— Mais, monsieur, reprit le professeur, monsieur le marquis serait-il malade ?

— Mon cher monsieur, répondit Jonathas, Dieu seul sait ce qui tient mon maître. Voyez-vous, il n'existe pas à Paris deux maisons semblables à la nôtre. Entendez-vous ? deux maisons. Ma foi, non. Monsieur le marquis a fait acheter cet hôtel qui appartenait précédemment à un duc et pair. Il a dépensé trois cent mille francs pour le meubler. Voyez-vous ? c'est une somme, trois cent mille francs. Mais chaque pièce de notre maison est un vrai miracle. Bon ! me suis-je dit en voyant cette magnificence, c'est comme chez défunt monsieur son grand-père ! Le jeune marquis va recevoir la ville et la cour ! Point. Monsieur n'a voulu voir personne. Il mène une drôle de vie, monsieur Porriquet, entendez-vous ? une vie inconciliable. Monsieur se lève tous les jours à la même heure. Il n'y a que moi, moi seul, voyez-vous ? qui puisse entrer dans sa chambre. J'ouvre à sept heures, été comme hiver. Cela est convenu singulièrement. Étant entré, je lui dis : Monsieur le marquis, il faut vous réveiller et vous habiller. Il se réveille et s'habille. Je dois lui donner sa robe de chambre, toujours faite de la même façon et de la même étoffe. Je suis obligé de la remplacer quand elle ne pourra plus servir, rien que pour lui éviter la peine d'en demander une neuve. C'te imagination ! Au fait, il a mille francs à manger par jour, il fait ce qu'il veut, ce cher enfant. D'ailleurs, je l'aime tant, qu'il me donnerait un soufflet sur la joue droite, je lui tendrais la gauche ! Il me dirait de faire des choses plus difficiles, je les ferais encore, entendez-vous ? Au reste, il m'a chargé de tant de vétilles, que j'ai de quoi m'occuper. Il lit les journaux, pas vrai ? Ordre de les mettre au même endroit, sur la même table. Je viens aussi, à la même heure, lui faire moi-même la barbe et je ne tremble pas. Le cuisinier perdrait mille écus de rente viagère qui l'attendent après la mort de monsieur, si le déjeuner ne se trouvait pas inconciliablement servi devant monsieur, à dix heures, tous les matins, et le dîner à cinq heures précises. Le menu est dressé pour l'année entière, jour par jour. Monsieur le marquis n'a rien à souhaiter. Il a des fraises quand il y a des fraises, et le premier maquereau qui arrive à Paris, il le mange. Le programme est imprimé, il sait le matin son dîner par cœur. Pour lors, il s'habille à la même heure avec les mêmes habits, le même linge, posés toujours par moi, entendez-vous ? sur le même fauteuil. Je dois encore veiller à ce qu'il ait toujours le même drap ; en cas de besoin, si sa redingote s'abîme, une supposition, la remplacer par une autre, sans lui en dire un mot. S'il fait beau, j'entre et je dis à mon maître : Vous devriez sortir, monsieur ? Il me répond oui, ou non. S'il a idée de se promener, il n'attend pas ses chevaux, ils sont toujours attelés ; le cocher reste inconciliablement, fouet en main, comme vous le voyez là. Le soir, après le dîner, monsieur va un jour à l'Opéra et l'autre aux Ital... mais non, il n'est pas encore allé aux Italiens, je n'ai pu me procurer une loge qu'hier. Puis, il rentre à onze heures précises pour se coucher. Pendant les intervalles de la journée où il ne fait rien, il lit, il lit toujours, voyez-vous ? une idée qu'il a. J'ai ordre de lire avant lui le *Journal de la librairie*, afin d'acheter des livres nouveaux, afin qu'il les trouve le jour même de leur vente sur sa cheminée. J'ai la consigne d'entrer d'heure en heure chez lui, pour veiller au feu, à tout, pour voir à ce que rien ne lui manque ; il m'a donné, monsieur, un petit livre à apprendre par cœur, et où sont écrits tous mes devoirs, un vrai catéchisme. En été, je dois, avec des tas de glace, maintenir la température au même degré de fraîcheur, et mettre en tous temps des fleurs nouvelles partout. Il est riche ! Il a mille francs à manger par jour, il peut faire ses fantaisies. Il a été privé assez longtemps du nécessaire, le pauvre enfant ! Il ne tourmente personne, il est bon comme le pain, jamais il ne dit mot, mais, par exemple, silence complet à l'hôtel et dans le jardin ! Enfin, mon maître n'a pas un seul désir à former, tout marche au doigt et à l'oeil, et *recta* ! Et il a raison, si l'on ne tient pas les domestiques, tout va à la débandade. Je lui dis tout ce qu'il doit faire, et il m'écoute. Vous ne sauriez croire à quel point il a poussé la chose. Ses appartements sont… en… en comment donc ? ah ! en enfilade. Eh bien ! il ouvre, une supposition, la porte de sa chambre ou de son cabinet, crac ! toutes les portes s'ouvrent d'elles-mêmes par un mécanisme. Pour lors, il peut aller d'un bout à l'autre de sa maison sans trouver une seule porte fermée. C'est gentil et commode et agréable pour nous autres ! Ça nous a coûté gros, par exemple ! Enfin, finalement, monsieur Porriquet, il m'a dit : « Jonathas, tu auras soin de moi comme d'un enfant au maillot. » Au maillot, oui, monsieur, au maillot qu'il a dit. Tu penseras à mes besoins, pour moi. Je suis le maître, entendez-vous ? et il est quasiment le domestique. Le pourquoi ? Ah ! par exemple, voilà ce que personne au monde ne sait que lui et le bon Dieu. C'est inconciliable !

— Il fait un poème, s'écria le vieux professeur.

— Vous croyez, monsieur, qu'il fait un poème ? C'est donc bien assujettissant, ça ! Mais, voyez-vous, je ne crois pas. Il me répète souvent qu'il veut vivre comme une vergétation [1], en vergétant. Et pas plus tard qu'hier, monsieur Porriquet, il regardait une tulipe, et il disait en s'habillant : « Voilà ma vie. Je vergète, mon pauvre Jonathas. » À cette heure, d'autres prétendent qu'il est *monomane* [2]. C'est inconciliable !

— Tout me prouve, Jonathas, reprit le professeur avec une gravité magistrale qui imprima un profond respect au vieux valet de chambre, que votre maître s'occupe d'un grand ouvrage. Il est plongé dans de vastes méditations, et ne veut pas en être distrait par les préoccupations de la vie vulgaire. Au milieu de ses travaux intellectuels, un homme de génie oublie tout. Un jour le célèbre Newton…

— Ah ! Newton, bien, dit Jonathas. Je ne le connais pas.

— Newton, un grand géomètre, reprit Porriquet, passa vingt-quatre heures, le coude appuyé sur une table ; quand il sortit de sa rêverie, il croyait le lendemain être encore à la veille, comme s'il eût dormi. Je vais aller le voir, ce cher enfant, je peux lui être utile.

---

1. *Vergétation* : évidemment végétation. Jonathas se trompe. \ **2.** *Monomane* : personne obsédée par une idée fixe.

— Minute, s'écria Jonathas. Vous seriez le roi de France, l'ancien, s'entend! que vous n'entreriez pas à moins de forcer les portes et de me marcher sur le corps mais, monsieur Porriquet, je cours lui dire que vous êtes là, et je lui demanderai comme ça : « Faut-il le faire monter ? » Il répondra *oui* ou *non*. Jamais je ne lui dis : *Souhaitez-vous ? voulez-vous ? désirez-vous ?* Ces mots-là sont rayés de la conversation. Une fois il m'en est échappé un. « Veux-tu me faire mourir ? » m'a-t-il dit, tout en colère.

Jonathas laissa le vieux professeur dans le vestibule, en lui faisant signe de ne pas avancer ; mais il revint promptement avec une réponse favorable, et conduisit le vieil émérite[1] à travers de somptueux appartements dont toutes les portes étaient ouvertes. Porriquet aperçut de loin son élève au coin d'une cheminée. Enveloppé d'une robe de chambre à grands dessins, et plongé dans un fauteuil à ressorts, Raphaël lisait le journal. L'extrême mélancolie à laquelle il paraissait être en proie était exprimée par l'attitude maladive de son corps affaissé ; elle était peinte sur son front, sur son visage pâle comme une fleur étiolée. Une sorte de grâce efféminée et les bizarreries particulières aux malades riches distinguaient sa personne. Ses mains, semblables à celles d'une jolie femme, avaient une blancheur molle et délicate. Ses cheveux blonds, devenus rares, se bouclaient autour de ses tempes par une coquetterie recherchée. Une calotte grecque, entraînée par un gland trop lourd pour le léger cachemire dont elle était faite, pendait sur un côté de sa tête. Il avait laissé tomber à ses pieds le couteau de malachite[2] enrichi d'or dont il s'était servi pour couper les feuillets d'un livre. Sur ses genoux était le bec d'ambre d'un magnifique houka[3] de l'Inde dont les spirales émaillées gisaient comme un serpent dans sa chambre, et il oubliait d'en sucer les frais parfums. Cependant, la faiblesse générale de son jeune corps était démentie par des yeux bleus où toute la vie semblait s'être retirée, où brillait un sentiment extraordinaire qui saisissait tout d'abord. Ce regard faisait mal à voir. Les uns pouvaient lire du

---

1. *Émérite* : professeur à la retraite. \ **2.** *Malachite* : pierre d'un beau vert utilisée dans la fabrication d'objets d'art. \ **3.** *Houka* : pipe à réservoir.

désespoir ; d'autres y deviner un combat intérieur, aussi terrible qu'un remords. C'était le coup d'oeil profond de l'impuissant qui refoule ses désirs au fond de son cœur, ou celui de l'avare jouissant par la pensée de tous les plaisirs que son argent pourrait lui procurer, et s'y refusant pour ne pas amoindrir son trésor ; ou le regard du Prométhée enchaîné[1], de Napoléon déchu qui apprend à l'Élysée, en 1815, la faute stratégique commise par ses ennemis, qui demande le commandement pour vingt-quatre heures et ne l'obtient pas. Véritable regard de conquérant et de damné ! et, mieux encore, le regard que plusieurs mois auparavant Raphaël avait jeté sur la Seine ou sur sa dernière pièce d'or mise au jeu. Il soumettait sa volonté, son intelligence, au grossier bon sens d'un vieux paysan à peine civilisé par une domesticité de cinquante années. Presque joyeux de devenir une sorte d'automate, il abdiquait la vie pour vivre, et dépouillait son âme de toutes les poésies du désir. Pour mieux lutter avec la cruelle puissance dont il avait accepté le défi, il s'était fait chaste à la manière d'Origène[2], en châtrant son imagination. Le lendemain du jour où, soudainement enrichi par un testament, il avait vu décroître la Peau de chagrin, il s'était trouvé chez son notaire. Là, un médecin assez en vogue avait raconté sérieusement, au dessert, la manière dont un Suisse attaqué de pulmonie s'en était guéri. Cet homme n'avait pas dit un mot pendant dix ans, et s'était soumis à ne respirer que six fois par minute dans l'air épais d'une vacherie[3], en suivant un régime alimentaire extrêmement doux. Je serai cet homme ! se dit en lui-même Raphaël, qui voulait vivre à tout prix. Au sein du luxe, il mena la vie d'une machine à vapeur. Quand le vieux professeur envisagea ce jeune cadavre, il tressaillit ; tout lui semblait artificiel dans ce corps fluet et débile. En apercevant le marquis à l'œil dévorant, au front chargé de pensées, il ne put reconnaître l'élève au teint frais et rose, aux membres juvéniles,

---

1. *Prométhée enchaîné* : personnage mythologique, il déroba aux dieux le feu pour l'apporter aux hommes. Cette action audacieuse lui valut d'être enchaîné au sommet du Caucase, un aigle lui rongeant le foie qui repoussait sans cesse. \ **2.** *Origène* : docteur chrétien de langue grecque (v. 185-v. 254 av. J.-C.), il s'était fait volontairement émasculer afin de pouvoir enseigner aux femmes en toute sérénité. \ **3.** *Vacherie* : étable à vaches.

dont il avait gardé le souvenir. Si le classique bonhomme, critique sagace et conservateur du bon goût, avait lu lord Byron, il aurait cru voir Manfred, là où il eût voulu voir Childe-Harold [1].

— Bonjour, père Porriquet, dit Raphaël à son professeur en pressant les doigts glacés du vieillard dans une main brûlante et moite. Comment vous portez-vous ?

— Mais moi je vais bien, répondit le vieillard effrayé par le contact de cette main fiévreuse. Et vous ?

— Oh ! j'espère me maintenir en bonne santé.

— Vous travaillez sans doute à quelque bel ouvrage ?

— Non, répondit Raphaël. *Exegi monumentum* [2], père Porriquet, j'ai achevé une grande page, et j'ai dit adieu pour toujours à la Science. À peine sais-je où se trouve mon manuscrit.

— Le style en est pur, sans doute ? demanda le professeur. Vous n'aurez pas, j'espère, adopté le langage barbare de cette nouvelle école qui croit faire merveille en inventant Ronsard [3].

— Mon ouvrage est une œuvre purement physiologique [4].

— Oh ! tout est dit, reprit le professeur. Dans les sciences, la grammaire doit se prêter aux exigences des découvertes. Néanmoins, mon enfant, un style clair, harmonieux, la langue de Massillon [5], de M. de Buffon [6], du grand Racine, un style classique, enfin, ne gâte jamais rien. Mais, mon ami, reprit le professeur en s'interrompant, j'oubliais l'objet de ma visite. C'est une visite intéressée.

Se rappelant trop tard la verbeuse élégance et les éloquentes périphrases [7] auxquelles un long professorat avait habitué son maître, Raphaël se repentit presque de l'avoir reçu ; mais au moment où il allait souhaiter de le voir dehors, il comprima

---

1. *Si le classique bonhomme {…} Childe-Harold* : Childe-Harold est la représentation du poète dans le poème de Byron, Manfred est un jeune homme sombre et désespéré. \ 2. *Exegi monumentum* : « j'ai achevé un monument », Horace, *Odes*, III, 30. \ 3. *Vous n'aurez pas {…} Ronsard* : allusion à l'école romantique. \ 4. *Physiologique* : qui concerne le fonctionnement d'un organe. \ 5. *Massillon* : prédicateur français (1663-1742), professeur de rhétorique, auteur de sermons classiques. \ 6. *Buffon* : Georges de Buffon (1707-1788), naturaliste et écrivain français, auteur d'une *Histoire naturelle* et d'une théorie du style. \ 7. *Périphrase* : figure qui consiste à exprimer une notion qu'un seul mot pourrait désigner par plusieurs mots. Également façon compliquée de parler.

promptement son secret désir en jetant un furtif coup d'œi'
Peau de chagrin, suspendue devant lui et appliquée sur une ⌐
blanche où ses contours fatidiques étaient soigneusement dessinés
par une ligne rouge qui l'encadrait exactement. Depuis la fatale
orgie, Raphaël étouffait le plus léger de ses caprices et vivait de
manière à ne pas causer le moindre tressaillement à ce terrible
talisman. La Peau de chagrin était comme un tigre avec qui il lui
fallait vivre, sans en réveiller la férocité. Il écouta donc patiem-
ment les amplifications du vieux professeur, le père Porriquet mit
une heure à lui raconter les persécutions dont il était devenu
l'objet depuis la révolution de Juillet. Le bonhomme, voulant un
gouvernement fort, avait émis le vœu patriotique de laisser les
épiciers à leurs comptoirs, les hommes d'État au maniement des
affaires publiques, les avocats au Palais, les pairs de France au
Luxembourg ; mais un des ministres populaires du roi-citoyen
l'avait banni de sa chaire en l'accusant de carlisme [1]. Le vieillard se
trouvait sans place, sans retraite et sans pain. Étant la providence
d'un pauvre neveu dont il payait la pension au séminaire de Saint-
Sulpice, il venait, moins pour lui-même que pour son enfant
adoptif, prier son ancien élève de réclamer auprès du nouveau
ministre, non sa réintégration, mais l'emploi de proviseur dans
quelque collège de province. Raphaël était en proie à une somnolence invincible, lorsque la voix monotone du bonhomme cessa de
retentir à ses oreilles. Obligé par politesse de regarder les yeux
blancs et presque immobiles de ce vieillard au débit lent et lourd,
il avait été stupéfié, magnétisé par une inexplicable force
d'inertie.

– Eh bien, mon bon père Porriquet, répliqua-t-il sans savoir
précisément à quelle interrogation il répondait, je n'y puis rien du
tout. Je *souhaite bien vivement* que vous réussissiez…

En ce moment, sans apercevoir l'effet que produisirent sur le
front jaune et ridé du vieillard ces banales paroles, pleines
d'égoïsme et d'insouciance, Raphaël se dressa comme un jeune
chevreuil effrayé. Il vit une légère ligne blanche entre le bord de

---

1. *Carlisme* : parti du roi déchu par la révolution de Juillet, Charles X.

la peau noire et le dessin rouge ; il poussa un cri si terrible que le pauvre professeur en fut épouvanté.

— Allez, vieille bête ! s'écria-t-il, vous serez nommé proviseur ! Ne pouviez-vous pas me demander une rente viagère de mille écus plutôt qu'un souhait homicide ? Votre visite ne m'aurait rien coûté. Il y a cent mille emplois en France, et je n'ai qu'une vie ! Une vie d'homme vaut plus que tous les emplois du monde. Jonathas !

Jonathas parut.

— Voilà de tes œuvres, triple sot, pourquoi m'as-tu proposé de recevoir monsieur ? dit-il en lui montrant le vieillard pétrifié. T'ai-je remis mon âme entre les mains pour la déchirer ? Tu m'arraches en ce moment dix années d'existence ! Encore une faute comme celle-ci et tu me conduiras à la demeure où j'ai conduit mon père. N'aurais-je pas mieux aimé posséder la belle Foedora que d'obliger cette vieille carcasse, espèce de haillon humain ? J'ai de l'or pour lui. D'ailleurs, quand tous les Porriquet du monde mourraient de faim, qu'est-ce que cela me ferait ?

La colère avait blanchi le visage de Raphaël ; une légère écume sillonnait ses lèvres tremblantes, et l'expression de ses yeux était sanguinaire. À cet aspect, les deux vieillards furent saisis d'un tressaillement convulsif, comme deux enfants en présence d'un serpent. Le jeune homme tomba sur son fauteuil ; il se fit une sorte de réaction dans son âme, des larmes coulèrent abondamment de ses yeux flamboyants.

— Oh ! ma vie ! ma belle vie ! dit-il. Plus de bienfaisantes pensées ! plus d'amour ! plus rien ! Il se tourna vers le professeur. Le mal est fait, mon vieil ami, reprit-il d'une voix douce. Je vous aurai largement récompensé de vos soins. Et mon malheur aura, du moins, produit le bien d'un bon et digne homme.

Il y avait tant d'âme dans l'accent qui nuança ces paroles presque inintelligibles, que les deux vieillards pleurèrent comme on pleure en entendant un air attendrissant chanté dans une langue étrangère.

— Il est épileptique, dit Porriquet à voix basse.

— Je reconnais votre bonté, mon ami, reprit doucement Raphaël, vous voulez m'excuser. La maladie est un accident, l'inhumanité serait un vice. Laissez-moi maintenant, ajouta-t-il.

Vous recevrez demain ou après-demain, peut-être même ce soir, votre nomination, car la *résistance* a triomphé du *mouvement*[1]. Adieu.

Le vieillard se retira, pénétré d'horreur et en proie à de vives inquiétudes sur la santé morale de Valentin. Cette scène avait eu pour lui quelque chose de surnaturel. Il doutait de lui-même et s'interrogeait comme s'il se fût réveillé après un songe pénible.

— Écoute, Jonathas, reprit le jeune homme en s'adressant à son vieux serviteur. Tâche de comprendre la mission que je t'ai confiée !

— Oui, monsieur le marquis.

— Je suis comme un homme mis hors la loi commune.

— Oui, monsieur le marquis.

— Toutes les jouissances de la vie se jouent autour de mon lit de mort et dansent comme de belles femmes devant moi ; si je les appelle, je meurs. Toujours la mort ! Tu dois être une barrière entre le monde et moi.

— Oui, monsieur le marquis, dit le vieux valet en essuyant les gouttes de sueur qui chargeaient son front ridé. Mais, si vous ne voulez pas voir de belles femmes, comment ferez-vous ce soir aux Italiens ? Une famille anglaise qui repart pour Londres m'a cédé le reste de son abonnement, et vous avez une belle loge. Oh ! une loge superbe, aux premières.

Tombé dans une profonde rêverie, Raphaël n'écoutait plus.

Voyez-vous cette fastueuse voiture, ce coupé simple en dehors, de couleur brune, mais sur les panneaux duquel brille l'écusson d'une antique et noble famille ? Quand ce coupé passe rapidement, les grisettes[2] l'admirent, en convoitent le satin jaune, le tapis de la Savonnerie[3], la passementerie[4] fraîche comme une paille de riz, les moelleux coussins, et les glaces muettes. Deux

---

1. *Résistance {…} mouvement :* la *résistance* et le *mouvement* étaient le nom donné à deux positions politiques au début de la monarchie de Juillet. Les partisans du mouvement voulaient des réformes démocratiques, tandis que les tenants de la résistance exigeaient un retour à l'ordre. \ **2.** *Grisettes :* jeunes filles d'origine modeste et de mœurs assez légères. \ **3.** *Savonnerie :* ancienne manufacture royale de tapis. \ **4.** *Passementerie :* ensemble des ouvrages de fil destinés à l'ornement des vêtements et des meubles.

laquais en livrée se tiennent derrière cette voiture aristocratique ; mais au fond, sur la soie, gît une tête brûlante aux yeux cernés, la tête de Raphaël, triste et pensif. Fatale image de la richesse ! Il court à travers Paris comme une fusée, arrive au péristyle[1] du théâtre Favart, le marchepied se déploie, ses deux valets le soutiennent, une foule envieuse le regarde. – Qu'a-t-il fait celui-là pour être si riche ? dit un pauvre étudiant en droit, qui, faute d'un écu, ne pouvait entendre les magiques accords de Rossini. Raphaël marchait lentement dans les corridors de la salle, il ne se promettait aucune jouissance de ces plaisirs si fort enviés jadis. En attendant le second acte de la *Semiramide*[2], il se promenait au foyer, errait à travers les galeries, insouciant de sa loge dans laquelle il n'était pas encore entré. Le sentiment de la propriété n'existait déjà plus au fond de son cœur. Semblable à tous les malades, il ne songeait qu'à son mal. Appuyé sur le manteau de la cheminée, autour de laquelle abondaient, au milieu du foyer, les jeunes et vieux élégants, d'anciens et de nouveaux ministres, des pairs sans pairie, et des pairies sans pair, telles que les a faites la révolution de Juillet, enfin tout un monde de spéculateurs et de journalistes, Raphaël vit à quelques pas de lui, parmi toutes les têtes, une figure étrange et surnaturelle. Il s'avança en clignant les yeux fort insolemment vers cet être bizarre, afin de le contempler de plus près. Quelle admirable peinture ! se dit-il. Les sourcils, les cheveux, la virgule à la Mazarin que montrait vaniteusement l'inconnu, étaient teints en noir ; mais, appliqué sur une chevelure sans doute trop blanche, le cosmétique avait produit une couleur violâtre et fausse dont les teintes changeaient suivant les reflets plus ou moins vifs des lumières. Son visage étroit et plat, dont les rides étaient comblées par d'épaisses couches de rouge et de blanc, exprimait à la fois la ruse et l'inquiétude. Cette enluminure manquait à quelques endroits de la face et faisait singulièrement ressortir sa décrépitude et son teint plombé ; aussi était-il impossible de ne pas rire en voyant cette tête au menton pointu, au front proéminent, assez semblable à ces grotesques figures de bois

---

1. *Péristyle* : colonnade qui décore la façade d'un bâtiment. \ 2. *Semiramide* : opéra de Rossini créé en 1823 et joué à Paris effectivement à la fin de l'année 1830.

sculptées en Allemagne par les bergers pendant leurs loisirs. En examinant tour à tour ce vieil Adonis [1] et Raphaël, un observateur aurait cru reconnaître dans le marquis les yeux d'un jeune homme sous le masque d'un vieillard, et dans l'inconnu les yeux ternes d'un vieillard sous le masque d'un jeune homme. Valentin cherchait à se rappeler en quelle circonstance il avait vu ce petit vieux sec, bien cravaté, botté en adulte, qui faisait sonner ses éperons et se croisait les bras comme s'il avait toutes les forces d'une pétulante jeunesse à dépenser. Sa démarche n'accusait rien de gêné, ni d'artificiel. Son élégant habit, soigneusement boutonné, déguisait une antique et forte charpente, en lui donnant la tournure d'un vieux fat qui suit encore les modes. Cette espèce de poupée pleine de vie avait pour Raphaël tous les charmes d'une apparition, et il le contemplait comme un vieux Rembrandt enfumé, récemment restauré, verni, mis dans un cadre neuf. Cette comparaison lui fit retrouver la trace de la vérité dans ses confus souvenirs : il reconnut le marchand de curiosités, l'homme auquel il devait son malheur. En ce moment, un rire muet échappait à ce fantastique personnage, et se dessinait sur ses lèvres froides, tendues par un faux râtelier. À ce rire, la vive imagination de Raphaël lui montra dans cet homme de frappantes ressemblances avec la tête idéale que les peintres ont donnée au Méphistophélès de Goethe. Mille superstitions s'emparèrent de l'âme forte de Raphaël, il crut alors à la puissance du démon, à tous les sortilèges rapportés dans les légendes du Moyen Âge et mises en œuvre par les poètes. Se refusant avec horreur au sort de Faust, il invoqua soudain le ciel, ayant, comme les mourants, une foi fervente en Dieu, en la Vierge Marie. Une radieuse et fraîche lumière lui permit d'apercevoir le ciel de Michel-Ange et de Sanzio d'Urbin [2] : des nuages, un vieillard à barbe blanche, des têtes ailées, une belle femme assise dans une auréole. Maintenant il comprenait, il adoptait ces admirables créations dont les fantaisies presque humaines lui expliquaient son aventure et lui permettaient encore un espoir. Mais

---

1. *Adonis* : personnage dans la mythologie grecque d'une merveilleuse beauté. Aphrodite en devint amoureuse. \ 2. *Sanzio d'Urbin* : surnom de Raphaël.

quand ses yeux retombèrent sur le foyer des Italiens, au lieu de la Vierge, il vit une ravissante fille, la détestable Euphrasie, cette danseuse au corps souple et léger, qui, vêtue d'une robe éclatante, couverte de perles orientales, arrivait impatiente de son vieillard impatient, et venait se montrer, insolente, le front hardi, les yeux pétillants, à ce monde envieux et spéculateur pour témoigner de la richesse sans bornes du marchand dont elle dissipait les trésors. Raphaël se souvint du souhait goguenard par lequel il avait accueilli le fatal présent du vieil homme, et savoura tous les plaisirs de la vengeance en contemplant l'humiliation profonde de cette sagesse sublime, dont naguère la chute semblait impossible. Le funèbre sourire du centenaire s'adressait à Euphrasie qui répondit par un mot d'amour ; il lui offrit son bras desséché, fit deux ou trois fois le tour du foyer, recueillit avec délices les regards de passion et les compliments jetés par la foule à sa maîtresse, sans voir les rires dédaigneux, sans entendre les railleries mordantes dont il était l'objet.

— Dans quel cimetière cette jeune goule[1] a-t-elle déterré ce cadavre ? s'écria le plus élégant de tous les romantiques.

Euphrasie se prit à sourire. Le railleur était un jeune homme aux cheveux blonds, aux yeux bleus et brillants, svelte, portant moustache, ayant un frac écourté, le chapeau sur l'oreille, la repartie vive, tout le langage du genre.

— Combien de vieillards, se dit Raphaël en lui-même, couronnent une vie de probité, de travail, de vertu, par une folie. Celui-ci a les pieds froids et fait l'amour.

— Hé bien, monsieur, s'écria Valentin en arrêtant le marchand et lançant une œillade à Euphrasie, ne vous souvenez-vous plus des sévères maximes de votre philosophie ?

— Ah ! répondit le marchand d'une voix déjà cassée, je suis maintenant heureux comme un jeune homme. J'avais pris l'existence au rebours. Il y a toute une vie dans une heure d'amour.

En ce moment, les spectateurs entendirent la sonnette de rappel et quittèrent le foyer pour se rendre à leurs places. Le vieillard et

---

1. *Goule* : jeune femme vampire dans les contes fantastiques.

Raphaël se séparèrent. En entrant dans sa loge, le marquis aper[coi]t
Foedora, placée à l'autre côté de la salle précisément en face de lui.
Sans doute arrivée depuis peu, la comtesse rejetait son écharpe en
arrière, se découvrait le cou, faisait les petits mouvements indescriptibles d'une coquette occupée à se poser : tous les regards
étaient concentrés sur elle. Un jeune pair de France l'accompagnait, elle lui demanda la lorgnette qu'elle lui avait donnée à porter. À son geste, à la manière dont elle regarda ce nouveau parte-
naire, Raphaël devina la tyrannie à laquelle son successeur était
soumis. Fasciné sans doute comme il l'avait été jadis, dupé comme
lui, comme lui luttant avec toute la puissance d'un amour vrai
contre les froids calculs de cette femme, ce jeune homme devait
souffrir les tourments auxquels Valentin avait, heureusement
renoncé. Une joie inexprimable anima la figure de Foedora quand,
après avoir braqué sa lorgnette sur toutes les loges, et rapidement
examiné les toilettes, elle eut la conscience d'écraser par sa parure
et par sa beauté les plus jolies, les plus élégantes femmes de Paris ;
elle se mit à rire pour montrer ses dents blanches, agita sa tête
ornée de fleurs pour se faire admirer, son regard alla de loge en loge,
se moquant d'un béret gauchement posé sur le front d'une princesse russe, ou d'un chapeau manqué qui coiffait horriblement mal
la fille d'un banquier. Tout à coup, elle pâlit en rencontrant les yeux
fixes de Raphaël, son amant dédaigné la foudroya par un intolé-
rable coup d'œil de mépris. Quand aucun de ses amants bannis ne
méconnaissait sa puissance, Valentin, seul dans le monde, était à
l'abri de ses séductions. Un pouvoir impunément bravé touche à sa
ruine. Cette maxime est gravée plus profondément au cœur d'une
femme qu'à la tête des rois. Aussi Foedora voyait-elle en Raphaël
la mort de ses prestiges et de sa coquetterie. Un mot, dit par lui la
veille à l'Opéra, était déjà devenu célèbre dans les salons de Paris.
Le tranchant de cette terrible épigramme avait fait à la comtesse
une blessure incurable. En France, nous savons cautériser[1] une
plaie, mais nous n'y connaissons pas encore de remède au mal que
produit une phrase. Au moment où toutes les femmes regardèrent

---

1. *Cautériser* : désinfecter en brûlant les tissus.

alternativement le marquis et la comtesse, Foedora aurait voulu l'abîmer dans les oubliettes de quelque Bastille, car malgré son talent pour la dissimulation, ses rivales devinèrent sa souffrance. Enfin sa dernière consolation lui échappa. Ces mots délicieux : « Je suis la plus belle ! » cette phrase éternelle qui calmait tous les chagrins de sa vanité devint un mensonge. À l'ouverture du second acte, une femme vint se placer près de Raphaël, dans une loge qui jusqu'alors était restée vide. Le parterre entier laissa échapper un murmure d'admiration. Cette mer de faces humaines agita ses lames intelligentes et tous les yeux regardèrent l'inconnue. Jeunes et vieux firent un tumulte si prolongé, que, pendant le lever du rideau, les musiciens de l'orchestre se tournèrent d'abord pour réclamer le silence ; mais ils s'unirent aux applaudissements, et en accrurent les confuses rumeurs. Des conversations animées s'établirent dans chaque loge. Les femmes s'étaient toutes armées de leurs jumelles, les vieillards rajeunis nettoyaient avec la peau de leurs gants le verre de leurs lorgnettes. L'enthousiasme se calma par degrés, les chants retentirent sur la scène, tout rentra dans l'ordre. La bonne compagnie, honteuse d'avoir cédé à un mouvement naturel, reprit la froideur aristocratique de ses manières polies. Les riches veulent ne s'étonner de rien, ils doivent reconnaître au premier aspect d'une belle œuvre le défaut qui les dispensera de l'admiration, sentiment vulgaire. Cependant quelques hommes restèrent immobiles sans écouter la musique, perdus dans un ravissement naïf, occupés à contempler la voisine de Raphaël. Valentin aperçut dans une baignoire, et près d'Aquilina, l'ignoble et sanglante figure de Taillefer, qui lui adressait une grimace approbative. Puis il vit Émile, qui, debout à l'orchestre, semblait lui dire : « Mais regarde donc la belle créature qui est près de toi ! » Enfin Rastignac assis près de madame de Nucingen et de sa fille, tortillait ses gants comme un homme au désespoir d'être enchaîné là, sans pouvoir aller près de la divine inconnue. La vie de Raphaël dépendait d'un pacte encore inviolé qu'il avait fait avec lui-même, il s'était promis de ne jamais regarder attentivement aucune femme, et pour se mettre à l'abri d'une tentation, il portait un lorgnon dont le verre microscopique artistement disposé, détruisait l'harmonie des plus beaux traits, en leur donnant un hideux aspect.

Encore en proie à la terreur qui l'avait saisi le matin, quand, pour un simple vœu de politesse, le talisman s'était si promptement resserré, Raphaël résolut fermement de ne pas se retourner vers sa voisine. Assis comme une duchesse, il présentait le dos au coin de sa loge, et dérobait avec impertinence la moitié de la scène à l'inconnue, ayant l'air de la mépriser, d'ignorer même qu'une jolie femme se trouvât derrière lui. La voisine copiait avec exactitude la posture de Valentin. Elle avait appuyé son coude sur le bord de la loge, et se mettait la tête de trois quarts, en regardant les chanteurs, comme si elle se fût posée devant un peintre. Ces deux personnes ressemblaient à deux amants brouillés qui se boudent, se tournent le dos et vont s'embrasser au premier mot d'amour. Par moments, les légers marabouts[1] ou les cheveux de l'inconnue effleuraient la tête de Raphaël et lui causaient une sensation voluptueuse contre laquelle il luttait courageusement ; bientôt il sentit le doux contact des ruches de blonde[2] qui garnissaient le tour de la robe, la robe elle-même fit entendre le murmure efféminé de ses plis, frissonnement plein de molles sorcelleries ; enfin le mouvement imperceptible imprimé par la respiration à la poitrine, au dos, aux vêtements de cette jolie femme toute sa vie suave se communiqua soudain à Raphaël comme une étincelle électrique ; le tulle et la dentelle transmirent fidèlement à son épaule chatouillée la délicieuse chaleur de ce dos blanc et nu. Par un caprice de la nature, ces deux êtres désunis par le bon ton, séparés par les abîmes de la mort, respirèrent ensemble et pensèrent peut-être l'un à l'autre. Les pénétrants parfums de l'aloès[3] achevèrent d'enivrer Raphaël. Son imagination irritée par un obstacle, et que les entraves rendaient encore plus fantasque, lui dessina rapidement une femme en traits de feu. Il se retourna brusquement. Choquée sans doute de se trouver en contact avec un étranger, l'inconnue fit un mouvement semblable ; leurs visages, animés par la même pensée, restèrent en présence.

— Pauline !
— Monsieur Raphaël !

---

1. *Marabouts* : plumes de l'oiseau du même nom utilisées comme parure. \ **2.** *Ruches de blonde* : bandes d'étoffe plissées qui servent de parures aux vêtements. \ **3.** *Aloès* : plantes des régions chaudes désertiques, contenant un suc amer.

Pétrifiés l'un et l'autre, ils se regardèrent un instant en silence. Raphaël voyait Pauline dans une toilette simple et de bon goût. À travers la gaze qui couvrait chastement son corsage, des yeux habiles pouvaient apercevoir une blancheur de lis et deviner des formes qu'une femme eût admirées. Puis c'était toujours sa modestie virginale, sa céleste candeur, sa gracieuse attitude. L'étoffe de sa manche accusait le tremblement qui faisait palpiter le corps comme palpitait le cœur.

— Oh! venez demain, dit-elle, venez à l'hôtel Saint-Quentin, y reprendre vos papiers. J'y serai à midi. Soyez exact.

Elle se leva précipitamment et disparut. Raphaël voulut suivre Pauline, il craignit de la compromettre, resta, regarda Foedora, la trouva laide; mais ne pouvant comprendre une seule phrase de musique, étouffant dans cette salle, le cœur plein, il sortit et revint chez lui.

— Jonathas, dit-il à son vieux domestique au moment où il fut dans son lit, donne-moi une demi-goutte de laudanum [1] sur un morceau de sucre, et demain ne me réveille qu'à midi moins vingt minutes.

— Je veux être aimé de Pauline, s'écria-t-il le lendemain en regardant le talisman avec une indéfinissable angoisse.

La Peau ne fit aucun mouvement, elle semblait avoir perdu sa force contractile, elle ne pouvait sans doute pas réaliser un désir accompli déjà.

— Ah! s'écria Raphaël en se sentant délivré comme d'un manteau de plomb qu'il aurait porté depuis le jour où le talisman lui avait été donné, tu mens, tu ne m'obéis pas, le pacte est rompu! Je suis libre, je vivrai. C'était donc une mauvaise plaisanterie.

En disant ces paroles, il n'osait pas croire à sa propre pensée. Il se mit aussi simplement qu'il l'était jadis, et voulut aller à pied à son ancienne demeure, en essayant de se reporter en idée à ces jours heureux où il se livrait sans danger à la furie de ses désirs, où il n'avait point encore jugé toutes les jouissances humaines. Il marchait, voyant, non plus la Pauline de l'hôtel

---

1. *Laudanum* : opium à vertu soporifique.

Saint-Quentin, mais la Pauline de la veille, cette maîtresse accomplie, si souvent rêvée, jeune fille spirituelle, aimante, artiste, comprenant les poètes, comprenant la poésie et vivant au sein du luxe ; en un mot Foedora douée d'une belle âme, ou Pauline comtesse et deux fois millionnaire comme l'était Foedora. Quand il se trouva sur le seuil usé, sur la dalle cassée de cette porte où, tant de fois, il avait eu des pensées de désespoir, une vieille femme sortit de la salle et lui dit : – N'êtes-vous pas monsieur Raphaël de Valentin ?

– Oui, ma bonne mère, répondit-il.

– Vous connaissez votre ancien logement, reprit-elle, vous y êtes attendu.

– Cet hôtel est-il toujours tenu par madame Gaudin ? demanda-t-il.

– Oh ! non, monsieur. Maintenant madame Gaudin est baronne. Elle est dans une belle maison à elle, de l'autre côté de l'eau. Son mari est revenu. Dame ! il a rapporté des mille et des cents. L'on dit qu'elle pourrait acheter tout le quartier Saint-Jacques, si elle le voulait. Elle m'a donné *gratis* son fonds et son restant de bail. Ah ! c'est une bonne femme tout de même ! Elle n'est pas plus fière aujourd'hui qu'elle ne l'était hier.

Raphaël monta lestement à sa mansarde, et quand il atteignit les dernières marches de l'escalier, il entendit les sons du piano. Pauline était là modestement vêtue d'une robe de percaline[1] ; mais la façon de la robe, les gants, le chapeau, le châle, négligemment jetés sur le lit, révélaient toute une fortune.

– Ah ! vous voilà donc ! s'écria Pauline en tournant la tête et se levant par un naïf mouvement de joie.

Raphaël vint s'asseoir près d'elle, rougissant, honteux, heureux ; il la regarda sans rien dire.

– Pourquoi nous avez-vous donc quittées ? reprit-elle en baissant les yeux au moment où son visage s'empourpra. Qu'êtes-vous devenu ?

– Ah ! Pauline, j'ai été, je suis bien malheureux encore !

---

1. *Percaline* : toile de coton normalement utilisée pour les doublures.

– Là! s'écria-t-elle tout attendrie. J'ai deviné votre sort hier en vous voyant bien mis, riche en apparence, mais en réalité, hein! monsieur Raphaël, est-ce toujours comme autrefois?

Valentin ne put retenir quelques larmes, elles roulèrent dans ses yeux, il s'écria: « Pauline!... Je... » Il n'acheva pas, ses yeux étincelèrent d'amour, et son cœur déborda dans son regard.

– Oh! il m'aime, il m'aime, s'écria Pauline.

Raphaël fit un signe de tête, car il se sentit hors d'état de prononcer une seule parole. À ce geste, la jeune fille lui prit la main, la serra, et lui dit tantôt riant, tantôt sanglotant: – Riches, riches, heureux, riches, ta Pauline est riche. Mais moi, je devrais être bien pauvre aujourd'hui. J'ai mille fois dit que je paierais ce mot: *Il m'aime*, de tous les trésors de la terre. Ô mon Raphaël! J'ai des millions. Tu aimes le luxe, tu seras content; mais tu dois aimer mon cœur aussi, il y a tant d'amour pour toi dans ce cœur! Tu ne sais pas? Mon père est revenu. Je suis une riche héritière. Ma mère et lui me laissent entièrement maîtresse de mon sort; je suis libre, comprends-tu?

En proie à une sorte de délire, Raphaël tenait les mains de Pauline, et les baisait si ardemment, si avidement, que son baiser semblait être une sorte de convulsion. Pauline se dégagea les mains, les jeta sur les épaules de Raphaël et le saisit; ils se comprirent, se serrèrent et s'embrassèrent avec cette sainte et délicieuse ferveur, dégagée de toute arrière-pensée, dont se trouve empreint un seul baiser, le premier baiser par lequel deux âmes prennent possession d'elles-mêmes.

– Ah! s'écria Pauline en retombant sur la chaise, je ne veux plus te quitter. Je ne sais d'où me vient tant de hardiesse! reprit-elle en rougissant.

– De la hardiesse, ma Pauline? Oh! ne crains rien, c'est de l'amour, de l'amour vrai, profond, éternel comme le mien, n'est-ce pas?

– Oh! parle, parle, dit-elle. Ta bouche a été si longtemps muette pour moi!

– Tu m'aimais donc?

– Oh! Dieu, si je t'aimais! combien de fois j'ai pleuré, là, tiens, en faisant ta chambre, déplorant ta misère et la mienne. Je me serais vendue au démon pour t'éviter un chagrin! Aujourd'hui, *mon* Raphaël, car tu es bien à moi: à moi cette belle tête, à moi ton cœur! Oh! oui, ton cœur, surtout, éternelle richesse! Eh bien, où en suis-je? reprit-elle après une pause. Ah! m'y voici: nous avons trois, quatre, cinq millions, je crois. Si j'étais pauvre, je tiendrais peut-être à porter ton nom, à être nommée ta femme; mais, en ce moment, je voudrais te sacrifier le monde entier, je voudrais être encore et toujours ta servante. Va, Raphaël, en t'offrant mon cœur, ma personne, ma fortune, je ne te donnerais rien de plus aujourd'hui que le jour où j'ai mis là, dit-elle en montrant le tiroir de la table, certaine pièce de cent sous. Oh! comme alors ta joie m'a fait mal.

— Pourquoi es-tu riche, s'écria Raphaël, pourquoi n'as-tu pas de vanité? Je ne puis rien pour toi.

Il se tordit les mains de bonheur, de désespoir, d'amour.

— Quand tu seras madame la marquise de Valentin, je te connais, âme céleste, ce titre et ma fortune ne vaudront pas…

— Un seul de tes cheveux, s'écria-t-elle.

— Moi aussi, j'ai des millions; mais que sont maintenant les richesses pour nous? Ah! j'ai ma vie, je puis te l'offrir, prends-la.

— Oh! ton amour, Raphaël, ton amour vaut le monde. Comment, ta pensée est à moi? Mais je suis la plus heureuse des heureuses.

— L'on va nous entendre, dit Raphaël.

— Hé! il n'y a personne, répondit-elle en laissant échapper un geste mutin.

— Hé! bien, viens, s'écria Valentin en lui tendant les bras.

Elle sauta sur ses genoux et joignit ses mains autour du cou de Raphaël: — Embrassez-moi, dit-elle, pour tous les chagrins que vous m'avez donnés, pour effacer la peine que vos joies m'ont faite, pour toutes les nuits que j'ai passées à peindre mes écrans.

— Tes écrans!

— Puisque nous sommes riches, mon trésor, je puis te dire tout. Pauvre enfant! Combien il est facile de tromper les hommes d'esprit! Est-ce que tu pouvais avoir des gilets blancs et des chemises propres deux fois par semaine, pour trois francs de blanchissage par mois? Mais tu buvais deux fois plus de lait qu'il ne t'en revenait pour ton argent. Je t'attrapais sur tout : le feu, l'huile, et l'argent donc ? Oh ! mon Raphaël, ne me prends pas pour femme, dit-elle en riant, je suis une personne trop astucieuse.

— Mais comment faisais-tu donc ?

— Je travaillais jusqu'à deux heures du matin, répondit-elle, et je donnais à ma mère une moitié du prix de mes écrans, à toi l'autre.

Ils se regardèrent pendant un moment, tous deux hébétés de joie et d'amour.

— Oh ! s'écria Raphaël, nous paierons sans doute, un jour, ce bonheur par quelque effroyable chagrin.

— Serais-tu marié ? cria Pauline. Ah ! je ne veux te céder à aucune femme.

— Je suis libre, ma chérie.

— Libre, répéta-t-elle. Libre, et à moi !

Elle se laissa glisser sur ses genoux, joignit les mains, et regarda Raphaël avec une dévotieuse[1] ardeur.

— J'ai peur de devenir folle. Combien tu es gentil ! reprit-elle en passant une main dans la blonde chevelure de son amant. Est-elle bête, ta comtesse Foedora ! Quel plaisir j'ai ressenti hier en me voyant saluée par tous ces hommes. Elle n'a jamais été applaudie, elle ! Dis, cher, quand mon dos a touché ton bras, j'ai entendu en moi je ne sais quelle voix qui m'a crié : « Il est là. » Je me suis retournée, et je t'ai vu. Oh ! je me suis sauvée, je me sentais l'envie de te sauter au cou devant tout le monde.

— Tu es bien heureuse de pouvoir parler, s'écria Raphaël. Moi, j'ai le cœur serré. Je voudrais pleurer, je ne puis. Ne me retire pas ta main. Il me semble que je resterais, pendant toute ma vie, à te regarder ainsi, heureux, content.

— Oh ! répète-moi cela, mon amour !

— Et que sont les paroles, reprit Valentin en laissant tomber une larme chaude sur les mains de Pauline. Plus tard, j'essaierai de te dire mon amour, en ce moment je ne puis que le sentir...

---

1. *Dévotieuse* : pleine de piété, de ferveur

— Oh! s'écria-t-elle, cette belle âme, ce beau génie, ce cœur que je connais si bien, tout est à moi, comme je suis à toi.

— Pour toujours, ma douce créature, dit Raphaël d'une voix émue. Tu seras ma femme, mon bon génie. Ta présence a toujours dissipé mes chagrins et rafraîchi mon âme; en ce moment, ton sourire angélique m'a pour ainsi dire purifié. Je crois commencer une nouvelle vie. Le passé cruel et mes tristes folies me semblent n'être plus que de mauvais songes. Je suis pur, près de toi. Je sens l'air du bonheur. Oh! sois là toujours, ajouta-t-il en la pressant saintement sur son cœur palpitant.

— Vienne la mort quand elle voudra, s'écria Pauline en extase, j'ai vécu.

Heureux qui devinera leurs joies, il les aura connues!

— Oh! mon Raphaël, dit Pauline après quelques heures de silence, je voudrais qu'à l'avenir personne n'entrât dans cette chère mansarde.

— Il faut murer la porte, mettre une grille à la lucarne et acheter la maison, répondit le marquis.

— C'est cela, dit-elle. Puis, après un moment de silence: — Nous avons un peu oublié de chercher tes manuscrits?

Ils se prirent à rire avec une douce innocence.

— Bah! je me moque de toutes les sciences, s'écria Raphaël.

— Ah! monsieur, et la gloire?

— Tu es ma seule gloire.

— Tu étais bien malheureux en faisant ces petits pieds de mouche, dit-elle en feuilletant les papiers.

— Ma Pauline…

— Oh! oui, je suis ta Pauline. Eh bien?

— Où demeures-tu donc?

— Rue Saint-Lazare. Et toi?

— Rue de Varenne.

— Comme nous serons loin l'un de l'autre, jusqu'à ce que… Elle s'arrêta en regardant son ami d'un air coquet et malicieux.

— Mais, répondit Raphaël, nous avons tout au plus une quinzaine de jours à rester séparés.

— Vrai! dans quinze jours nous serons mariés! Elle sauta comme un enfant. Oh! je suis une fille dénaturée, reprit-elle, je ne pense plus ni à père, ni à mère, ni à rien dans le monde ! Tu ne sais pas, pauvre chéri ? Mon père est bien malade. Il est revenu des Indes, bien souffrant. Il a manqué mourir au Havre, où nous sommes allées le chercher. Ah ! Dieu, s'écria-t-elle en regardant l'heure à sa montre, déjà trois heures. Je dois me trouver à son réveil, à quatre heures. Je suis la maîtresse au logis : ma mère fait toutes mes volontés, mon père m'adore, mais je ne veux pas abuser de leur bonté, ce serait mal ! Le pauvre père, c'est lui qui m'a envoyée aux Italiens hier, tu viendras le voir demain, n'est-ce pas ?

— Madame la marquise de Valentin veut-elle me faire l'honneur d'accepter mon bras ?

— Ah ! je vais emporter la clef de cette chambre, reprit-elle. N'est-ce pas un palais, notre trésor ?

— Pauline, encore un baiser ?

— Mille ! Mon Dieu, dit-elle en regardant Raphaël, ce sera toujours ainsi, je crois rêver.

Ils descendirent lentement l'escalier ; puis, bien unis, marchant du même pas, tressaillant ensemble sous le poids du même bonheur, se serrant comme deux colombes, ils arrivèrent sur la place de la Sorbonne, où la voiture de Pauline attendait.

— Je veux aller chez toi, s'écria-t-elle. Je veux voir ta chambre, ton cabinet, et m'asseoir à la table sur laquelle tu travailles. Ce sera comme autrefois, ajouta-t-elle en rougissant. — Joseph, dit-elle à un valet, je vais rue de Varenne avant de retourner à la maison. Il est trois heures un quart, et je dois être revenue à quatre. Georges pressera les chevaux.

Et les deux amants furent en peu d'instants menés à l'hôtel de Valentin.

— Oh ! que je suis contente d'avoir examiné tout cela, s'écria Pauline en chiffonnant la soie des rideaux qui drapaient le lit de Raphaël. Quand je m'endormirai, je serai là, en pensée. Je me figurerai ta chère tête sur cet oreiller. Dis-moi, Raphaël, tu n'as pris conseil de personne pour meubler ton hôtel ?

— De personne.

— Bien vrai ? Ce n'est pas une femme qui…

— Pauline !

— Oh ! je me sens une affreuse jalousie. Tu as bon goût. Je veux avoir demain un lit pareil au tien.

Raphaël, ivre de bonheur, saisit Pauline.

— Oh ! mon père, mon père ! dit-elle.

— Je vais donc te reconduire, car je veux te quitter le moins possible, s'écria Valentin.

— Combien tu es aimant ! Je n'osais pas te le proposer...

— N'es-tu donc pas ma vie ?

Il serait fastidieux de consigner fidèlement ces adorables bavardages de l'amour auxquels l'accent, le regard, un geste intraduisible, donnent seuls du prix. Valentin reconduisit Pauline jusque chez elle, et revint ayant au cœur autant de plaisir que l'homme peut en ressentir et en porter ici-bas. Quand il fut assis dans son fauteuil, près de son feu, pensant à la soudaine et complète réalisation de toutes ses espérances, une idée froide lui traversa l'âme comme l'acier d'un poignard perce une poitrine, il regarda la Peau de chagrin, elle s'était légèrement rétrécie. Il prononça le grand juron français, sans y mettre les jésuitiques réticences de l'abbesse des Andouillettes[1], pencha la tête sur son fauteuil et resta sans mouvement les yeux arrêtés sur une patère, sans la voir.

— Grand Dieu ! s'écria-t-il. Quoi ! tous mes désirs, tous ! Pauvre Pauline !

Il prit un compas, mesura ce que la matinée lui avait coûté d'existence : « Je n'en ai pas pour deux mois », dit-il.

Une sueur glacée sortit de ses pores, tout à coup il obéit à un inexprimable mouvement de rage, et saisit la Peau de chagrin en s'écriant : « Je suis bien bête ! Il sortit, courut, traversa les jardins et jeta le talisman au fond d'un puits : Vogue la galère, dit-il. Au diable toutes ces sottises ! »

Raphaël se laissa donc aller au bonheur d'aimer, et vécut cœur à cœur avec Pauline. Leur mariage, retardé par des difficultés peu intéressantes à raconter, devait se célébrer dans les premiers jours de mars. Ils s'étaient éprouvés, ne doutaient point d'eux-mêmes,

---

1. *Jésuitiques {...} Andouillettes :* allusion à un passage du *Tristram Shandy* de Sterne où une abbesse, refusant de jurer pour faire avancer ses mules, se contente de prononcer les syllabes *bou* et *fou* tandis que la novice qui l'accompagne doit dire *gre* et *tre*...

et le bonheur leur ayant révélé toute la puissance de leur affection, jamais deux âmes, deux caractères ne s'étaient aussi parfaitement unis qu'ils le furent par la passion ; en s'étudiant ils s'aimèrent davantage : de part et d'autre même délicatesse, même pudeur, même volupté, la plus douce de toutes les voluptés, celle des anges ; point de nuages dans leur ciel ; tour à tour les désirs de l'un faisaient la loi de l'autre. Riches tous deux, ils ne connaissaient point de caprices qu'ils ne pussent satisfaire, et partant n'avaient point de caprices. Un goût exquis, le sentiment du beau, une vraie poésie animaient l'âme de l'épouse ; dédaignant les colifichets de la finance, un sourire de son ami lui semblait plus beau que toutes les perles d'Ormus[1], la mousseline ou les fleurs formaient ses plus riches parures. Pauline et Raphaël fuyaient d'ailleurs le monde, la solitude leur était si belle, si féconde ! Les oisifs voyaient exactement tous les soirs ce joli ménage de contrebande[2] aux Italiens ou à l'Opéra. Si d'abord quelques médisances égayèrent les salons, bientôt le torrent d'événements qui passa sur Paris fit oublier deux amants inoffensifs ; enfin, espèce d'excuse auprès des prudes, leur mariage était annoncé, et par hasard leurs gens se trouvaient discrets ; donc, aucune méchanceté trop vive ne les punit de leur bonheur.

Vers la fin du mois de février, époque à laquelle d'assez beaux jours firent croire aux joies du printemps, un matin, Pauline et Raphaël déjeunaient ensemble dans une petite serre, espèce de salon rempli de fleurs, et de plain-pied avec le jardin. Le doux et pâle soleil de l'hiver, dont les rayons se brisaient à travers des arbustes rares, tiédissait alors la température. Les yeux étaient égayés par les vigoureux contrastes des divers feuillages, par les couleurs des touffes fleuries et par toutes les fantaisies de la lumière et de l'ombre. Quand tout Paris se chauffait encore devant les tristes foyers, les deux jeunes époux riaient sous un berceau de camélias, de lilas, de bruyères. Leurs têtes joyeuses s'élevaient au-dessus des narcisses, des muguets et des roses du Bengale. Dans

---

1. *Ormus* : île du golfe Persique célèbre pour ses perles. \ 2. *Ménage de contrebande* : Raphaël et Pauline ne sont pas officiellement mariés.

cette serre voluptueuse et riche, les pieds foulaient une natte africaine colorée comme un tapis. Les parois tendues en coutil vert n'offraient pas la moindre trace d'humidité. L'ameublement était de bois en apparence grossier, mais dont l'écorce polie brillait de propreté. Un jeune chat accroupi sur la table où l'avait attiré l'odeur du lait se laissait barbouiller de café par Pauline ; elle folâtrait avec lui, défendait la crème qu'elle lui permettait à peine de flairer afin d'exercer sa patience et d'entretenir le combat ; elle éclatait de rire à chacune de ses grimaces, et débitait mille plaisanteries pour empêcher Raphaël de lire le journal, qui, dix fois déjà, lui était tombé des mains. Il abondait dans cette scène matinale un bonheur inexprimable comme tout ce qui est naturel et vrai. Raphaël feignait toujours de lire sa feuille, et contemplait à la dérobée Pauline aux prises avec le chat, sa Pauline enveloppée d'un long peignoir qui la lui voilait imparfaitement, sa Pauline les cheveux en désordre et montrant un petit pied blanc veiné de bleu dans une pantoufle de velours noir. Charmante à voir en déshabillé, délicieuse comme les fantastiques figures de Westhall[1], elle semblait être tout à la fois jeune fille et femme ; peut-être plus jeune fille que femme, elle jouissait d'une félicité sans mélange, et ne connaissait de l'amour que ses premières joies. Au moment où, tout à fait absorbé par sa douce rêverie, Raphaël avait oublié son journal, Pauline le saisit, le chiffonna, en fit une boule, le lança dans le jardin, et le chat courut après la politique qui tournait comme toujours sur elle-même. Quand Raphaël, distrait par cette scène enfantine, voulut continuer à lire et fit le geste de lever la feuille qu'il n'avait plus, éclatèrent des rires francs, joyeux, renaissant d'eux-mêmes comme les chants d'un oiseau.

— Je suis jalouse du journal, dit-elle en essuyant les larmes que son rire d'enfant avait fait couler. N'est-ce pas une félonie, reprit-elle redevenant femme tout à coup, que de lire des proclamations russes en ma présence, et de préférer la prose de l'empereur Nicolas à des paroles, à des regards d'amour ?

— Je ne lisais pas, mon ange aimé, je te regardais.

---

1. *Westhall* : Richard Westhall (1765-1836), graveur très célèbre.

En ce moment le pas lourd du jardinier dont les souliers ferrés faisaient crier le sable des allées retentit près de la serre.

— Excusez, monsieur le marquis, si je vous interromps ainsi que madame, mais je vous apporte une curiosité comme je n'en ai jamais vu. En tirant tout à l'heure, sous votre respect, un seau d'eau, j'ai amené cette singulière plante marine ! La voilà ! Faut, tout de même, que ce soit bien accoutumé à l'eau, car ce n'était point mouillé, ni humide. C'était sec comme du bois, et point gras du tout. Comme monsieur le marquis est plus savant que moi certainement, j'ai pensé qu'il fallait la lui apporter, et que ça l'intéresserait.

Et le jardinier montrait à Raphaël l'inexorable Peau de chagrin qui n'avait pas six pouces carrés de superficie.

— Merci, Vanière, dit Raphaël. Cette chose est très curieuse.

— Qu'as-tu, mon ange ? tu pâlis ! s'écria Pauline.

— Laissez-nous, Vanière.

— Ta voix m'effraie, reprit la jeune fille, elle est singulièrement altérée. Qu'as-tu ? Que te sens-tu ? Où as-tu mal ? Tu as mal ! Un médecin ! cria-t-elle. Jonathas, au secours !

— Ma Pauline, tais-toi, répondit Raphaël qui recouvra son sang-froid. Sortons. Il y a près de moi une fleur dont le parfum m'incommode. Peut-être est-ce cette verveine ?

Pauline s'élança sur l'innocent arbuste, le saisit par la tige, et le jeta dans le jardin.

— Oh ! ange, s'écria-t-elle en serrant Raphaël par une étreinte aussi forte que leur amour et en lui apportant avec une langoureuse coquetterie ses lèvres vermeilles à baiser, en te voyant pâlir, j'ai compris que je ne te survivrais pas : ta vie est ma vie. Mon Raphaël, passe-moi ta main sur le dos ? J'y sens encore *la petite mort*, j'y ai froid. Tes lèvres sont brûlantes. Et ta main ?… elle est glacée, ajouta-t-elle.

— Folle ! s'écria Raphaël.

— Pourquoi cette larme ? dit-elle. Laisse-la-moi boire.

— Oh ! Pauline, Pauline, tu m'aimes trop.

— Il se passe en toi quelque chose d'extraordinaire, Raphaël. Sois vrai, je saurai bientôt ton secret. Donne-moi cela, dit-elle en prenant la Peau de chagrin.

— Tu es mon bourreau, cria le jeune homme en jetant un re
d'horreur sur le talisman.

— Quel changement de voix! répondit Pauline qui laissa
tomber le fatal symbole du destin.

— M'aimes-tu? reprit-il.

— Si je t'aime, est-ce une question?

— Eh bien, laisse-moi, va-t'en!

La pauvre petite sortit.

— Quoi! s'écria Raphaël quand il fut seul, dans un siècle de
lumières où nous avons appris que les diamants sont les cristaux
du carbone, à une époque où tout s'explique, où la police
traduirait un nouveau Messie devant les tribunaux et soumettrait
ses miracles à l'Académie des sciences, dans un temps où nous ne
croyons plus qu'aux paraphes des notaires, je croirais, moi! à une
espèce de *Mané, Thekel, Pharès* [1]? Non, de par Dieu! je ne penserai
pas que l'Être Suprême puisse trouver du plaisir à tourmenter une
honnête créature. Allons voir les savants.

Il arriva bientôt, entre la Halle aux vins, immense recueil de
tonneaux, et la Salpêtrière, immense séminaire d'ivrognerie,
devant une petite mare où s'ébaudissaient des canards remarquables par la rareté des espèces et dont les ondoyantes couleurs,
semblables aux vitraux d'une cathédrale, pétillaient sous les
rayons du soleil. Tous les canards du monde étaient là, criant,
barbotant, grouillant, et formant une espèce de chambre canarde
rassemblée contre son gré, mais heureusement sans charte ni
principes politiques, et vivant sans rencontrer de chasseurs, sous
l'œil des naturalistes qui les regardaient par hasard.

— Voilà monsieur Lavrille, dit un porte-clefs à Raphaël qui
avait demandé ce grand pontife de la zoologie.

Le marquis vit un petit homme profondément enfoncé dans
quelques sages méditations à l'aspect de deux canards. Ce savant,
entre deux âges, avait une physionomie douce, encore adoucie par
un air obligeant; mais il régnait dans toute sa personne une

---

1. *Mané, Thekel, Pharès* : mots écrits en lettres de feu qui signifient «Compté, pesé, divisé»
dans la Bible et qui apprennent son destin à Balthazar, roi des Chaldéens (Daniel, V, 25-28).

préoccupation scientifique : sa perruque incessamment grattée et fantasquement retroussée laissait voir une ligne de cheveux blancs et accusait la fureur des découvertes qui, semblable à toutes les passions, nous arrache si puissamment aux choses de ce monde que nous perdons la conscience du *moi*. Raphaël, homme de science et d'étude, admira ce naturaliste dont les veilles étaient consacrées à l'agrandissement des connaissances humaines, dont les erreurs servaient encore la gloire de la France ; mais une petite maîtresse aurait ri sans doute de la solution de continuité qui se trouvait entre la culotte et le gilet rayé du savant, interstice d'ailleurs chastement rempli par une chemise qu'il avait copieusement froncée en se baissant et se levant tour à tour au gré de ses observations zoogénésiques [1].

Après quelques premières phrases de politesse, Raphaël crut nécessaire d'adresser à monsieur Lavrille un compliment banal sur ses canards.

– Oh ! nous sommes riches en canards, répondit le naturaliste. Ce genre est d'ailleurs, comme vous le savez sans doute, le plus fécond de l'ordre des palmipèdes. Il commence au *cygne*, et finit au *canard zinzin*, en comprenant cent trente-sept variétés d'individus bien distincts, ayant leurs noms, leurs mœurs, leur patrie, leur physionomie, et qui ne se ressemblent pas plus entre eux qu'un blanc ne ressemble à un nègre. En vérité, monsieur, quand nous mangeons un canard, la plupart du temps nous ne nous doutons guère de l'étendue... Il s'interrompit à l'aspect d'un joli petit canard qui remontait le talus de la mare. – Vous voyez là le cygne à cravate, pauvre enfant du Canada, venu de bien loin pour nous montrer son plumage brun et gris, sa petite cravate noire ! Tenez, il se gratte. Voici la fameuse oie à duvet ou canard *Eider*, sous l'édredon de laquelle dorment nos petites maîtresses ; est-elle jolie ! Qui n'admirerait ce petit ventre d'un blanc rougeâtre, ce bec vert ? Je viens, monsieur, reprit-il, d'être témoin d'un accouplement dont j'avais jusqu'alors désespéré. Le mariage s'est fait assez heureusement, et j'en attendrai fort impatiemment le

---

1. *Zoogénésique* : mot inventé par Balzac, relatif à la naissance des animaux.

résultat. Je me flatte d'obtenir une cent trente-huitième espèce à laquelle peut-être mon nom sera donné ! Voici les nouveaux époux, dit-il en montrant deux canards. C'est d'une part une oie rieuse (*anas albifrons*), de l'autre le grand canard siffleur (*anas ruffina* de Buffon). J'avais longtemps hésité entre le canard siffleur, le canard à sourcils blancs et le canard souchet (*anas clypeata*) : tenez, voici le souchet, ce gros scélérat brun-noir dont le col est verdâtre et si coquettement irisé. Mais, monsieur, le canard siffleur était huppé, vous comprenez alors que je n'ai plus balancé. Il ne nous manque ici que le canard varié à calotte noire. Ces messieurs prétendent unanimement que ce canard fait double emploi avec le canard sarcelle à bec recourbé, quant à moi... Il fit un geste admirable qui peignit à la fois la modestie et l'orgueil des savants, orgueil plein d'entêtement, modestie pleine de suffisance. Je ne le pense pas, ajouta-t-il. Vous voyez, mon cher monsieur, que nous ne nous amusons pas ici. Je m'occupe en ce moment de la monographie du genre canard [1]. Mais je suis à vos ordres.

En se dirigeant vers une assez jolie maison de la rue de Buffon, Raphaël soumit la Peau de chagrin aux investigations de monsieur Lavrille.

– Je connais ce produit, répondit le savant après avoir braqué sa loupe sur le talisman ; il a servi à quelque dessus de boîte. Le chagrin est fort ancien ! Aujourd'hui les gainiers préfèrent se servir de galuchat. Le galuchat est, comme vous le savez sans doute, la dépouille du *raja sephen*, un poisson de la mer Rouge...

– Mais ceci, monsieur, puisque vous avez l'extrême bonté...

– Ceci, reprit le savant en interrompant, est autre chose : entre le galuchat et le chagrin, il y a, monsieur, toute la différence de l'océan à la terre, du poisson à un quadrupède. Cependant la peau du poisson est plus dure que la peau de l'animal terrestre. Ceci, dit-il en montrant le talisman, est, comme vous le savez sans doute, un des produits les plus curieux de la zoologie.

– Voyons ! s'écria Raphaël.

---

1. *Monographie du genre canard* : comme l'ont montré les travaux de Moïse Le Yaouanc, toutes ses analyses proviennent du *Dictionnaire classique d'histoire naturelle* (1822-1830).

– Monsieur, répondit le savant en s'enfonçant dans son fauteuil, ceci est une peau d'âne.

– Je le sais, dit le jeune homme.

– Il existe en Perse, reprit le naturaliste, un âne extrêmement rare, l'onagre des anciens, *equus asinus*, le *koulan* des Tatars, Pallas [1] est allé l'observer, et l'a rendu à la science. En effet, cet animal avait longtemps passé pour fantastique. Il est, comme vous le savez, célèbre dans l'Écriture sainte ; Moïse avait défendu de l'accoupler avec ses congénères. Mais l'onagre est encore plus fameux par les prostitutions dont il a été l'objet, et dont parlent souvent les prophètes bibliques. Pallas, comme vous le savez sans doute, déclare, dans ses *Act. Pétrop.*, tome II, que ces excès bizarres sont encore religieusement accrédités chez les Persans et les Nogaïs [2] comme un remède souverain contre les maux de reins et la goutte sciatique. Nous ne nous doutons guère de cela, nous autres pauvres Parisiens. Le Muséum ne possède pas d'onagre. Quel superbe animal ! reprit le savant. Il est plein de mystères : son œil est muni d'une espèce de tapis réflecteur auquel les Orientaux attribuent le pouvoir de la fascination, sa robe est plus élégante et plus polie que ne l'est celle de nos plus beaux chevaux ; elle est sillonnée de bandes plus ou moins fauves, et ressemble beaucoup à la peau du zèbre. Son lainage a quelque chose de moelleux, d'ondoyant, de gras au toucher ; sa vue égale en justesse et en précision la vue de l'homme ; un peu plus grand que nos plus beaux ânes domestiques, il est doué d'un courage extraordinaire. Si, par hasard, il est surpris, il se défend avec une supériorité remarquable contre les bêtes les plus féroces ; quand à la rapidité de sa marche, elle ne peut se comparer qu'au vol des oiseaux ; un onagre, monsieur, tuerait à la course les meilleurs chevaux arabes ou persans. D'après le père du consciencieux docteur Niebuhr [3], de qui, vous le savez sans doute, nous déplorons la perte récente, le terme moyen du pas ordinaire de ces admirables créatures est de sept mille pas géométriques [4] par heure. Nos ânes

---

1. *Pallas* : naturaliste allemand (1741-1811). Il explora l'Oural, la mer Caspienne, la Chine. \ 2. *Nogaïs* : peuple turc des bords de la mer Noire. \ 3. *docteur Niebuhr* : docteur (1776-1831) connu surtout pour son *Histoire romaine*. Son père, Carsten Nieburh, était un grand explorateur. \ 4. *Pas géométriques* : cette mesure correspond environ à 1, 62 m.

dégénérés ne sauraient donner une idée de cet âne indépendant et fier. Il a le port leste, animé, l'air spirituel, fin, une physionomie gracieuse, des mouvements pleins de coquetterie ! C'est le roi zoologique de l'Orient. Les superstitions turques et persanes lui donnent même une mystérieuse origine, et le nom de Salomon se mêle aux récits que les conteurs du Thibet et de la Tartarie font sur les prouesses attribuées à ces nobles animaux. Enfin un onagre apprivoisé vaut des sommes immenses ; il est presque impossible de le saisir dans les montagnes, où il bondit comme un chevreuil, et semble voler comme un oiseau. La fable des chevaux ailés, notre Pégase [1], a sans doute pris naissance dans ces pays, où les bergers ont pu voir souvent un onagre sautant d'un rocher à un autre. Les ânes de selle, obtenus en Perse par l'accouplement d'une ânesse avec un onagre apprivoisé, sont peints en rouge, suivant une immémoriale tradition. Cet usage a donné lieu peut-être à notre proverbe : « Méchant comme un âne rouge. » À une époque où l'histoire naturelle était très négligée en France, un voyageur aura, je pense, amené un de ces animaux curieux qui supportent fort impatiemment l'esclavage. De là, le dicton ! La peau que vous me présentez, reprit le savant, est la peau d'un onagre. Nous varions sur l'origine du nom. Les uns prétendent que *Chagri* est un mot turc, d'autres veulent que *Chagri* soit la ville où cette dépouille zoologique subit une préparation chimique assez bien décrite par Pallas, et qui lui donne le grain particulier que nous admirons ; monsieur Martellens m'a écrit que *Châagri* est un ruisseau.

— Monsieur, je vous remercie de m'avoir donné des renseignements qui fourniraient une admirable note à quelque Dom Calmet [2], si les bénédictins existaient encore ; mais j'ai eu l'honneur de vous faire observer que ce fragment était primitivement d'un volume égal… à cette carte géographique, dit Raphaël en montrant à Lavrille un atlas ouvert : or depuis trois mois elle s'est sensiblement contractée…

— Bien, reprit le savant, je comprends. Monsieur, toutes les dépouilles d'êtres primitivement organisés sont sujettes à un

---

1. *Pégase* : cheval ailé de la mythologie grecque. \ **2.** *Dom Calmet* : dom Augustin Calmet, bénédictin érudit, connu pour ses ouvrages historiques et ses commentaires sur la Bible.

dépérissement naturel, facile à concevoir, et dont les progrès sont soumis aux influences atmosphériques. Les métaux eux-mêmes se dilatent ou se resserrent d'une manière sensible, car les ingénieurs ont observé des espaces assez considérables entre de grandes pierres primitivement maintenues par des barres de fer. La science est vaste, la vie humaine est bien courte. Aussi n'avons-nous pas la prétention de connaître tous les phénomènes de la nature.

— Monsieur, reprit Raphaël presque confus, excusez la demande que je vais vous faire. Êtes-vous bien sûr que cette peau soit soumise aux lois ordinaires de la zoologie, qu'elle puisse s'étendre ?

— Oh ! certes. Ah ! peste, dit monsieur Lavrille en essayant de tirer le talisman. Mais, monsieur, reprit-il, si vous voulez aller voir Planchette, le célèbre professeur de mécanique, il trouvera certainement un moyen d'agir sur cette Peau, de l'amollir, de la distendre.

— Oh ! monsieur, vous me sauvez la vie.

Raphaël salua le savant naturaliste, et courut chez Planchette, en laissant le bon Lavrille au milieu de son cabinet rempli de bocaux et de plantes séchées. Il remportait de cette visite, sans le savoir, toute la science humaine : une nomenclature[1] ! Ce bonhomme ressemblait à Sancho Pança racontant à Don Quichotte l'histoire des chèvres[2], il s'amusait à compter des animaux et à les numéroter. Arrivé sur le bord de la tombe, il connaissait à peine une petite fraction des incommensurables nombres du grand troupeau jeté par Dieu à travers l'océan des mondes, dans un but ignoré. Raphaël était content. — Je vais tenir mon âne en bride, s'écriait-il. Sterne avait dit avant lui : « Ménageons notre âne, si nous voulons vivre vieux. » Mais la bête est si fantasque !

Planchette était un grand homme sec, véritable poète perdu dans une perpétuelle contemplation, occupé à regarder toujours un abîme sans fond, LE MOUVEMENT. Le vulgaire taxe de folie ces esprits sublimes, gens incompris qui vivent dans une admirable

---

1. *Nomenclature* : classification. \ **2.** *Ce bonhomme { … } chèvres* : allusion au passage du *Don Quichotte* (Ⅰʳᵉ partie, chapitre XX), où Sancho raconte l'histoire d'un chevrier qui fait passer une rivière, dans la barque d'un pêcheur à ses trois cents chèvres. Il décompte séparément le passage de chaque chèvre. Don Quichotte impatienté l'interrompt.

insouciance du luxe et du monde, restant des journées entières à fumer un cigare éteint, ou venant dans un salon sans avoir toujours bien exactement marié les boutons de leurs vêtements avec les boutonnières. Un jour, après avoir longtemps mesuré le vide, ou entassé des X sous des Aa-gG, ils ont analysé quelque loi naturelle et décomposé le plus simple des principes ; tout à coup la foule admire une nouvelle machine ou quelque haquet[1] dont la facile structure nous étonne et nous confond ! Le savant modeste sourit en disant à ses admirateurs : – Qu'ai-je donc créé ? Rien. L'homme n'invente pas une force, il la dirige, et la science consiste à imiter la nature.

Raphaël surprit le mécanicien planté sur ses deux jambes, comme un pendu tombé droit sous sa potence. Planchette examinait une bille d'agate qui roulait sur un cadran solaire, en attendant qu'elle s'y arrêtât. Le pauvre homme n'était ni décoré, ni pensionné, car il ne savait pas enluminer ses calculs. Heureux de vivre à l'affût d'une découverte, il ne pensait ni à la gloire, ni au monde, ni à lui-même, et vivait dans la science pour la science.

– Cela est indéfinissable, s'écria-t-il. – Ah ! monsieur, reprit-il en apercevant Raphaël, je suis votre serviteur. Comment va la maman ? Allez voir ma femme.

– J'aurais cependant pu vivre ainsi ! pensa Raphaël qui tira le savant de sa rêverie en lui demandant le moyen d'agir sur le talisman qu'il lui présenta.

– Dussiez-vous rire de ma crédulité, monsieur, dit le marquis en terminant, je ne vous cacherai rien. Cette Peau me semble posséder une force de résistance contre laquelle rien ne peut prévaloir.

– Monsieur, dit-il, les gens du monde traitent toujours la science assez cavalièrement, tous nous disent à peu près ce qu'un incroyable disait à Lalande[2] en lui amenant des dames après l'éclipse : « Ayez la bonté de recommencer. » Quel effet voulez-vous produire ? La Mécanique a pour but d'appliquer les lois du

---

1. *Haquet* : charrette étroite et longue au système de chargement ingénieux. \ 2. *Lalande* : Joseph Lalande (1732-1807), astronome français, spécialiste des planètes et des comètes.

mouvement ou de les neutraliser. Quant au mouvement en lui-même, je vous le déclare avec humilité, nous sommes impuissants à le définir. Cela posé, nous avons remarqué quelques phénomènes constants qui régissent l'action des solides et des fluides. En reproduisant les causes génératrices de ces phénomènes, nous pouvons transporter les corps, leur transmettre une force locomotive dans des rapports de vitesse déterminée, les lancer, les diviser simplement ou à l'infini, soit que nous les cassions ou les pulvérisions ; puis les tordre, leur imprimer une rotation, les modifier, les comprimer, les dilater, les étendre. Cette science, monsieur, repose sur un seul fait. Vous voyez cette bille, reprit-il. Elle est ici sur cette pierre. La voici maintenant là. De quel nom appellerons-nous cet acte si physiquement naturel et si moralement extraordinaire ? Mouvement, locomotion, changement de lieu ? Quelle immense vanité cachée sous les mots ! Un nom, est-ce donc une solution ? Voilà pourtant toute la science. Nos machines emploient ou décomposent cet acte, ce fait. Ce léger phénomène adapté à des masses va faire sauter Paris. Nous pouvons augmenter la vitesse aux dépens de la force, et la force aux dépens de la vitesse. Qu'est-ce que la force et la vitesse ? Notre science est inhabile à le dire, comme elle l'est à créer un mouvement. Un mouvement, quel qu'il soit, est un immense pouvoir, et l'homme n'invente pas de pouvoirs. Le pouvoir est un, comme le mouvement, l'essence même du pouvoir. Tout est mouvement. La pensée est un mouvement. La nature est établie sur le mouvement. La mort est un mouvement dont les fins nous sont peu connues. Si Dieu est éternel, croyez qu'il est toujours en mouvement ! Dieu est le mouvement, peut-être. Voilà pourquoi le mouvement est inexplicable comme lui ; comme lui profond, sans bornes, incompréhensible, intangible. Qui jamais a touché, compris, mesuré le mouvement ? Nous en sentons les effets sans les voir. Nous pouvons même le nier comme nous nions Dieu. Où est-il ? Où n'est-il pas ? D'où part-il ? Où en est le principe ? Où en est la fin ? Il nous enveloppe, nous presse et nous échappe. Il est évident comme un fait, obscur comme une abstraction, tout à la fois effet et cause. Il lui faut comme à nous l'espace, et qu'est-ce que l'espace ? Le mouvement seul nous le révèle ; sans le mouvement, il n'est plus qu'un mot vide de sens. Problème insoluble, semblable au vide, semblable à la création, à l'infini, le mouvement confond la pensée humaine, et tout ce qu'il est permis à l'homme de concevoir, c'est qu'il ne le concevra jamais. Entre chacun des points successivement occupés par cette bille dans l'espace, reprit le savant, il se rencontre un abîme pour la raison humaine, un abîme où est tombé Pascal. Pour agir sur la substance inconnue, que vous voulez soumettre à une force inconnue, nous devons d'abord étudier cette substance; d'après sa nature, ou elle se brisera sous un choc, ou elle y résistera; si elle se divise et que votre intention ne soit pas de la partager, nous n'atteindrons pas le but proposé. Voulez-vous la comprimer? il faut transmettre un mouvement égal à toutes les parties de la substance de manière à diminuer uniformément l'intervalle qui les sépare. Désirez-vous l'étendre? nous devrons tâcher d'imprimer à chaque molécule une force excentrique égale; car, sans l'observation exacte de cette loi, nous y produirions des solutions de continuité. Il existe, monsieur, des modes infinis, des combinaisons sans bornes dans le mouvement. À quel effet vous arrêtez-vous?

— Monsieur, dit Raphaël impatienté, je désire une pression quelconque assez forte pour étendre indéfiniment cette Peau…

— La substance étant finie, répondit le mathématicien, ne saurait être indéfiniment distendue, mais la compression multipliera nécessairement l'étendue de sa surface aux dépens de l'épaisseur; elle s'amincira jusqu'à ce que la matière manque…

— Obtenez ce résultat, monsieur, s'écria Raphaël, et vous aurez gagné des millions.

— Je vous volerais votre argent, répondit le professeur avec le flegme d'un Hollandais. Je vais vous démontrer en deux mots l'existence d'une machine sous laquelle Dieu lui-même serait écrasé comme une mouche. Elle réduirait un homme à l'état de papier brouillard, un homme botté, éperonné, cravaté, chapeau, or, bijoux, tout…

— Quelle horrible machine!

— Au lieu de jeter leurs enfants à l'eau, les Chinois devraient les utiliser ainsi, reprit le savant sans penser au respect de l'homme pour sa progéniture.

Tout entier à son idée, Planchette prit un pot de fleurs vide, troué dans le fond et l'apporta sur la dalle du gnomon[1] ; puis il alla chercher un peu de terre glaise dans un coin du jardin. Raphaël resta charmé comme un enfant auquel sa nourrice conte une histoire merveilleuse. Après avoir posé sa terre glaise sur la dalle, Planchette tira de sa poche une serpette, coupa deux branches de sureau, et se mit à les vider en sifflant comme si Raphaël n'eût pas été là.

— Voilà les éléments de la machine, dit-il.

Il attacha par un coude en terre glaise l'un de ses tuyaux de bois au fond du pot, de manière à ce que le trou du sureau correspondît à celui du vase. Vous eussiez dit d'une énorme pipe. Il étala sur la dalle un lit de glaise en lui donnant la forme d'une pelle, assit le pot de fleurs dans la partie la plus large, et fixa la branche de sureau sur la portion qui représentait le manche. Enfin il mit un pâté de terre glaise à l'extrémité du tube en sureau, il y planta l'autre branche creuse, tout droit, en pratiquant un autre coude pour la joindre à la branche horizontale, en sorte que l'air, ou tel fluide ambiant donné, pût circuler dans cette machine improvisée, et courir depuis l'embouchure du tube vertical, à travers le canal intermédiaire, jusque dans le grand pot de fleurs vide.

— Monsieur, cet appareil, dit-il à Raphaël avec le sérieux d'un académicien prononçant son discours de réception, est un des plus beaux titres du grand Pascal[2] à notre admiration.

— Je ne comprends pas.

Le savant sourit. Il alla détacher d'un arbre fruitier une petite bouteille dans laquelle son pharmacien lui avait envoyé une liqueur où se prenaient les fourmis ; il en cassa le fond, se fit un entonnoir, l'adapta soigneusement au trou de la branche creuse qu'il avait fixée verticalement dans l'argile, en opposition au grand réservoir figuré par le pot de fleurs ; puis, au moyen d'un arrosoir, il y versa la quantité d'eau nécessaire pour qu'elle se trouvât égale bord à bord et dans le grand vase et dans la petite embouchure circulaire du sureau. Raphaël pensait à sa Peau de chagrin.

---

1. *Gnomon* : cadran solaire. \ **2.** *Monsieur, cet appareil {…} Pascal* : Pascal a été l'inventeur de la presse hydraulique.

— Monsieur, dit le mécanicien, l'eau passe encore aujourd'hui pour un corps incompressible, n'oubliez pas ce principe fondamental, néanmoins elle se comprime ; mais si légèrement, que nous devons compter sa faculté contractile comme zéro. Vous voyez la surface que présente l'eau arrivée à la superficie du pot de fleurs.

— Oui, monsieur.

— Hé bien, supposez cette surface mille fois plus étendue que ne l'est l'orifice du bâton de sureau [1] par lequel j'ai versé le liquide. Tenez, j'ôte l'entonnoir.

— D'accord.

— Hé bien, monsieur, si par un moyen quelconque j'augmente le volume de cette masse en introduisant encore de l'eau par l'orifice du petit tuyau, le fluide, contraint d'y descendre, montera dans le réservoir figuré par le pot de fleurs jusqu'à ce que le liquide arrive à un même niveau dans l'un et dans l'autre...

— Cela est évident, s'écria Raphaël.

— Mais il y a cette différence, reprit le savant, que si la mince colonne d'eau ajoutée dans le petit tube vertical y présente une force égale au poids d'une livre [2] par exemple, comme son action se transmettra fidèlement à la masse liquide et viendra réagir sur tous les points de la surface qu'elle présente dans le pot de fleurs, il s'y trouvera mille colonnes d'eau qui, tendant toutes à s'élever comme si elles étaient poussées par une force égale à celle qui fait descendre le liquide dans le bâton de sureau vertical, produiront nécessairement ici, dit Planchette en montrant à Raphaël l'ouverture du pot de fleurs, une puissance mille fois plus considérable que la puissance introduite là.

Et le savant indiquait du doigt au marquis le tuyau de bois planté droit dans la glaise.

— Cela est tout simple, dit Raphaël.

Planchette sourit.

— En d'autres termes, reprit-il avec cette ténacité de logique naturelle aux mathématiciens, il faudrait, pour repousser

---

1. *Sureau* : arbuste dont les tiges sont trouées par un canal. \ **2.** *Une livre* : cinq cents grammes.

l'irruption de l'eau, déployer, sur chaque partie de la grande surface, une force égale à la force agissant dans le conduit vertical ; mais, à cette différence près, que si la colonne liquide y est haute d'un pied, les mille petites colonnes de la grande surface n'y auront qu'une très faible élévation. Maintenant, dit Planchette en donnant une chiquenaude à ses bâtons, remplaçons ce petit appareil grotesque par des tubes métalliques d'une force et d'une dimension convenables, si vous couvrez d'une forte platine[1] mobile la surface fluide du grand réservoir, et qu'à cette platine vous en opposiez une autre dont la résistance et la solidité soient à toute épreuve, si de plus vous m'accordez la puissance d'ajouter sans cesse de l'eau par le petit tube vertical à la masse liquide, l'objet, pris entre les deux plans solides, doit nécessairement céder à l'immense action qui le comprime indéfiniment. Le moyen d'introduire constamment de l'eau par le petit tube est une niaiserie en mécanique, ainsi que le mode de transmettre la puissance de la masse liquide à une platine. Deux pistons et quelques soupapes suffisent. Concevez-vous alors, mon cher monsieur, dit-il en prenant le bras de Valentin, qu'il n'existe guère de substance qui, mise entre ces deux résistances indéfinies, ne soit contrainte à s'étaler.

– Quoi ! l'auteur des *Lettres provinciales*[2] a inventé... s'écria Raphaël.

– Lui seul, monsieur. La Mécanique ne connaît rien de plus simple ni de plus beau. Le principe contraire, l'expansibilité de l'eau, a créé la machine à vapeur. Mais l'eau n'est expansible qu'à un certain degré, tandis que son incompressibilité, étant une force en quelque sorte négative, se trouve nécessairement infinie.

– Si cette Peau s'étend, dit Raphaël, je vous promets d'élever une statue colossale à Blaise Pascal, de fonder un prix de cent mille francs pour le plus beau problème de mécanique résolu dans chaque période de dix ans, de doter vos cousines, arrière-cousines, enfin de bâtir un hôpital destiné aux mathématiciens devenus fous ou pauvres.

---

1. *Platine* : plateau. \ 2. *Lettres provinciales* : œuvre de Blaise Pascal (1623-1662).

— Ce serait fort utile, dit Planchette. Monsieur, reprit-il avec le calme d'un homme vivant dans une sphère tout intellectuelle, nous irons demain chez Spieghalter. Ce mécanicien distingué vient de fabriquer, d'après mes plans, une machine perfectionnée avec laquelle un enfant pourrait faire tenir mille bottes de foin dans son chapeau.

— À demain, monsieur.

— À demain.

— Parlez-moi de la Mécanique ! s'écria Raphaël. N'est-ce pas la plus belle de toutes les sciences ? L'autre avec ses onagres, ses classements, ses canards, ses genres et ses bocaux pleins de monstres, est tout au plus bon à marquer les points dans un billard public.

Le lendemain, Raphaël tout joyeux vint chercher Planchette, et ils allèrent ensemble dans la rue de la Santé, nom de favorable augure. Chez Spieghalter, le jeune homme se trouva dans un établissement immense, ses regards tombèrent sur une multitude de forges rouges et rugissantes. C'était une pluie de feu, un déluge de clous, un océan de pistons, de vis, de leviers, de traverses, de limes, d'écrous, une mer de fontes, de bois, de soupapes et d'aciers en barres. La limaille prenait à la gorge. Il y avait du fer dans la température, les hommes étaient couverts de fer, tout puait le fer, le fer avait une vie, il était organisé, il se fluidifiait, marchait, pensait en prenant toutes les formes, en obéissant à tous les caprices. À travers les hurlements des soufflets, les crescendo des marteaux, les sifflements des tours qui faisaient grogner le fer, Raphaël arriva dans une grande pièce, propre et bien aérée, où il put contempler à son aise la presse immense dont lui avait parlé Planchette. Il admira des espèces de madriers[1] en fonte, et des jumelles en fer unies par un indestructible noyau.

— Si vous tourniez sept fois cette manivelle avec promptitude, lui dit Spieghalter en lui montrant un balancier de fer poli, vous feriez jaillir une planche d'acier en milliers de jets qui vous entreraient dans les jambes comme des aiguilles.

— Peste ! s'écria Raphaël.

---

1. *Madriers* : planches très épaisses.

Planchette glissa lui-même la Peau de chagrin entre les deux platines de la presse souveraine, et, plein de cette sécurité que donnent les convictions scientifiques, il manœuvra vivement le balancier.

— Couchez-vous tous, nous sommes morts, cria Spieghalter d'une voix tonnante en se laissant tomber lui-même à terre.

Un sifflement horrible retentit dans les ateliers. L'eau contenue dans la machine brisa la fonte, produisit un jet d'une puissance incommensurable, et se dirigea heureusement sur une vieille forge qu'elle renversa, bouleversa, tordit comme une trombe entortille une maison et l'emporte avec elle.

— Oh! dit tranquillement Planchette, le Chagrin est sain comme mon œil! Maître Spieghalter, il y avait une paille[1] dans votre fonte, ou quelque interstice dans le grand tube.

— Non, non, je connais ma fonte. Monsieur peut remporter son outil, le diable est logé dedans.

L'Allemand saisit un marteau de forgeron, jeta la Peau sur une enclume, et, de toute la force que donne la colère, déchargea sur le talisman le plus terrible coup qui jamais eût mugi dans ses ateliers.

— Il n'y paraît seulement pas, s'écria Planchette en caressant le chagrin rebelle.

Les ouvriers accoururent. Le contremaître prit la Peau et la plongea dans le charbon de terre d'une forge. Tous rangés en demi-cercle autour du feu, attendirent avec impatience le jeu d'un énorme soufflet. Raphaël, Spieghalter, le professeur Planchette occupaient le centre de cette foule noire et attentive. En voyant tous ces yeux blancs, ces têtes poudrées de fer, ces vêtements noirs et luisants, ces poitrines poilues, Raphaël se crut transporté dans le monde nocturne et fantastique des ballades allemandes. Le contremaître saisit la Peau avec des pinces après l'avoir laissée dans le foyer pendant dix minutes.

— Rendez-la-moi, dit Raphaël.

Le contremaître la présenta par plaisanterie à Raphaël. Le marquis mania facilement la Peau froide et souple sous ses doigts.

---

1. *Paille* : défaut dans une pièce de métal.

Un cri d'horreur s'éleva, les ouvriers s'enfuirent, Valentin resta seul avec Planchette dans l'atelier désert.

— Il y a décidément quelque chose de diabolique là-dedans, s'écria Raphaël au désespoir. Aucune puissance humaine ne saurait donc me donner un jour de plus !

— Monsieur, j'ai tort, répondit le mathématicien d'un air contrit, nous devions soumettre cette Peau singulière à l'action d'un laminoir[1]. Où avais-je les yeux en vous proposant une pression.

— C'est moi qui l'ai demandée, répliqua Raphaël.

Le savant respira comme un coupable acquitté par douze jurés. Cependant intéressé par le problème étrange que lui offrait cette peau, il réfléchit un moment et dit : — Il faut traiter cette substance inconnue par des réactifs. Allons voir Japhet, la Chimie sera peut-être plus heureuse que la Mécanique.

Valentin mit son cheval au grand trot, dans l'espoir de rencontrer le fameux chimiste Japhet à son laboratoire.

— Hé bien, mon vieil ami, dit Planchette en apercevant Japhet assis dans un fauteuil et contemplant un précipité, comment va la Chimie ?

— Elle s'endort. Rien de neuf. L'Académie a cependant reconnu l'existence de la salicine. Mais la salicine, l'asparagine, la vauqueline, la digitaline[2] ne sont pas des découvertes.

— Faute de pouvoir inventer des choses, dit Raphaël, il paraît que vous en êtes réduits à inventer des noms.

— Cela est pardieu vrai, jeune homme !

— Tiens, dit le professeur Planchette au chimiste, essaie de nous décomposer cette substance, si tu en extrais un principe quelconque, je le nomme d'avance la *diaboline*, car en voulant la comprimer, nous venons de briser une presse hydraulique.

— Voyons, voyons cela, s'écria joyeusement le chimiste, ce sera peut-être un nouveau corps simple[3].

---

1. *Laminoir* : machine composée de deux cylindres d'acier tournant en sens inverse entre lesquels on fait passer le métal à réduire. \ 2. *La salicine, l'asparagine, la vauqueline, la digitaline* : noms de quatre substances chimiques. \ 3. *Corps simple* : substance considérée comme indécomposable.

– Monsieur, dit Raphaël, c'est tout simplement un morceau de peau d'âne.

– Monsieur ? reprit gravement le célèbre chimiste.

– Je ne plaisante pas, répliqua le marquis en lui présentant la Peau de chagrin.

Le baron Japhet appliqua sur la Peau les houppes[1] nerveuses de sa langue si habile à déguster les sels, les acides, les alcalis[2], les gaz, et dit après quelques essais : – Point de goût ! Voyons, nous allons lui faire boire un peu d'acide phthorique[3].

Soumise à l'action de ce principe, si prompt à désorganiser les tissus animaux, la Peau ne subit aucune altération.

– Ce n'est pas du chagrin, s'écria le chimiste. Nous allons traiter ce mystérieux inconnu comme un minéral et lui donner sur le nez en le mettant dans un creuset infusible où j'ai précisément de la potasse rouge.

Japhet sortit et revint bientôt.

– Monsieur, dit-il à Raphaël, laissez-moi prendre un morceau de cette singulière substance, elle est si extraordinaire…

– Un morceau ! s'écria Raphaël, pas seulement la valeur d'un cheveu. D'ailleurs essayez, dit-il d'un air tout à la fois triste et goguenard.

Le savant cassa un rasoir en voulant entamer la Peau, il tenta de la briser par une forte décharge d'électricité, puis il la soumit à l'action de la pile voltaïque, enfin les foudres de sa science échouèrent sur le terrible talisman. Il était sept heures du soir. Planchette, Japhet et Raphaël, ne s'apercevant pas de la fuite du temps, attendaient le résultat d'une dernière expérience. Le chagrin sortit victorieux d'un épouvantable choc auquel il avait été soumis, grâce à une quantité raisonnable de chlorure d'azote.

– Je suis perdu ! s'écria Raphaël. Dieu est là. Je vais mourir. Il laissa les deux savants stupéfaits.

– Gardons-nous bien de raconter cette aventure à l'Académie, nos collègues s'y moqueraient de nous, dit Planchette au chimiste

---

1. *Houppes* : papilles. \ 2. *Alcalis* : noms des sels basiques que donnent avec l'oxygène les métaux alcalins. \ 3. *Phthorique* : fluorhydrique.

après une longue pause pendant laquelle ils se regardèrent sans oser se communiquer leurs pensées.

Les deux savants étaient comme des chrétiens sortant de leurs tombes sans trouver un Dieu dans le ciel. La science ? Impuissante ! Les acides ? Eau claire ! La potasse rouge ? Déshonorée ! La pile voltaïque et la foudre ? Deux bilboquets !

— Une presse hydraulique fendue comme une mouillette ! ajouta Planchette.

— Je crois au diable, dit le baron Japhet après un moment de silence.

— Et moi à Dieu, répondit Planchette.

Tous deux étaient dans leur rôle. Pour un mécanicien, l'univers est une machine qui veut un ouvrier ; pour la chimie, cette œuvre d'un démon qui va décomposant tout, le monde est un gaz doué de mouvement.

— Nous ne pouvons pas nier le fait, reprit le chimiste.

— Bah ! pour nous consoler, messieurs les doctrinaires ont créé ce nébuleux axiome : « Bête comme un fait. »

— Ton axiome, répliqua le chimiste, me semble, à moi, fait comme une bête.

Ils se prirent à rire, et dînèrent en gens qui ne voyaient plus qu'un phénomène dans un miracle.

En rentrant chez lui, Valentin était en proie à une rage froide ; il ne croyait plus à rien, ses idées se brouillaient dans sa cervelle, tournoyaient et vacillaient comme celles de tout homme en présence d'un fait impossible. Il avait cru volontiers à quelque défaut secret dans la machine de Spieghalter, l'impuissance de la science et du feu ne l'étonnait pas ; mais la souplesse de la Peau quand il la maniait, mais sa dureté lorsque les moyens de destruction mis à la disposition de l'homme étaient dirigés sur elle, l'épouvantaient. Ce fait incontestable lui donnait le vertige.

— Je suis fou, se dit-il. Quoique depuis ce matin je sois à jeun, je n'ai ni faim ni soif, et je sens dans ma poitrine un foyer qui me brûle.

Il remit la Peau de chagrin dans le cadre où elle avait été naguère enfermée ; et, après avoir décrit par une ligne d'encre rouge le contour actuel du talisman, il s'assit dans son fauteuil.

– Déjà huit heures, s'écria-t-il. Cette journée a passé comme un songe.

Il s'accouda sur le bras du fauteuil, s'appuya la tête dans sa main gauche, et resta perdu dans une de ces méditations funèbres, dans ces pensées dévorantes dont le secret est emporté par les condamnés à mort.

– Ah! Pauline, s'écria-t-il, pauvre enfant! il y a des abîmes que l'amour ne saurait franchir, malgré la force de ses ailes. En ce moment il entendit très distinctement un soupir étouffé, et reconnut par un des plus touchants privilèges de la passion le souffle de sa Pauline. – Oh! se dit-il, voilà mon arrêt. Si elle était là, je voudrais mourir dans ses bras.

Un éclat de rire bien franc, bien joyeux, lui fit tourner la tête vers son lit, il vit à travers les rideaux diaphanes la figure de Pauline souriant comme un enfant heureux d'une malice qui réussit; ses beaux cheveux formaient des milliers de boucles sur ses épaules; elle était là semblable à une rose du Bengale sur un monceau de roses blanches.

– J'ai séduit Jonathas, dit-elle. Ce lit ne m'appartient-il pas, à moi qui suis ta femme? Ne me gronde pas, chéri, je ne voulais que dormir près de toi, te surprendre. Pardonne-moi cette folie. Elle sauta hors du lit par un mouvement de chatte, se montra radieuse dans ses mousselines, et s'assit sur les genoux de Raphaël: De quel abîme parlais-tu donc, mon amour? dit-elle en laissant voir sur son front une expression soucieuse.

– De la mort.

– Tu me fais mal, répondit-elle. Il y a certaines idées auxquelles, nous autres, pauvres femmes, nous ne pouvons nous arrêter, elles nous tuent. Est-ce force d'amour ou manque de courage? Je ne sais. La mort ne m'effraie pas, reprit-elle en riant. Mourir avec toi, demain matin, ensemble, dans un dernier baiser, ce serait un bonheur. Il me semble que j'aurais encore vécu plus de cent ans. Qu'importe le nombre de jours, si, dans une nuit, dans une heure, nous avons épuisé toute une vie de paix et d'amour?

– Tu as raison, le ciel parle par ta jolie bouche. Donne que je la baise, et mourons, dit Raphaël.

– Mourons donc, répondit-elle en riant.

Vers les neuf heures du matin, le jour passait à travers les fentes des persiennes ; amoindri par la mousseline des rideaux, il permettait encore de voir les riches couleurs du tapis et les meubles soyeux de la chambre où reposaient les deux amants. Quelques dorures étincelaient. Un rayon de soleil venait mourir sur le mol édredon que les jeux de l'amour avaient jeté par terre. Suspendue à une grande psyché[1], la robe de Pauline se dessinait comme une vaporeuse apparition. Les souliers mignons avaient été laissés loin du lit. Un rossignol vint se poser sur l'appui de la fenêtre, ses gazouillements répétés, le bruit de ses ailes soudainement déployées quand il s'envola, réveillèrent Raphaël.

— Pour mourir, dit-il en achevant une pensée commencée dans son rêve, il faut que mon organisation, ce mécanisme de chair et d'os animé par ma volonté, et qui fait de moi un individu *homme*, présente une lésion sensible. Les médecins doivent connaître les symptômes de la vitalité attaquée, et pouvoir me dire si je suis en santé ou malade.

Il contempla sa femme endormie qui lui tenait la tête, exprimant ainsi pendant le sommeil les tendres sollicitudes de l'amour. Gracieusement étendue comme un jeune enfant et le visage tourné vers lui, Pauline semblait le regarder encore en lui tendant une jolie bouche entrouverte par un souffle égal et pur. Ses petites dents de porcelaine relevaient la rougeur de ses lèvres fraîches sur lesquelles errait un sourire ; l'incarnat de son teint était plus vif, et la blancheur en était pour ainsi dire plus blanche en ce moment qu'aux heures les plus amoureuses de la journée. Son gracieux abandon si plein de confiance mêlait au charme de l'amour les adorables attraits de l'enfance endormie. Les femmes, même les plus naturelles, obéissent encore pendant le jour à certaines conventions sociales qui enchaînent les naïves expansions de leur âme ; mais le sommeil semble les rendre à la soudaineté de vie qui décore le premier âge : Pauline ne rougissait de rien, comme une de ces chères et célestes créatures chez qui la raison n'a encore jeté ni pensées dans les gestes, ni secrets dans le regard. Son profil se détachait

---

1. *Psyché* : grande glace mobile dans laquelle on peut se regarder en pied.

vivement sur la fine batiste des oreillers, de grosses ruches de dentelle mêlées à ses cheveux en désordre lui donnaient un petit air mutin ; mais elle s'était endormie dans le plaisir, ses longs cils étaient appliqués sur sa joue comme pour garantir sa vue d'une lueur trop forte ou pour aider à ce recueillement de l'âme quand elle essaie de retenir une volupté parfaite, mais fugitive ; son oreille mignonne, blanche et rouge, encadrée par une touffe de cheveux et dessinée dans une coque de marines, eût rendu fou d'amour un artiste, un peintre, un vieillard, eût peut-être restitué la raison à quelque insensé. Voir sa maîtresse endormie, rieuse dans un songe, paisible sous votre protection, vous aimant même en rêve, au moment où la créature semble cesser d'être, et vous offrant encore une bouche muette qui dans le sommeil vous parle du dernier baiser ! voir une femme confiante, demi-nue, mais enveloppée dans son amour comme dans un manteau, et chaste au sein du désordre ; admirer ses vêtements épars, un bas de soie rapidement quitté la veille pour vous plaire, une ceinture dénouée qui vous accuse une foi infinie, n'est-ce pas une joie sans nom ? Cette ceinture est un poème entier ; la femme qu'elle protégeait n'existe plus, elle vous appartient, elle est devenue *vous ;* désormais la trahir, c'est se blesser soi-même. Raphaël attendri contempla cette chambre chargée d'amour, pleine de souvenirs, où le jour prenait des teintes voluptueuses, et revint à cette femme aux formes pures, jeunes, aimante encore, dont surtout les sentiments étaient à lui sans partage. Il désira vivre toujours. Quand son regard tomba sur Pauline, elle ouvrit aussitôt les yeux comme si un rayon de soleil l'eût frappée.

— Bonjour, ami ! dit-elle en souriant. Es-tu beau, méchant !

Ces deux têtes empreintes d'une grâce due à l'amour, à la jeunesse, au demi-jour et au silence formaient une de ces divines scènes dont la magie passagère n'appartient qu'aux premiers jours de la passion, comme la naïveté, la candeur sont les attributs de l'enfance. Hélas ! ces joies printanières de l'amour, de même que les rires de notre jeune âge, doivent s'enfuir et ne plus vivre que dans notre souvenir pour nous désespérer ou nous jeter quelque parfum consolateur, selon les caprices de nos méditations secrètes.

— Pourquoi t'es-tu réveillée ? dit Raphaël. J'avais tant de plaisir à te voir endormie, j'en pleurais.

– Et moi aussi, répondit-elle, j'ai pleuré cette nuit en te contemplant dans ton repos, mais non pas de joie. Écoute, mon Raphaël, écoute-moi ? Lorsque tu dors, ta respiration n'est pas franche, il y a dans ta poitrine quelque chose qui résonne, et qui m'a fait peur. Tu as pendant ton sommeil une petite toux sèche, absolument semblable à celle de mon père qui meurt d'une phtisie. J'ai reconnu dans le bruit de tes poumons quelques-uns des effets bizarres de cette maladie. Puis tu avais la fièvre, j'en suis sûre, ta main était moite et brûlante. Chéri ! Tu es jeune, dit-elle en frissonnant, tu pourrais te guérir encore si, par malheur... Mais non, s'écria-t-elle joyeusement, il n'y a pas de malheur, la maladie se gagne, disent les médecins. De ses deux bras, elle enlaça Raphaël, saisit sa respiration par un de ces baisers dans lesquels l'âme arrive : – Je ne désire pas vivre vieille, dit-elle. Mourons jeunes tous deux, et allons dans le ciel les mains pleines de fleurs.

– Ces projets-là se font toujours quand nous sommes en bonne santé, répondit Raphaël en plongeant ses mains dans la chevelure de Pauline ; mais il eut alors un horrible accès de toux, de ces toux graves et sonores qui semblent sortir d'un cercueil, qui font pâlir le front des malades et les laissent tremblants, tout en sueur, après avoir remué leurs nerfs, ébranlé leurs côtes, fatigué leur moelle épinière, et imprimé je ne sais quelle lourdeur à leurs veines. Raphaël abattu, pâle, se coucha lentement, affaissé comme un homme dont toute la force s'est dissipée dans un dernier effort. Pauline le regarda d'un œil fixe, agrandi par la peur, et resta immobile, blanche, silencieuse.

– Ne faisons plus de folies, mon ange, dit-elle en voulant cacher à Raphaël les horribles pressentiments qui l'agitaient.

Elle se voila la figure de ses mains, car elle apercevait le hideux squelette de la MORT. La tête de Raphaël était devenue livide et creuse comme un crâne arraché aux profondeurs d'un cimetière pour servir aux études de quelque savant. Pauline se souvenait de l'exclamation échappée la veille à Valentin, et se dit à elle-même :

– Oui, il y a des abîmes que l'amour ne peut pas traverser, mais il doit s'y ensevelir.

Quelques jours après cette scène de désolation, Raphaël se trouva par une matinée du mois de mars assis dans un fauteuil, entouré de quatre médecins qui l'avaient fait placer au jour devant la fenêtre de sa chambre, et tour à tour lui tâtaient le pouls, le palpaient, l'interrogeaient avec une apparence d'intérêt. Le malade épiait leurs pensées en interprétant et leurs gestes et les moindres plis qui se formaient sur leurs fronts. Cette consultation était sa dernière espérance. Ces juges suprêmes allaient lui prononcer un arrêt de vie ou de mort. Aussi, pour arracher à la science humaine son dernier mot, Valentin avait-il convoqué les oracles de la médecine moderne. Grâce à sa fortune et à son nom, les trois systèmes entre lesquels flottent les connaissances humaines étaient là devant lui. Trois de ces docteurs portaient avec eux toute la philosophie médicale, en représentant le combat que se livrent la Spiritualité, l'Analyse et je ne sais quel Éclectisme railleur. Le quatrième médecin était Horace Bianchon, homme plein d'avenir et de science, le plus distingué peut-être des nouveaux médecins, sage et modeste député de la studieuse jeunesse qui s'apprête à recueillir l'héritage des trésors amassés depuis cinquante ans par l'École de Paris, et qui bâtira peut-être le monument pour lequel les siècles précédents ont apporté tant de matériaux divers. Ami du marquis et de Rastignac, il lui avait donné ses soins depuis quelques jours, et l'aidait à répondre aux interrogations des trois professeurs auxquels il expliquait parfois, avec une sorte d'insistance, les diagnostics qui lui semblaient révéler une phtisie pulmonaire.

— Vous avez sans doute fait beaucoup d'excès, mené une vie dissipée, vous vous êtes livré à de grands travaux d'intelligence ? dit à Raphaël celui des trois célèbres docteurs dont la tête carrée, la figure large, l'énergique organisation, paraissaient annoncer un génie supérieur à celui de ses deux antagonistes.

— J'ai voulu me tuer par la débauche après avoir travaillé pendant trois ans à un vaste ouvrage dont vous vous occuperez peut-être un jour, lui répondit Raphaël.

Le grand docteur hocha la tête en signe de contentement, et comme s'il se fût dit en lui-même :

— J'en étais sûr !

Ce docteur était l'illustre Brisset le chef des organistes[1], le successeur des Cabanis[2] et des Bichat[3], le médecin des esprits positifs et matérialistes, qui voient en l'homme un être fini, uniquement sujet aux lois de sa propre organisation, et dont l'état normal ou les anomalies délétères[4] s'expliquent par des causes évidentes.

À cette réponse, Brisset regarda silencieusement un homme de moyenne taille dont le visage empourpré, l'œil ardent semblaient appartenir à quelque satyre antique, et qui, le dos appuyé sur le coin de l'embrasure, contemplait attentivement Raphaël sans mot dire. Homme d'exaltation et de croyance, le docteur Caméristus, chef des vitalistes, poétique défenseur des doctrines abstraites de Van Helmont[5], voyait dans la vie humaine un principe élevé, secret, un phénomène inexplicable qui se joue des bistouris, trompe la chirurgie, échappe aux médicaments de la pharmaceutique, aux x de l'algèbre, aux démonstrations de l'anatomie, et se rit de nos efforts ; une espèce de flamme intangible, invisible, soumise à quelque loi divine, et qui reste souvent au milieu d'un corps condamné par nos arrêts, comme elle déserte aussi les organisations les plus viables.

Un sourire sardonique errait sur les lèvres du troisième, le docteur Maugredie, esprit distingué, mais pyrrhonien[6] et moqueur, qui ne croyait qu'au scalpel, concédait à Brisset la mort d'un homme qui se portait à merveille, et reconnaissait avec Caméristus qu'un homme pouvait vivre encore après sa mort. Il trouvait du bon dans toutes les théories, n'en adoptait aucune, prétendait que le meilleur système médical était de n'en point avoir, et de s'en tenir aux faits. Panurge de l'école, roi de l'observation, ce grand explorateur, ce grand railleur, l'homme des tentatives désespérées, examinait la Peau de chagrin.

— Je voudrais bien être témoin de la coïncidence qui existe entre vos désirs et son rétrécissement, dit-il au marquis.

---

1. *Organistes* : qui croient au primat du corps et des fonctions organiques sur les causes psychologiques par exemple. \ **2.** *Cabanis* : l'un des plus illustres médecins de son époque (1757-1808). \ **3.** *Bichat* : anatomiste de premier plan, mort très jeune (1771-1802). \ **4.** *Délétères* : qui détruisent. \ **5.** *Van Helmont* : Van Helmont (1577-1644), médecin belge aux doctrines mystiques. \ **6.** *Pyrrhonien* : sceptique.

— À quoi bon ? s'écria Brisset.

— À quoi bon ? répéta Caméristus.

— Ah ! vous êtes d'accord, répondit Maugredie.

— Cette contraction est toute simple, ajouta Brisset.

— Elle est surnaturelle, dit Caméristus.

— En effet, répliqua Maugredie en affectant un air grave et rendant à Raphaël sa Peau de chagrin, le racornissement du cuir est un fait inexplicable et cependant naturel, qui, depuis l'origine du monde, fait le désespoir de la médecine et des jolies femmes.

À force d'examiner les trois docteurs, Valentin ne découvrit en eux aucune sympathie pour ses maux. Tous trois, silencieux à chaque réponse, le toisaient avec indifférence et le questionnaient sans le plaindre. La nonchalance perçait à travers leur politesse. Soit certitude, soit réflexion, leurs paroles étaient si rares, si indolentes, que par moments Raphaël les crut distraits. De temps à autre, Brisset seul répondait : « Bon ! bien ! » à tous les symptômes désespérants dont l'existence était démontrée par Bianchon. Caméristus demeurait plongé dans une profonde rêverie, Maugredie ressemblait à un auteur comique étudiant deux originaux pour les transporter fidèlement sur la scène. La figure d'Horace trahissait une peine profonde, un attendrissement plein de tristesse. Il était médecin depuis trop peu de temps pour être insensible devant la douleur et impassible près d'un lit funèbre ; il ne savait pas éteindre dans ses yeux les larmes amies qui empêchent un homme de voir clair et de saisir, comme un général d'armée, le moment propice à la victoire, sans écouter les cris des moribonds. Après être resté pendant une demi-heure environ à prendre en quelque sorte la mesure de la maladie et du malade, comme un tailleur prend la mesure d'un habit à un jeune homme qui lui commande ses vêtements de noces, ils dirent quelques lieux communs, parlèrent même des affaires publiques ; puis ils voulurent passer dans le cabinet de Raphaël pour se communiquer leurs idées et rédiger la sentence.

— Messieurs, leur dit Valentin, ne puis-je donc assister au débat ?

À ce mot, Brisset et Maugredie se récrièrent vivement, et, malgré les instances de leur malade, ils se refusèrent à délibérer en sa présence. Raphaël se soumit à l'usage, en pensant qu'il pouvait se glisser dans un couloir d'où il entendrait facilement les discussions médicales auxquelles les trois professeurs allaient se livrer.

— Messieurs, dit Brisset en entrant, permettez-moi de vous donner promptement mon avis. Je ne veux ni vous l'imposer, ni le voir controversé : d'abord il est net, précis, et résulte d'une similitude complète entre un de mes malades et le sujet que nous avons été appelés à examiner ; puis, je suis attendu à mon hospice. L'importance du fait qui y réclame ma présence m'excusera de prendre le premier la parole. *Le sujet* qui nous occupe est également fatigué par des travaux intellectuels... Qu'a-t-il donc fait, Horace ? dit-il en s'adressant au jeune médecin.

— Une théorie de la volonté.

— Ah ! diable, mais c'est un vaste sujet. Il est fatigué, dis-je, par des excès de pensée, par des écarts de régime, par l'emploi répété de stimulants trop énergiques. L'action violente du corps et du cerveau a donc vicié le jeu de tout l'organisme. Il est facile, messieurs, de reconnaître, dans les symptômes de la face et du corps, une irritation prodigieuse à l'estomac, la névrose du grand sympathique[1], la vive sensibilité de l'épigastre[2], et le resserrement des hypocondres[3]. Vous avez remarqué la grosseur et la saillie du foie. Enfin monsieur Bianchon a constamment observé les digestions de son malade, et nous a dit qu'elles étaient difficiles, laborieuses. À proprement parler, il n'existe plus d'estomac ; l'homme a disparu. L'intellect est atrophié parce que l'homme ne digère plus. L'altération progressive de l'épigastre, centre de la vie, a vicié tout le système. De là partent des irradiations constantes et flagrantes, le désordre a gagné le cerveau par le plexus nerveux, d'où l'irritation excessive de cet organe. Il y a monomanie. Le malade est sous le poids d'une idée fixe. Pour lui cette Peau de chagrin se rétrécit réellement, peut-être a-t-elle toujours été comme nous l'avons vue ; mais, qu'il se contracte ou non, ce *chagrin* est pour lui la mouche que certain grand vizir avait

---

1. *Grand sympathique* : système nerveux. \ 2. *Épigastre* : région médiane et supérieure de l'abdomen. \ 3. *Hypocondres* : tous les organes situés sous les cartilages des côtes, notamment le foie, l'estomac, le pancréas, la rate.

sur le nez. Mettez promptement des sangsues à l'épigastre, calmez l'irritation de cet organe où l'homme tout entier réside, tenez le malade au régime, la monomanie cessera. Je n'en dirai pas davantage au docteur Bianchon ; il doit saisir l'ensemble et les détails du traitement. Peut-être y a-t-il complication de maladie, peut-être les voies respiratoires sont-elles également irritées ; mais je crois le traitement de l'appareil intestinal beaucoup plus important, plus nécessaire, plus urgent que ne l'est celui des poumons. L'étude tenace de matières abstraites et quelques passions violentes ont produit de graves perturbations dans ce mécanisme vital ; cependant il est temps encore d'en redresser les ressorts, rien n'y est trop fortement adultéré[1]. Vous pouvez donc facilement sauver votre ami, dit-il à Bianchon.

— Notre savant collègue prend l'effet pour la cause, répondit Caméristus. Oui, les altérations si bien observées par lui existent chez le malade, mais l'estomac n'a pas graduellement établi des irradiations dans l'organisme et vers le cerveau, comme une fêlure étend autour d'elle des rayons dans une vitre. Il a fallu un coup pour trouer le vitrail ; ce coup, qui l'a porté ? Le savons-nous ? Avons-nous suffisamment observé le malade ? Connaissons-nous tous les accidents de sa vie ? Messieurs, le principe vital, l'*archée* de Van Helmont[2] est atteint en lui, la vitalité même est attaquée dans son essence, l'étincelle divine, l'intelligence transitoire qui sert comme de lien à la machine et qui produit la volonté, la science de la vie, a cessé de régulariser les phénomènes journaliers du mécanisme et les fonctions de chaque organe ; de là proviennent les désordres si bien appréciés par mon docte confrère. Le mouvement n'est pas venu de l'épigastre au cerveau, mais du cerveau vers l'épigastre. Non, dit-il en se frappant avec force la poitrine, non, je ne suis pas un estomac fait homme ! Non, tout n'est pas là. Je ne me sens pas le courage de dire que si j'ai un bon épigastre, le reste est de forme. Nous ne pouvons pas, reprit-il plus doucement, soumettre à une même cause physique et à un traitement uniforme les troubles graves qui surviennent chez les

---

1. *Adultéré* : altéré. \ **2.** *Archée de Van Helmont* : pour Van Helmont, l'archée était le principe de la vie et commandait tous les phénomènes vitaux.

différents sujets plus ou moins sérieusement atteints. Aucun homme ne se ressemble. Nous avons tous des organes particuliers, diversement affectés, diversement nourris, propres à remplir des missions différentes, et à développer des thèmes nécessaires à l'accomplissement d'un ordre de choses qui nous est inconnu. La portion du grand tout, qui par une haute volonté vient opérer, entretenir en nous le phénomène de l'animation, se formule d'une manière distincte dans chaque homme, et fait de lui un être en apparence fini, mais qui par un point coexiste à une cause infinie. Aussi, devons-nous étudier chaque sujet séparément, le pénétrer, reconnaître en quoi consiste sa vie, quelle en est la puissance. Depuis la mollesse d'une éponge mouillée jusqu'à la dureté d'une pierre ponce, il y a des nuances infinies. Voilà l'homme. Entre les organisations spongieuses des lymphatiques et la vigueur métallique des muscles de quelques hommes destinés à une longue vie, que d'erreurs ne commettra pas le système unique, implacable, de la guérison par l'abattement, par la prostration des forces humaines que vous supposez toujours irritées ! Ici donc, je voudrais un traitement tout moral, un examen approfondi de l'être intime. Allons chercher la cause du mal dans les entrailles de l'âme et non dans les entrailles du corps ! Un médecin est un être inspiré, doué d'un génie particulier, à qui Dieu concède le pouvoir de lire dans la vitalité, comme il donne aux prophètes des yeux pour contempler l'avenir, au poète la faculté d'évoquer la nature, au musicien celle d'arranger les sons dans un ordre harmonieux dont le type est en haut, peut-être !…

— Toujours sa médecine absolutiste, monarchique et religieuse, dit Brisset en murmurant.

— Messieurs, reprit promptement Maugredie en couvrant avec promptitude l'exclamation de Brisset, ne perdons pas de vue le malade…

— Voilà donc où en est la science ! s'écria tristement Raphaël. Ma guérison flotte entre un rosaire[1] et un chapelet de sangsues, entre le bistouri de Dupuytren[2] et la prière du prince de

---

1. *Rosaire* : grand chapelet de prières. \ **2.** *Dupuytren* : chirurgien célèbre (1777-1835).

Hohenlohe[1] ! Sur la ligne qui sépare le fait de la parole, la matière de l'esprit, Maugredie est là, doutant. Le *oui* et *non* humain me poursuit partout ! Toujours le *Carymary*, *Carymara* de Rabelais : je suis spirituellement malade, carymary ! ou matériellement malade carymara ! Dois-je vivre ? Ils l'ignorent. Au moins Planchette était-il plus franc, en me disant : « Je ne sais pas. »

En ce moment, Valentin entendit la voix du docteur Maugredie.

— Le malade est monomane, Eh bien, d'accord, s'écria-t-il, mais il a deux cent mille livres de rente, ces monomanes-là sont fort rares, et nous leur devons au moins un avis. Quant à savoir si son épigastre a réagi sur le cerveau, ou le cerveau sur son épigastre, nous pourrons peut-être vérifier le fait, quand il sera mort. Résumons-nous donc. Il est malade, le fait est incontestable. Il lui faut un traitement quelconque. Laissons les doctrines. Mettons-lui des sangsues pour calmer l'irritation intestinale et la névrose sur l'existence desquelles nous sommes d'accord, puis envoyons-le aux eaux : nous agirons à la fois d'après les deux systèmes. S'il est pulmonique, nous ne pouvons guère le sauver, ainsi…

Raphaël quitta promptement le couloir et vint se remettre dans son fauteuil. Bientôt les quatre médecins sortirent du cabinet. Horace porta la parole et lui dit : — Ces messieurs ont unanimement reconnu la nécessité d'une application immédiate de sangsues à l'estomac, et l'urgence d'un traitement à la fois physique et moral. D'abord un régime diététique, afin de calmer l'irritation de votre organisme.

Ici Brisset fit un signe d'approbation.

— Puis, un régime hygiénique pour régir votre moral. Ainsi nous vous conseillons unanimement d'aller aux eaux d'Aix en Savoie, ou à celles du Mont-Dore en Auvergne, si vous les préférez ; l'air et les sites de la Savoie sont plus agréables que ceux du Cantal, mais vous suivrez votre goût.

Là, le docteur Caméristus laissa échapper un geste d'assentiment.

---

1. *Prince de Hohenlohe* : Alexandre de Hohenlohe (1794-1850), prince allemand entré dans les ordres et auteur d'une prière que les malades devaient réciter pour implorer leur guérison.

– Ces messieurs, reprit Bianchon, ayant reconnu de légères altérations dans l'appareil respiratoire, sont tombés d'accord sur l'utilité de mes prescriptions antérieures. Ils pensent que votre guérison est facile et dépendra de l'emploi sagement alternatif de ces divers moyens… Et…

– Et voilà pourquoi votre fille est muette[1], dit Raphaël en souriant et en attirant Horace dans son cabinet pour lui remettre le prix de cette inutile consultation.

– Ils sont logiques, lui répondit le jeune médecin. Caméristus sent, Brisset examine, Maugredie doute. L'homme n'a-t-il pas une âme, un corps et une raison ? L'une de ces trois causes premières agit en nous d'une manière plus ou moins forte, et il y aura toujours de l'homme dans la science humaine. Crois-moi, Raphaël, nous ne guérissons pas, nous aidons à guérir. Entre la médecine de Brisset et celle de Caméristus, se trouve encore la médecine expectante[2] ; mais pour pratiquer celle-ci avec succès, il faudrait connaître son malade depuis dix ans. Il y a au fond de la médecine négation comme dans toutes les sciences. Tâche donc de vivre sagement, essaie d'un voyage en Savoie ; le mieux est et sera toujours de se confier à la nature.

Un mois après, au retour de la promenade et par une belle soirée d'été, quelques-unes des personnes venues aux eaux d'Aix se trouvèrent réunies dans les salons du Cercle. Assis près d'une fenêtre et tournant le dos à l'assemblée, Raphaël resta longtemps seul, plongé dans une de ces rêveries machinales durant lesquelles nos pensées naissent, s'enchaînent, s'évanouissent sans revêtir de formes, et passent en nous comme de légers nuages à peine colorés. La tristesse est alors douce, la joie est vaporeuse, et l'âme est presque endormie. Se laissant aller à cette vie sensuelle, Valentin se baignait dans la tiède atmosphère du soir en savourant l'air pur et parfumé des montagnes, heureux de ne sentir aucune douleur et d'avoir enfin réduit au silence sa menaçante Peau de chagrin. Au moment où les teintes rouges du couchant s'éteignirent sur les

---

1. *Et voilà {…} muette* : réplique célèbre du *Médecin malgré lui* (acte II, scène 6) de Molière. Sganarelle conclut ainsi un diagnostic fantaisiste. \ **2.** *Expectante* : qui attend, qui laisse faire le temps.

cimes, la température fraîchit, il quitta sa place en poussant la fenêtre.

– Monsieur, lui dit une vieille dame, auriez-vous la complaisance de ne pas fermer la croisée ? Nous étouffons.

Cette phrase déchira le tympan de Raphaël par des dissonances d'une aigreur singulière ; elle fut comme le mot que lâche imprudemment un homme à l'amitié duquel nous voulions croire, et qui détruit quelque douce illusion de sentiment en trahissant un abîme d'égoïsme. Le marquis jeta sur la vieille femme le froid regard d'un diplomate impassible, il appela un valet, et lui dit sèchement quand il arriva : – Ouvrez cette fenêtre !

À ces mots, une surprise insolite éclata sur tous les visages. L'assemblée se mit à chuchoter, en regardant le malade d'un air plus ou moins expressif, comme s'il eût commis quelque grave impertinence. Raphaël, qui n'avait pas entièrement dépouillé sa primitive timidité de jeune homme, eut un mouvement de honte ; mais il secoua sa torpeur, reprit son énergie et se demanda compte à lui-même de cette scène étrange. Soudain un rapide mouvement anima son cerveau, le passé lui apparut dans une vision distincte où les causes du sentiment qu'il inspirait saillirent en relief comme les veines d'un cadavre chez lequel, par quelque savante injection, les naturalistes colorent les moindres ramifications ; il se reconnut lui-même dans ce tableau fugitif, y suivit son existence, jour par jour, pensée à pensée ; il s'y vit, non sans surprise, sombre et distrait au sein de ce monde rieur, toujours songeant à sa destinée, préoccupé de son mal, paraissant dédaigner la causerie la plus insignifiante, fuyant ces intimités éphémères qui s'établissent promptement entre les voyageurs parce qu'ils comptent sans doute ne plus se rencontrer ; peu soucieux des autres, et semblable enfin à ces rochers insensibles aux caresses comme à la furie des vagues. Puis, par un rare privilège d'intuition, il lut dans toutes les âmes : en découvrant sous la lueur d'un flambeau le crâne jaune, le profil sardonique d'un vieillard, il se rappela de lui avoir gagné son argent sans lui avoir proposé de prendre sa revanche ; plus loin il aperçut une jolie femme dont les agaceries l'avaient trouvé froid ; chaque visage lui reprochait un de ces torts inexplicables en apparence, mais dont le crime gît toujours dans une invisible blessure faite à l'amour-propre. Il avait involontairement froissé toutes les petites vanités qui gravitaient autour de lui. Les convives de ses fêtes ou ceux auxquels il avait offert ses chevaux s'étaient irrités de son luxe ; surpris de leur ingratitude, il leur avait épargné ces espèces d'humiliations : dès lors ils s'étaient crus méprisés et l'accusaient d'aristocratie. En sondant ainsi les cœurs, il put en déchiffrer les pensées les plus secrètes ; il eut horreur de la société, de sa politesse, de son vernis. Riche et d'un esprit supérieur, il était envié, haï ; son silence trompait la curiosité, sa modestie semblait de la hauteur à ces gens mesquins et superficiels. Il devina le crime latent, irrémissible, dont il était coupable envers eux : il échappait à la juridiction de leur médiocrité. Rebelle à leur despotisme inquisiteur, il savait se passer d'eux ; pour se venger de cette royauté clandestine, tous s'étaient instinctivement ligués pour lui faire sentir leur pouvoir, le soumettre à quelque ostracisme[1], et lui apprendre qu'eux aussi pouvaient se passer de lui. Pris de pitié d'abord à cette vue du monde, il frémit bientôt en pensant à la souple puissance qui lui soulevait ainsi le voile de chair sous lequel est ensevelie la nature morale, et ferma les yeux comme pour ne plus rien voir. Tout à coup un rideau noir fut tiré sur cette sinistre fantasmagorie de vérité, mais il se trouva dans l'horrible isolement qui attend les puissances et les dominations. En ce moment, il eut un violent accès de toux. Loin de recueillir une seule de ces paroles indifférentes en apparence, mais qui du moins simulent une espèce de compassion polie chez les personnes de bonne compagnie rassemblées par hasard, il entendit des interjections hostiles et des plaintes murmurées à voix basse. La Société ne daignait même plus se grimer pour lui, parce qu'il la devinait peut-être. – Sa maladie est contagieuse. – Le président du Cercle devrait lui interdire l'entrée du salon. – En bonne police, il est vraiment défendu de tousser ainsi. – Quand un homme est aussi malade, il ne doit pas venir aux eaux. – Il me chassera d'ici. Raphaël se leva pour se dérober à la malédiction générale, et se promena dans

---

1. *Ostracisme* : exclusion.

l'appartement. Il voulut trouver une protection, et revint près d'une jeune femme inoccupée à laquelle il médita d'adresser quelques flatteries ; mais, à son approche, elle lui tourna le dos, et feignit de regarder les danseurs. Raphaël craignit d'avoir déjà pendant cette soirée usé de son talisman ; il ne se sentit ni la volonté, ni le courage d'entamer la conversation, quitta le salon et se réfugia dans la salle de billard. Là, personne ne lui parla, ne le salua, ne lui jeta le plus léger regard de bienveillance. Son esprit naturellement méditatif lui révéla, par une intus-susception[1], la cause générale et rationnelle de l'aversion qu'il avait excitée. Ce petit monde obéissait, sans le savoir peut-être, à la grande loi qui régit la haute société, dont la morale implacable se développa tout entière aux yeux de Raphaël. Un regard rétrograde lui en montra le type complet en Foedora. Il ne devait pas rencontrer plus de sympathie pour ses maux chez celle-ci, que, pour ses misères de cœur, chez celle-là. Le beau monde bannit de son sein les malheureux, comme un homme de santé vigoureuse expulse de son corps un principe morbifique[2]. Le monde abhorre les douleurs et les infortunes, il les redoute à l'égal des contagions, il n'hésite jamais entre elles et les vices : le vice est un luxe. Quelque majestueux que soit un malheur, la société sait l'amoindrir, le ridiculiser par une épigramme ; elle dessine des caricatures pour jeter à la tête des rois déchus les affronts qu'elle croit avoir reçus d'eux ; semblable aux jeunes Romaines du cirque, elle ne fait jamais grâce au gladiateur qui tombe ; elle vit d'or et de moquerie ; *Mort aux faibles* ! est le vœu de cette espèce d'ordre équestre institué chez toutes les nations de la terre, car il s'élève partout des riches, et cette sentence est écrite au fond des cœurs pétris par l'opulence ou nourris par l'aristocratie. Rassemblez-vous des enfants dans un collège ? Cette image en raccourci de la société, mais image d'autant plus vraie qu'elle est plus naïve et plus franche, vous offre toujours de pauvres ilotes[3], créatures de souffrance et de douleur, incessamment placées entre le mépris et la pitié : l'Évangile leur

---

1. *Intus-susception* : Balzac entend ici intuition. \ 2. *Morbifique* : qui apporte la mort. \ 3. *Ilotes* : personnes asservies, réduites au dernier degré de la misère et de l'ignorance.

promet le ciel. Descendez-vous plus bas sur l'échelle des êtres organisés ? Si quelque volatile est endolori parmi ceux d'une basse-cour, les autres le poursuivent à coups de bec, le plument et l'assassinent. Fidèle à cette charte de l'égoïsme, le monde prodigue ses rigueurs aux misères assez hardies pour venir affronter ses fêtes, pour chagriner ses plaisirs. Quiconque souffre de corps ou d'âme, manque d'argent ou de pouvoir, est un Paria. Qu'il reste dans son désert ; s'il en franchit les limites, il trouve partout l'hiver : froideur de regards, froideur de manières, de paroles, de cœur ; heureux, s'il ne récolte pas l'insulte là où pour lui devait éclore une consolation. Mourants, restez sur vos lits désertés. Vieillards, soyez seuls à vos froids foyers. Pauvres filles sans dot, gelez et brûlez dans vos greniers solitaires. Si le monde tolère un malheur, n'est-ce pas pour le façonner à son usage, en tirer profit, le bâter, lui mettre un mors, une housse, le monter, en faire une joie ? Quinteuses demoiselles de compagnie, composez-vous de gais visages ! Endurez les vapeurs de votre prétendue bienfaitrice ; portez ses chiens ; rivales de ses griffons anglais, amusez-la, devinez-la, puis taisez-vous ! Et toi, roi des valets sans livrée, parasite effronté, laisse ton caractère à la maison ; digère comme digère ton amphitryon, pleure de ses pleurs, ris de son rire, tiens ses épigrammes pour agréables ; si tu veux en médire, attends sa chute. Ainsi le monde honore-t-il le malheur : il le tue ou le chasse, l'avilit ou le châtre.

Ces réflexions sourdirent au cœur de Raphaël avec la promptitude d'une inspiration poétique ; il regarda autour de lui, et sentit ce froid sinistre que la société distille pour éloigner les misères, et qui saisit l'âme encore plus vivement que la bise de décembre ne glace le corps. Il se croisa les bras sur la poitrine, s'appuya le dos à la muraille, et tomba dans une mélancolie profonde. Il songeait au peu de bonheur que cette épouvantable police[1] procure au monde. Qu'était-ce ? Des amusements sans plaisir, de la gaieté sans joie, des fêtes sans jouissance, du délire sans volupté, enfin le bois ou les cendres d'un foyer, mais sans une

---

1. *Police :* ici façon de se conduire en société.

étincelle de flamme. Quand il releva la tête, il se vit seul, les joueurs avaient fui. – Pour leur faire adorer ma toux, il me suffirait de leur révéler mon pouvoir ! se dit-il. À cette pensée, il jeta le mépris comme un manteau entre le monde et lui.

Le lendemain, le médecin des eaux vint le voir d'un air affectueux et s'inquiéta de sa santé. Raphaël éprouva un mouvement de joie en entendant les paroles amies qui lui furent adressées. Il trouva la physionomie du docteur empreinte de douceur et de bonté, les boucles de sa perruque blonde respiraient la philanthropie [1], la coupe de son habit carré, les plis de son pantalon, ses souliers larges comme ceux d'un *quaker*, tout, jusqu'à la poudre circulairement semée par sa petite queue sur son dos légèrement voûté, trahissait un caractère apostolique [2], exprimait la charité chrétienne et le dévouement d'un homme qui, par zèle pour ses malades, s'était astreint à jouer le whist et le trictrac assez bien pour toujours gagner leur argent.

– Monsieur le marquis, dit-il après avoir causé longtemps avec Raphaël, je vais sans doute dissiper votre tristesse. Maintenant, je connais assez votre constitution pour affirmer que les médecins de Paris, dont les grands talents me sont connus, se sont trompés sur la nature de votre maladie. À moins d'accident, monsieur le marquis, vous pouvez vivre la vie de Mathusalem [3]. Vos poumons sont aussi forts que des soufflets de forge, et votre estomac ferait honte à celui d'une autruche ; mais si vous restez dans une température élevée, vous risquez d'être très proprement et promptement mis en terre sainte. Monsieur le marquis va me comprendre en deux mots. La chimie a démontré que la respiration constitue chez l'homme une véritable combustion dont le plus ou moins d'intensité dépend de l'affluence ou de la rareté des principes phlogistiques amassés par l'organisme particulier à chaque individu. Chez vous, le phlogistique [4] abonde ; vous êtes, s'il m'est permis de m'exprimer ainsi, suroxygéné par la complexion ardente des

---

1. *Philanthropie* : amour de l'humanité. \ 2. *Apostolique* : qui est conforme à la mission des apôtres. \ 3. *Mathusalem* : patriarche biblique et symbole de longévité. Il aurait vécu 969 ans. \ 4. *Phlogistique* : feu considéré au XVIIIᵉ siècle comme un des principes de la combustion des corps.

hommes destinés aux grandes passions. En respirant l'air vif et pur qui accélère la vie chez les hommes à fibre molle, vous aidez encore à une combustion déjà trop rapide. Une des conditions de votre existence est donc l'atmosphère épaisse des étables, des vallées. Oui, l'air vital de l'homme dévoré par le génie se trouve dans les gras pâturages de l'Allemagne, à Baden-Baden, à Toeplitz. Si vous n'avez pas d'horreur de l'Angleterre, sa sphère brumeuse calmera votre incandescence ; mais nos eaux situées à mille pieds au-dessus du niveau de la Méditerranée vous sont funestes. Tel est mon avis, dit-il en laissant échapper un geste de modestie ; je le donne contre nos intérêts, puisque, si vous le suivez, nous aurons le malheur de vous perdre.

Sans ces derniers mots, Raphaël eût été séduit par la fausse bonhomie du mielleux médecin, mais il était trop profond observateur pour ne pas deviner à l'accent, au geste et au regard qui accompagnèrent cette phrase doucement railleuse, la mission dont le petit homme avait sans doute été chargé par l'assemblée de ses joyeux malades. Ces oisifs au teint fleuri, ces vieilles femmes ennuyées, ces Anglais nomades, ces petites-maîtresses échappées à leurs maris et conduites aux eaux par leurs amants, entreprenaient donc d'en chasser un pauvre moribond débile, chétif, en apparence incapable de résister à une persécution journalière. Raphaël accepta le combat en voyant un amusement dans cette intrigue.

— Puisque vous seriez désolé de mon départ, répondit-il au docteur, je vais essayer de mettre à profit votre bon conseil tout en restant ici. Dès demain, j'y ferai construire une maison où nous modifierons l'air suivant votre ordonnance.

Interprétant le sourire amèrement goguenard qui vint errer sur les lèvres de Raphaël, le médecin se contenta de le saluer, sans trouver un mot à lui dire.

Le lac du Bourget est une vaste coupe de montagnes tout ébréchée où brille, à sept ou huit cents pieds au-dessus de la Méditerranée, une goutte d'eau bleue comme ne l'est aucune eau dans le monde. Vu du haut de la Dent-du-Chat, ce lac est là comme une turquoise égarée. Cette jolie goutte d'eau a neuf lieues de contour, et dans certains endroits près de cinq cents pieds de profondeur. Être là dans une barque au milieu de cette nappe par un beau ciel, n'entendre que le bruit des rames, ne voir à l'horizon que des montagnes nuageuses, admirer les neiges étincelantes de la Maurienne française, passer tour à tour des blocs de granit vêtus de velours par des fougères ou par des arbustes nains, à de riantes collines ; d'un côté le désert, de l'autre une riche nature ; un pauvre assistant au dîner d'un riche ; ces harmonies et ces discordances composent un spectacle où tout est grand, où tout est petit. L'aspect des montagnes change les conditions de l'optique et de la perspective : un sapin de cent pieds vous semble un roseau, de larges vallées vous apparaissent étroites autant que des sentiers. Ce lac est le seul où l'on puisse faire une confidence de cœur à cœur. On y pense et on y aime. En aucun endroit vous ne rencontreriez une plus belle entente entre l'eau, le ciel, les montagnes et la terre. Il s'y trouve des baumes pour toutes les crises de la vie. Ce lieu garde le secret des douleurs, il les console, les amoindrit, et jette dans l'amour je ne sais quoi de grave, de recueilli, qui rend la passion plus profonde, plus pure. Un baiser s'y agrandit. Mais c'est surtout le lac des souvenirs ; il les favorise en leur donnant la teinte de ses ondes, miroir où tout vient se réfléchir. Raphaël ne supportait son fardeau qu'au milieu de ce beau paysage, il y pouvait rester indolent, songeur, et sans désirs. Après la visite du docteur, il alla se promener et se fit débarquer à la pointe déserte d'une jolie colline sur laquelle est situé le village de Saint-Innocent. De cette espèce de promontoire, la vue embrasse les monts de Bugey, au pied desquels coule le Rhône, et le fond du lac ; mais de là Raphaël aimait à contempler, sur la rive opposée, l'abbaye mélancolique de Haute-Combe, sépulture des rois de Sardaigne prosternés devant les montagnes comme des pèlerins arrivés au terme de leur voyage. Un frissonnement égal et cadencé de rames troubla le silence de ce paysage et lui prêta une voix monotone, semblable aux psalmodies des moines. Étonné de rencontrer des promeneurs dans cette partie du lac ordinairement solitaire, le marquis examina, sans sortir de sa rêverie, les personnes assises dans la barque, et reconnut à l'arrière la vieille dame qui l'avait si durement interpellé la veille. Quand le bateau passa devant Raphaël, il ne fut salué que par la demoiselle de compagnie de cette dame, pauvre fille noble qu'il lui semblait voir pour la première fois. Déjà, depuis quelques instants, il avait oublié les promeneurs, promptement disparus derrière le promontoire, lorsqu'il entendit près de lui le frôlement d'une robe et le bruit de pas légers. En se retournant, il aperçut la demoiselle de compagnie ; à son air contraint, il devina qu'elle voulait lui parler, et s'avança vers elle. Âgée d'environ trente-six ans, grande et mince, sèche et froide, elle était, comme toutes les vieilles filles, assez embarrassée de son regard, qui ne s'accordait plus avec une démarche indécise, gênée, sans élasticité. Tout à la fois vieille et jeune, elle exprimait par une certaine dignité de maintien le haut prix qu'elle attachait à ses trésors et à ses perfections. Elle avait d'ailleurs les gestes discrets et monastiques des femmes habituées à se chérir elles-mêmes, sans doute pour ne pas faillir à leur destinée d'amour.

— Monsieur, votre vie est en danger, ne venez plus au Cercle, dit-elle à Raphaël en faisant quelques pas en arrière, comme si déjà sa vertu se trouvait compromise.

— Mais, mademoiselle, répondit Valentin en souriant, de grâce expliquez-vous plus clairement, puisque vous avez daigné venir jusqu'ici…

— Ah ! reprit-elle, sans le puissant motif qui m'amène, je n'aurais pas risqué d'encourir la disgrâce de madame la comtesse, car si elle savait jamais que je vous ai prévenu…

—. Et qui le lui dirait, mademoiselle ? s'écria Raphaël.

— C'est vrai, répondit la vieille fille en lui jetant le regard tremblotant d'une chouette mise au soleil. Mais pensez à vous, reprit-elle ; plusieurs jeunes gens qui veulent vous chasser des eaux se sont promis de vous provoquer, de vous forcer à vous battre en duel.

La voix de la vieille dame retentit dans le lointain.

— Mademoiselle, dit le marquis, ma reconnaissance…

Sa protectrice s'était déjà sauvée en entendant la voix de sa maîtresse qui, derechef, glapissait dans les rochers.

— Pauvre fille ! Les misères s'entendent et se secourent toujours, pensa Raphaël en s'asseyant au pied de son arbre.

La clef de toutes les sciences est sans contredit le point d'interrogation, nous devons la plupart des grandes découvertes au :

« Comment ? » et la sagesse dans la vie consiste peut-être à se demander à tout propos : « Pourquoi ? » Mais aussi cette factice prescience détruit-elle nos illusions. Ainsi, Valentin ayant pris, sans préméditation de philosophie, la bonne action de la vieille fille pour texte de ses pensées vagabondes, la trouva pleine de fiel.

— Que je sois aimé d'une demoiselle de compagnie, se dit-il, il n'y a rien là d'extraordinaire : j'ai vingt-sept ans, un titre et deux cent mille livres de rente ! Mais que sa maîtresse, qui dispute aux chattes la palme de l'hydrophobie [1], l'ait menée en bateau, près de moi, n'est-ce pas chose étrange et merveilleuse ? Ces deux femmes, venues en Savoie pour y dormir comme des marmottes, et qui demandent à midi s'il est jour, se seraient levées avant huit heures aujourd'hui pour faire du hasard en se mettant à ma poursuite ?

Bientôt cette vieille fille et son ingénuité quadragénaire fut à ses yeux une nouvelle transformation de ce monde artificieux et taquin, une ruse mesquine, un complot maladroit, une pointillerie de prêtre ou de femme. Le duel était-il une fable, ou voulait-on seulement lui faire peur ? Insolentes et tracassières comme des mouches, ces âmes étroites avaient réussi à piquer sa vanité, à réveiller son orgueil, à exciter sa curiosité. Ne voulant ni devenir leur dupe, ni passer pour un lâche, et amusé peut-être par ce petit drame, il vint au Cercle le soir même. Il se tint debout, accoudé sur le marbre de la cheminée, et resta tranquille au milieu du salon principal, en s'étudiant à ne donner aucune prise sur lui ; mais il examinait les visages, et défiait en quelque sorte l'assemblée par sa circonspection. Comme un dogue sûr de sa force, il attendait le combat chez lui, sans aboyer inutilement. Vers la fin de la soirée, il se promena dans le salon de jeu, en allant de la porte d'entrée à celle du billard, où il jetait de temps à autre un coup d'œil aux jeunes gens qui y faisaient une partie. Après quelques tours, il s'entendit nommer par eux. Quoiqu'ils parlassent à voix basse, Raphaël devina facilement qu'il était devenu l'objet d'un débat, et finit par saisir quelques phrases dites à haute voix. — Toi ? — Oui, moi ! — Je t'en défie ! — Parions ? — Oh !

1. *Hydrophobie* : horreur de l'eau.

il ira. Au moment où Valentin, curieux de connaître le sujet du pari, s'arrêta pour écouter attentivement la conversation, un jeune homme grand et fort, de bonne mine, mais ayant le regard fixe et impertinent des gens appuyés sur quelque pouvoir matériel, sortit du billard.

— Monsieur, dit-il d'un ton calme, en s'adressant à Raphaël, je me suis chargé de vous apprendre une chose que vous semblez ignorer : votre figure et votre personne déplaisent ici à tout le monde, et à moi en particulier ; vous êtes trop poli pour ne pas vous sacrifier au bien général, et je vous·prie de ne plus vous présenter au Cercle.

— Monsieur, cette plaisanterie, déjà faite sous l'Empire dans plusieurs garnisons, est devenue aujourd'hui de fort mauvais ton, répondit froidement Raphaël.

— Je ne plaisante pas, reprit le jeune homme, je vous le répète : votre santé souffrirait beaucoup de votre séjour ici ; la chaleur, les lumières, l'air du salon, la compagnie nuisent à votre maladie.

— Où avez-vous étudié la médecine ? demanda Raphaël.

— Monsieur, j'ai été reçu bachelier au tir de Lepage à Paris, et docteur chez Cérisier, le roi du fleuret.

— Il vous reste un dernier grade à prendre, répliqua Valentin, étudiez le Code de la politesse, vous serez un parfait gentilhomme.

En ce moment les jeunes gens, souriant ou silencieux, sortirent du billard. Les autres joueurs, devenus attentifs, quittèrent leurs cartes pour écouter une querelle qui réjouissait leurs passions. Seul au milieu de ce monde ennemi, Raphaël tâcha de conserver son sang-froid et de ne pas se donner le moindre tort ; mais son antagoniste s'étant permis un sarcasme où l'outrage s'enveloppait dans une forme éminemment incisive et spirituelle, il lui répondit gravement : — Monsieur, il n'est plus permis aujourd'hui de donner un soufflet à un homme, mais je ne sais de quel mot flétrir une conduite aussi lâche que l'est la vôtre.

— Assez ! assez ! Vous vous expliquerez demain, dirent plusieurs jeunes gens qui se jetèrent entre les deux champions.

Raphaël sortit du salon, passant pour l'offenseur, ayant accepté un rendez-vous près du château de Bordeau, dans une petite prairie en pente, non loin d'une route nouvellement percée par où le vainqueur pouvait gagner Lyon. Raphaël devait nécessairement ou garder le lit ou quitter les eaux d'Aix. La société triomphait. Le lendemain, sur les huit heures du matin, l'adversaire de Raphaël, suivi de deux témoins et d'un chirurgien, arriva le premier sur le terrain.

— Nous serons très bien ici, il fait un temps superbe pour se battre, s'écria-t-il gaiement en regardant la voûte bleue du ciel, les eaux du lac et les rochers sans la moindre arrière-pensée de doute ni de deuil. Si je le touche à l'épaule, dit-il en continuant, le mettrai-je bien au lit pour un mois, hein ! docteur ?

— Au moins, répondit le chirurgien. Mais laissez ce petit saule tranquille ; autrement vous vous fatigueriez la main, et ne seriez plus maître de votre coup. Vous pourriez tuer votre homme au lieu de le blesser.

Le bruit d'une voiture se fit entendre.

— Le voici, dirent les témoins qui bientôt aperçurent dans la route une calèche de voyage attelée de quatre chevaux et menée par deux postillons.

— Quel singulier genre ! s'écria l'adversaire de Valentin, il vient se faire tuer en poste[1].

À un duel comme au jeu, les plus légers incidents influent sur l'imagination des acteurs fortement intéressés au succès d'un coup ; aussi le jeune homme attendit-il avec une sorte d'inquiétude l'arrivée de cette voiture qui resta sur la route. Le vieux Jonathas en descendit lourdement le premier pour aider Raphaël à sortir ; il le soutint de ses bras débiles, en déployant pour lui les soins minutieux qu'un amant prodigue à sa maîtresse. Tous deux se perdirent dans les sentiers qui séparaient la grande route de l'endroit désigné pour le combat, et ne reparurent que longtemps après : ils allaient lentement. Les quatre spectateurs de cette scène singulière éprouvèrent une émotion profonde à l'aspect de Valentin appuyé sur le bras de son serviteur : pâle et défait, il marchait en goutteux, baissait la tête et ne disait mot. Vous eussiez dit de deux vieillards également détruits, l'un par le

---

1. *Poste* : voiture de voyage.

temps, l'autre par la pensée ; le premier avait son âge écrit sur ses cheveux blancs, le jeune n'avait plus d'âge.

— Monsieur, je n'ai pas dormi, dit Raphaël à son adversaire.

Cette parole glaciale et le regard terrible qui l'accompagna firent tressaillir le véritable provocateur, il eut la conscience de son tort et une honte secrète de sa conduite. Il y avait dans l'attitude, dans le son de voix et le geste de Raphaël quelque chose d'étrange. Le marquis fit une pause, et chacun imita son silence. L'inquiétude et l'attention étaient au comble.

— Il est encore temps, reprit-il, de me donner une légère satisfaction ; mais donnez-la-moi, monsieur, sinon vous allez mourir. Vous comptez en ce moment sur votre habileté, sans reculer à l'idée d'un combat où vous croyez avoir tout l'avantage. Eh bien, monsieur, je suis généreux, je vous préviens de ma supériorité. Je possède une terrible puissance. Pour anéantir votre adresse, pour voiler vos regards, faire trembler vos mains et palpiter votre cœur, pour vous tuer même, il me suffit de le désirer. Je ne veux pas être obligé d'exercer mon pouvoir, il me coûte trop cher d'en user. Vous ne serez pas le seul à mourir. Si donc vous vous refusez à me présenter des excuses, votre balle ira dans l'eau de cette cascade malgré votre habitude de l'assassinat, et la mienne droit à votre cœur sans que je le vise. En ce moment des voix confuses interrompirent Raphaël. En prononçant ces paroles, le marquis avait constamment dirigé sur son adversaire l'insupportable clarté de son regard fixe, il s'était redressé en montrant un visage impassible, semblable à celui d'un fou méchant.

— Fais-le taire, avait dit le jeune homme à son témoin, sa voix me tord les entrailles !

— Monsieur, cessez. Vos discours sont inutiles, crièrent à Raphaël le chirurgien et les témoins.

— Messieurs, je remplis un devoir. Ce jeune homme a-t-il des dispositions à prendre ?

— Assez, assez !

Le marquis resta debout, immobile, sans perdre un instant de vue son adversaire qui, dominé par une puissance presque magique, était comme un oiseau devant un serpent : contraint de subir ce regard homicide, il le fuyait, il revenait sans cesse.

— Donne-moi de l'eau, j'ai soif, dit-il à son témoin.

— As-tu peur ?

— Oui, répondit-il. L'œil de cet homme est brûlant et me fascine.

— Veux-tu lui faire des excuses ?

— Il n'est plus temps.

Les deux adversaires furent placés à quinze pas l'un de l'autre. Ils avaient chacun près d'eux une paire de pistolets, et, suivant le programme de cette cérémonie, ils devaient tirer deux coups à volonté, mais après le signal donné par les témoins.

— Que fais-tu, Charles ? cria le jeune homme qui servait de second à l'adversaire de Raphaël, tu prends la balle avant la poudre.

— Je suis mort, répondit-il en murmurant, vous m'avez mis en face du soleil.

— Il est derrière vous, lui dit Valentin d'une voix grave et solennelle en chargeant son pistolet lentement sans s'inquiéter ni du signal donné, ni du soin avec lequel l'ajustait son adversaire.

Cette sécurité surnaturelle avait quelque chose de terrible qui saisit même les deux postillons amenés là par une curiosité cruelle. Jouant avec son pouvoir, ou voulant l'éprouver, Raphaël parlait à Jonathas et le regardait au moment où il essuya le feu de son ennemi. La balle de Charles alla briser une branche de saule, et ricocha sur l'eau. En tirant au hasard, Raphaël atteignit son adversaire au cœur, et, sans faire attention à la chute de ce jeune homme, il chercha promptement la Peau de chagrin pour voir ce que lui coûtait une vie humaine. Le talisman n'était plus grand que comme une petite feuille de chêne.

— Eh bien, que regardez-vous donc là, postillons ? En route, dit le marquis.

Arrivé le soir même en France, il prit aussitôt la route d'Auvergne, et se rendit aux eaux du Mont-Dore. Pendant ce voyage, il lui surgit au cœur une de ces pensées soudaines qui tombent dans notre âme comme un rayon de soleil à travers d'épais nuages sur quelque obscure vallée. Tristes lueurs, sagesses implacables ! Elles illuminent les événements accomplis, nous dévoilent nos fautes et nous laissent sans pardon devant nous-mêmes. Il pensa tout à coup que la possession du pouvoir, quelque immense qu'il pût être, ne donnait pas la science de s'en servir. Le sceptre est un jouet pour un enfant, une hache pour Richelieu, et pour Napoléon un levier à faire pencher le monde. Le pouvoir nous laisse tels que nous sommes et ne grandit que les grands. Raphaël avait pu tout faire, il n'avait rien fait.

Aux eaux du Mont-Dore, il retrouva ce monde qui toujours s'éloignait de lui avec l'empressement que les animaux mettent à fuir un des leurs, étendu mort après l'avoir flairé de loin. Cette haine était réciproque. Sa dernière aventure lui avait donné une aversion profonde pour la société. Aussi, son premier soin fut-il de chercher un asile écarté aux environs des eaux. Il sentait instinctivement le besoin de se rapprocher de la nature, des émotions vraies et de cette vie végétative à laquelle nous nous laissons si complaisamment aller au milieu des champs. Le lendemain de son arrivée, il gravit, non sans peine, le pic de Sancy, et visita les vallées supérieures, les sites aériens, les lacs ignorés, les rustiques chaumières des Monts-Dore, dont les âpres et sauvages attraits commencent à tenter les pinceaux de nos artistes. Parfois, il se rencontre là d'admirables paysages pleins de grâce et de fraîcheur qui contrastent vigoureusement avec l'aspect sinistre de ces montagnes désolées. À peu près à une demi-lieue du village, Raphaël se trouva dans un endroit où, coquette et joyeuse comme un enfant, la nature semblait avoir pris plaisir à cacher des trésors ; en voyant cette retraite pittoresque et naïve, il résolut d'y vivre. La vie devait y être tranquille, spontanée, frugiforme [1] comme celle d'une plante.

Figurez-vous un cône renversé, mais un cône de granit largement évasé, espèce de cuvette dont les bords étaient morcelés par des anfractuosités bizarres : ici des tables droites sans végétation, unies, bleuâtres, et sur lesquelles les rayons solaires glissaient comme sur un miroir ; là des rochers entamés par des cassures, ridés par des ravins, d'où pendaient des quartiers de lave dont la chute était lentement préparée par les eaux pluviales, et souvent

---

1. *Frugiforme* : en forme de fruit.

couronnés de quelques arbres rabougris que torturaient les vents ; puis, çà et là, des redans [1] obscurs et frais d'où s'élevait un bouquet de châtaigniers hauts comme des cèdres ou des grottes jaunâtres qui ouvraient une bouche noire et profonde, palissée [2] de ronces, de fleurs, et garnie d'une langue de verdure. Au fond de cette coupe, peut-être l'ancien cratère d'un volcan, se trouvait un étang dont l'eau pure avait l'éclat du diamant. Autour de ce bassin profond, bordé de granit, de saules, de glaïeuls, de frênes, et de mille plantes aromatiques alors en fleurs régnait une prairie verte comme un boulingrin [3] anglais ; son herbe fine et jolie était arrosée par les infiltrations qui ruisselaient entre les fentes des rochers, et engraissée par les dépouilles végétales que les orages entraînaient sans cesse des hautes cimes vers le fond. Irrégulièrement taillé en dents de loup comme le bas d'une roche, l'étang pouvait avoir trois arpents d'étendue ; selon les rapprochements des rochers et de l'eau, la prairie avait un arpent ou deux de largeur ; en quelques endroits, à peine restait-il assez de place pour le passage des vaches. À une certaine hauteur, la végétation cessait. Le granit affectait dans les airs les formes les plus bizarres, et contractait ces teintes vaporeuses qui donnent aux montagnes élevées de vagues ressemblances avec les nuages du ciel. Au doux aspect du vallon, ces rochers nus et pelés opposaient les sauvages et stériles images de la désolation, des éboulements à craindre, des formes si capricieuses que l'une de ces roches est nommée *le Capucin*, tant elle ressemble à un moine. Parfois ces aiguilles pointues, ces piles audacieuses, ces cavernes aériennes s'illuminaient tour à tour, suivant le cours du soleil ou les fantaisies de l'atmosphère, et prenaient les nuances de l'or, se teignaient de pourpre, devenaient d'un rose vif, ou ternes ou grises. Ces hauteurs offraient un spectacle continuel et changeant comme les reflets irisés de la gorge des pigeons. Souvent, entre deux lames de lave que vous eussiez dit séparées par un coup de hache, un beau rayon de lumière pénétrait, à l'aurore ou au coucher du soleil, jusqu'au fond de cette riante corbeille où il se jouait dans les eaux du bassin, semblable à

---

1. *Redans* : saillies. \ **2.** *Palissée* : où la végétation est étendue et plaquée contre la roche. \ **3.** *Boulingrin* : parterre de gazon entouré de bordures.

la raie d'or qui perce la fente d'un volet et traverse une chambre
espagnole, soigneusement close pour la sieste. Quand le soleil
planait au-dessus du vieux cratère, rempli d'eau par quelque révolution antédiluvienne, les flancs rocailleux s'échauffaient, l'ancien
volcan s'allumait, et sa rapide chaleur réveillait les germes, fécon-
dait la végétation, colorait les fleurs, et mûrissait les fruits de ce
petit coin de terre ignoré. Lorsque Raphaël y parvint, il aperçut
quelques vaches paissant dans la prairie ; après avoir fait quelques
pas vers l'étang, il vit, à l'endroit où le terrain avait le plus de
largeur, une modeste maison bâtie en granit et couverte en bois.
Le toit de cette espèce de chaumière, en harmonie avec le site, était
orné de mousses, de lierres et de fleurs qui trahissaient une haute
antiquité. Une fumée grêle, dont les oiseaux ne s'effrayaient plus,
s'échappait de la cheminée en ruine. À la porte, un grand banc
était placé entre deux chèvrefeuilles énormes, rouges de fleurs et
qui embaumaient. À peine voyait-on les murs sous les pampres[1]
de la vigne et sous les guirlandes de roses et de jasmin qui croissaient à l'aventure et sans gêne. Insouciants de cette parure cham-
pêtre, les habitants n'en avaient nul soin, et laissaient à la nature
sa grâce vierge et lutine. Des langes accrochés à un groseillier
séchaient au soleil. Il y avait un chat accroupi sur une machine à
teiller[2] le chanvre, et dessous, un chaudron jaune, récemment
récuré, gisait au milieu de quelques pelures de pommes de terre.
De l'autre côté de la maison, Raphaël aperçut une clôture d'épines
sèches, destinée sans doute à empêcher les poules de dévaster les
fruits et le potager. Le monde paraissait finir là. Cette habitation
ressemblait à ces nids d'oiseaux ingénieusement fixés au creux
d'un rocher, pleins d'art et de négligence tout ensemble. C'était
une nature naïve et bonne, une rusticité vraie, mais poétique,
parce qu'elle florissait à mille lieues de nos poésies peignées,
n'avait d'analogie avec aucune idée, ne procédait que d'elle-même,
vrai triomphe du hasard. Au moment où Raphaël arriva, le soleil
jetait ses rayons de droite à gauche, et faisait resplendir les couleurs
de la végétation, mettait en relief ou décorait des prestiges de la

---

1. *Pampres* : branches de vigne avec ses feuilles et ses grappes. \ **2.** *Teiller* : débarrasser le
chanvre de l'écorce.

lumière, des oppositions de l'ombre, les fonds jaunes et grisâtres des rochers, les différents verts des feuillages, les masses bleues, rouges ou blanches des fleurs, les plantes grimpantes et leurs cloches, le velours chatoyant des mousses, les grappes purpurines de la bruyère, mais surtout la nappe d'eau claire où se réfléchissaient fidèlement les cimes granitiques, les arbres, la maison et le ciel. Dans ce tableau délicieux, tout avait son lustre, depuis le mica brillant jusqu'à la touffe d'herbes blondes cachée dans un doux clair-obscur ; tout y était harmonieux à voir : et la vache tachetée au poil luisant, et les fragiles fleurs aquatiques étendues comme des franges qui pendaient au-dessus de l'eau dans un enfoncement où bourdonnaient des insectes vêtus d'azur ou d'émeraude, et les racines d'arbres, espèces de chevelures sablonneuses qui couronnaient une informe figure en cailloux. Les tièdes senteurs des eaux, des fleurs et des grottes qui parfumaient ce réduit solitaire causèrent à Raphaël une sensation presque voluptueuse. Le silence majestueux qui régnait dans ce bocage, oublié peut-être sur les rôles [1] du percepteur, fut interrompu tout à coup par les aboiements de deux chiens. Les vaches tournèrent la tête vers l'entrée du vallon, montrèrent à Raphaël leurs mufles humides, et se mirent à brouter après l'avoir stupidement contemplé. Suspendus dans les rochers comme par magie, une chèvre et son chevreau cabriolèrent et vinrent se poser sur une table de granit près de Raphaël, en paraissant l'interroger. Les jappements des chiens attirèrent au-dehors un gros enfant qui resta béant, puis un vieillard en cheveux blancs et de moyenne taille. Ces deux êtres étaient en rapport avec le paysage, avec l'air, les fleurs et la maison. La santé débordait dans cette nature plantureuse, la vieillesse et l'enfance y étaient belles ; enfin il y avait dans tous ces types d'existence un laisser-aller primordial, une routine de bonheur qui donnait un démenti à nos capucinades [2] philosophiques, et guérissait le cœur de ses passions boursouflées. Le vieillard appartenait aux modèles affectionnés par les mâles pinceaux de Schnetz [3] ; c'était un visage brun dont les rides

---

1. *Rôles* : registres. \ **2.** *Capucinades* : discours de morale. \ **3.** *Schnetz* : Jean-Victor Schnetz (1787-1870), peintre français.

nombreuses paraissaient rudes au toucher, un nez droit, des pommettes saillantes et veinées de rouge comme une vieille feuille de vigne, des contours anguleux, tous les caractères de la force, même là où la force avait disparu ; ses mains calleuses, quoiqu'elles ne travaillassent plus, conservaient un poil blanc et rare ; son attitude d'homme vraiment libre faisait pressentir qu'en Italie il serait peut-être devenu brigand par amour pour sa précieuse liberté. L'enfant, véritable montagnard, avait des yeux noirs qui pouvaient envisager le soleil sans cligner, un teint de bistre[1], des cheveux bruns en désordre. Il était leste et décidé, naturel dans ses mouvements comme un oiseau ; mal vêtu, il laissait voir une peau blanche et fraîche à travers les déchirures de ses habits. Tous deux restèrent debout et en silence, l'un près de l'autre, mus par le même sentiment, offrant sur leur physionomie la preuve d'une identité parfaite dans leur vie également oisive. Le vieillard avait épousé les jeux de l'enfant, et l'enfant l'humeur du vieillard par une espèce de pacte entre deux faiblesses, entre une force près de finir et une force près de se déployer. Bientôt une femme âgée d'environ trente ans apparut sur le seuil de la porte. Elle filait en marchant. C'était une Auvergnate, haute en couleur, l'air réjoui, franche, à dents blanches, figure de l'Auvergne, taille d'Auvergne, coiffure, robe de l'Auvergne, seins rebondis de l'Auvergne, et son parler ; une idéalisation complète du pays, mœurs laborieuses, ignorance, économie, cordialité, tout y était.

Elle salua Raphaël, ils entrèrent en conversation ; les chiens s'apaisèrent, le vieillard s'assit sur un banc au soleil, et l'enfant suivit sa mère partout où elle alla, silencieux, mais écoutant, examinant l'étranger.

— Vous n'avez pas peur ici, ma bonne femme ?

— Et d'où que nous aurions peur, monsieur ? Quand nous barrons l'entrée, qui donc pourrait venir ici ? Oh ! nous n'avons point peur ! D'ailleurs, dit-elle en faisant entrer le marquis dans la grande chambre de la maison, qu'est-ce que les voleurs viendraient donc prendre chez nous ?

---

1. *Bistre* : basané, tanné.

Elle montrait des murs noircis par la fumée, sur lesquels étaient pour tout ornement ces images enluminées de bleu, de rouge et de vert, qui représentent la *Mort de Crédit*, la *Passion de Jésus-Christ* et les *Grenadiers de la Garde impériale*; puis, çà et là, dans la chambre, un vieux lit de noyer à colonnes, une table à pieds tordus, des escabeaux, la huche au pain, du lard pendu au plancher, du sel dans un pot, une poêle; et sur la cheminée, des plâtres jaunis et colorés. En sortant de la maison, Raphaël aperçut, au milieu des rochers, un homme qui tenait une houe à la main, et qui penché, curieux, regardait la maison.

— Monsieur, c'est l'homme, dit l'Auvergnate en laissant échapper ce sourire familier aux paysannes; il laboure là-haut.

— Et ce vieillard est votre père?

— Faites excuse, monsieur, c'est le grand-père de notre homme. Tel que vous le voyez, il a cent deux ans. Eh ben, dernièrement il a mené, à pied, notre petit gars à Clermont! Ç'a été un homme fort; maintenant, il ne fait plus que dormir, boire et manger. Il s'amuse toujours avec le petit gars. Quelquefois, le petit l'emmène dans les hauts, il y va tout de même.

Aussitôt Valentin se résolut à vivre entre ce vieillard et cet enfant, à respirer dans leur atmosphère, à manger de leur pain, à boire de leur eau, à dormir de leur sommeil, à se faire de leur sang dans les veines. Caprice de mourant! Devenir une des huîtres de ce rocher, sauver son écaille pour quelques jours de plus en engourdissant la mort, fut pour lui l'archétype de la morale individuelle, la véritable formule de l'existence humaine, le beau idéal de la vie, la seule vie, la vraie vie. Il lui vint au cœur une profonde pensée d'égoïsme où s'engloutit l'univers. À ses yeux, il n'y eut plus d'univers, l'univers passa tout en lui. Pour les malades, le monde commence au chevet et finit au pied de leur lit. Ce paysage fut le lit de Raphaël.

Qui n'a pas, une fois dans sa vie, espionné les pas et démarches d'une fourmi, glissé des pailles dans l'unique orifice par lequel respire une limace blonde, étudié les fantaisies d'une demoiselle fluette, admiré les milles veines, coloriées comme une rose de cathédrale gothique, qui se détachent sur le fond rougeâtre des feuilles d'un jeune chêne? Qui n'a délicieusement regardé

pendant longtemps l'effet de la pluie et du soleil sur un toit de
tuiles brunes, ou contemplé les gouttes de rosée, les pétales des
fleurs, les découpures variées de leurs calices ? Qui ne s'est plongé
dans ces rêveries matérielles, indolentes et occupées, sans but et
conduisant néanmoins à quelque pensée ? Qui n'a pas enfin mené
la vie de l'enfance, la vie paresseuse, la vie du sauvage, moins ses
travaux ? Ainsi vécut Raphaël pendant plusieurs jours, sans soins,
sans désirs, éprouvant un mieux sensible, un bien-être extraordinaire, qui calma ses inquiétudes, apaisa ses souffrances. Il
gravissait les rochers, et allait s'asseoir sur un pic d'où ses yeux
embrassaient quelque paysage d'immense étendue. Là, il restait
des journées entières comme une plante au soleil, comme un lièvre
au gîte. Ou bien, se familiarisant avec les phénomènes de la
végétation, avec les vicissitudes du ciel, il épiait le progrès de
toutes les œuvres, sur la terre, dans les eaux ou dans l'air. Il tenta
de s'associer au mouvement intime de cette nature, et de s'identifier assez complètement à sa passive obéissance, pour tomber
sous la loi despotique et conservatrice qui régit les existences
instinctives. Il ne voulait plus être chargé de lui-même. Semblable
à ces criminels d'autrefois, qui, poursuivis par la justice, étaient
sauvés s'ils atteignaient l'ombre d'un autel, il essayait de se glisser
dans le sanctuaire de la vie. Il réussit à devenir partie intégrante
de cette large et puissante fructification : il avait épousé les intem-
péries de l'air, habité tous les creux de rochers, appris les mœurs
et les habitudes de toutes les plantes, étudié le régime des eaux,
leurs gisements, et fait connaissance avec les animaux ; enfin, il
s'était si parfaitement uni à cette terre animée, qu'il en avait en
quelque sorte saisi l'âme et pénétré les secrets. Pour lui, les formes
infinies de tous les règnes étaient les développements d'une même
substance, les combinaisons d'un même mouvement, vaste respiration d'un être immense qui agissait, pensait, marchait,
grandissait, et avec lequel il voulait grandir, marcher, penser, agir.
Il avait fantastiquement mêlé sa vie à la vie de ce rocher, il s'y était
implanté. Grâce à ce mystérieux illuminisme, convalescence
factice, semblable à ces bienfaisants délires accordés par la nature
comme autant de haltes dans la douleur, Valentin goûta les
plaisirs d'une seconde enfance durant les premiers moments de

son séjour au milieu de ce riant paysage. Il y allait dénichant des riens, entreprenant mille choses sans en achever aucune, oubliant le lendemain les projets de la veille, insouciant ; il fut heureux, il se crut sauvé. Un matin, il était resté par hasard au lit jusqu'à midi, plongé dans cette rêverie mêlée de veille et de sommeil, qui prête aux réalités les apparences de la fantaisie et donne aux chimères le relief de l'existence, quand tout à coup, sans savoir d'abord s'il ne continuait pas un rêve, il entendit, pour la première fois, le bulletin de sa santé donné par son hôtesse à Jonathas, venu, comme chaque jour, le lui demander. L'Auvergnate croyait sans doute Valentin encore endormi, et n'avait pas baissé le diapason de sa voix montagnarde.

– Ça ne va pas mieux, ça ne va pas pis, disait-elle. Il a encore toussé pendant toute cette nuit à rendre l'âme. Il tousse, il crache, ce cher monsieur, que c'est une pitié. Je me demandons, moi et mon homme, où il prend la force de tousser comme ça. Ça fend le cœur. Quelle damnée maladie qu'il a ! C'est qu'il n'est point bien du tout ! J'avons toujours peur de le trouver crevé dans son lit, un matin. Il est vraiment pâle comme un Jésus de cire ! Dame, je le vois quand il se lève, eh ben, son pauvre corps est maigre comme un cent de clous [1]. Et il ne sent déjà pas bon tout de même ! Ça lui est égal, il se consume à courir comme s'il avait de la santé à vendre. Il a bien du courage tout de même de ne pas se plaindre. Mais, vraiment, il serait mieux en terre qu'en pré, car il souffre la passion de Dieu ! Je ne le désirons pas, monsieur, ce n'est point notre intérêt. Mais il ne nous donnerait pas ce qu'il nous donne que je l'aimerions tout de même : ce n'est point l'intérêt qui nous pousse. Ah ! mon Dieu ! reprit-elle, il n'y a que les Parisiens pour avoir de ces chiennes de maladies-là ! Où qui prennent ça, donc ? Pauvre jeune homme, il est sûr qu'il ne peut guère ben finir. C'te fièvre, voyez-vous, ça vous le mine, ça le creuse, ça le ruine ! Il ne s'en doute point. Il ne le sait point, monsieur. Il ne s'aperçoit de rien. Faut pas pleurer pour ça, monsieur Jonathas ! Il faut se dire qu'il sera heureux de ne plus souffrir. Vous devriez faire une

---

1. *Un cent de clous* : une centaine de clous.

neuvaine pour lui. J'avons vu de belles guérisons par les neuvaines, et je paierions bien un cierge pour sauver une si douce créature, si bonne, un agneau pascal.

La voix de Raphaël était devenue trop faible pour qu'il pût se faire entendre, il fut donc obligé de subir cet épouvantable bavardage. Cependant l'impatience le chassa de son lit, il se montra sur le seuil de la porte : « Vieux scélérat, cria-t-il à Jonathas, tu veux donc être mon bourreau ? » La paysanne crut voir un spectre et s'enfuit.

— Je te défends, dit Raphaël en continuant, d'avoir la moindre inquiétude sur ma santé.

— Oui, monsieur le marquis, répondit le vieux serviteur en essuyant ses larmes.

— Et tu feras même fort bien, dorénavant, de ne pas venir ici sans mon ordre.

Jonathas voulut obéir ; mais, avant de se retirer, il jeta sur le marquis un regard fidèle et compatissant où Raphaël lut son arrêt de mort. Découragé, rendu tout à coup au sentiment vrai de sa situation, Valentin s'assit sur le seuil de la porte, se croisa les bras sur la poitrine et baissa la tête. Jonathas, effrayé, s'approcha de son maître.

— Monsieur ?

— Va-t'en ! va-t'en ! lui cria le malade.

Pendant la matinée du lendemain, Raphaël, ayant gravi les rochers, s'était assis dans une crevasse pleine de mousse d'où il pouvait voir le chemin étroit par lequel on venait des eaux à son habitation. Au bas du pic, il aperçut Jonathas conversant derechef avec l'Auvergnate. Une malicieuse puissance lui interpréta les hochements de tête, les gestes désespérants, la sinistre naïveté de cette femme, et lui en jeta même les fatales paroles dans le vent et dans le silence. Pénétré d'horreur, il se réfugia sur les plus hautes cimes des montagnes et y resta jusqu'au soir, sans avoir pu chasser les sinistres pensées, si malheureusement réveillées dans son cœur par le cruel intérêt dont il était devenu l'objet. Tout à coup l'Auvergnate elle-même se dressa soudain devant lui comme une ombre dans l'ombre du soir ; par une bizarrerie de poète, il voulut trouver, dans son jupon rayé de noir et de blanc, une vague ressemblance avec les côtes desséchées d'un spectre.

— Voilà le serein[1] qui tombe, mon cher monsieur, lui dit-elle. Si vous restiez là, vous vous avanceriez ni plus ni moins qu'un fruit patrouillé[2]. Faut rentrer. Ça n'est pas sain de humer la rosée, avec ça que vous n'avez rien pris depuis ce matin.

— Par le tonnerre de Dieu, s'écria-t-il, vieille sorcière, je vous ordonne de me laisser vivre à ma guise, ou je décampe d'ici. C'est bien assez de me creuser ma fosse tous les matins, au moins ne la fouillez pas le soir.

— Votre fosse! Monsieur! Creuser votre fosse! Où qu'elle est donc, votre fosse? Je voudrions vous voir bastant comme notre père, et point dans la fosse! La fosse! Nous y sommes toujours assez tôt, dans la fosse.

— Assez, dit Raphaël.

— Prenez mon bras, monsieur.

— Non.

Le sentiment que l'homme supporte le plus difficilement est la pitié, surtout quand il la mérite. La haine est un tonique, elle fait vivre, elle inspire la vengeance; mais la pitié tue, elle affaiblit encore notre faiblesse. C'est le mal devenu patelin[3], c'est le mépris dans la tendresse, ou la tendresse dans l'offense. Raphaël trouva chez le centenaire une pitié triomphante, chez l'enfant une pitié curieuse, chez la femme une pitié tracassière, chez le mari une pitié intéressée; mais, sous quelque forme que ce sentiment se montrât, il était toujours gros de mort. Un poète fait de tout un poème, terrible ou joyeux, suivant les images qui le frappent; son âme exaltée rejette les nuances douces, et choisit toujours les couleurs vives et tranchées. Cette pitié produisit au cœur de Raphaël un horrible poème de deuil et de mélancolie. Il n'avait pas songé sans doute à la franchise des sentiments naturels, quand il désira se rapprocher de la nature. Lorsqu'il se croyait seul sous un arbre, aux prises avec une quinte opiniâtre dont il ne triomphait jamais sans sortir abattu par cette terrible lutte, il voyait les yeux brillants et fluides du petit garçon, placé en vedette sous une touffe d'herbes, comme un sauvage, et qui l'examinait avec cette

1. *Serein*: fraîcheur qui tombe avec le soir. \ 2. *Patrouillé*: manipulé sans précaution. \ 3. *Patelin*: doucereux, mielleux.

enfantine curiosité dans laquelle il y a autant de raillerie que de plaisir, et je ne sais quel intérêt mêlé d'insensibilité. Le terrible : *Frère, il faut mourir*, des trappistes [1], semblait constamment écrit dans les yeux des paysans avec lesquels vivait Raphaël ; il ne savait ce qu'il craignait le plus de leurs paroles naïves ou de leur silence ; tout en eux le gênait. Un matin, il vit deux hommes vêtus de noir qui rôdèrent autour de lui, le flairèrent, et l'étudièrent à la dérobée ; puis, feignant d'être venus là pour se promener, ils lui adressèrent des questions banales auxquelles il répondit brièvement. Il reconnut en eux le médecin et le curé des eaux, sans doute envoyés par Jonathas, consultés par ses hôtes ou attirés par l'odeur d'une mort prochaine. Il entrevit alors son propre convoi, il entendit le chant des prêtres, il compta les cierges, et ne vit plus qu'à travers un crêpe les beautés de cette riche nature, au sein de laquelle il croyait avoir rencontré la vie. Tout ce qui naguère lui annonçait une longue existence lui prophétisait maintenant une fin prochaine. Le lendemain, il partit pour Paris, après avoir été abreuvé des souhaits mélancoliques et cordialement plaintifs que ses hôtes lui adressèrent.

Après avoir voyagé durant toute la nuit, il s'éveilla dans l'une des plus riantes vallées du Bourbonnais, dont les sites et les points de vue tourbillonnaient devant lui, rapidement emportés comme les images vaporeuses d'un songe. La nature s'étalait à ses yeux avec une cruelle coquetterie. Tantôt l'Allier déroulait sur une riche perspective son ruban liquide et brillant, puis des hameaux modestement cachés au fond d'une gorge de rochers jaunâtres montraient la pointe de leurs clochers ; tantôt les moulins d'un petit vallon se découvraient soudain après des vignobles monotones, et toujours apparaissaient de riants châteaux, des villages suspendus, ou quelques routes bordées de peupliers majestueux ; enfin la Loire et ses longues nappes diamantées reluisirent au milieu de ses sables dorés. Séductions sans fin ! La nature agitée, vivace comme un enfant, contenant à peine l'amour et la sève du mois de juin, attirait

---

1. *Trappistes* : ordre religieux des cisterciens réformés de la stricte observance établis à l'abbaye bénédictine de Notre-Dame-de-la-Trappe. Prière, travail manuel, austérité, silence, souci constant de la mort étaient les principes de cet ordre.

fatalement les regards éteints du malade. Il leva les persiennes de sa voiture, et se remit à dormir. Vers le soir, après avoir passé Cosne, il fut réveillé par une joyeuse musique et se trouva devant une fête de village. La poste était située près de la place. Pendant le temps que les postillons mirent à relayer sa voiture, il vit les danses de cette population joyeuse, les filles parées de fleurs, jolies, agaçantes, les jeunes gens animés, puis les trognes [1] des vieux paysans gaillardement rougies par le vin. Les petits enfants se rigolaient [2], les vieilles femmes parlaient en riant, tout avait une voix, et le plaisir enjolivait même les habits et les tables dressées. La place et l'église offraient une physionomie de bonheur ; les toits, les fenêtres, les portes mêmes du village semblaient s'être endimanchés aussi. Semblable aux moribonds impatients du moindre bruit, Raphaël ne put réprimer une sinistre interjection, ni le désir d'imposer silence à ces violons, d'anéantir ce mouvement, d'assourdir ces clameurs, de dissiper cette fête insolente. Il monta tout chagrin dans sa voiture. Quand il regarda sur la place, il vit la joie effarouchée, les paysannes en fuite et les bancs déserts. Sur l'échafaud de l'orchestre, un ménétrier [3] aveugle continuait à jouer sur sa clarinette une ronde criarde. Cette musique sans danseurs, ce vieillard solitaire au profil grimaud [4], en haillons, les cheveux épars, et caché dans l'ombre d'un tilleul, était comme une image fantastique du souhait de Raphaël. Il tombait à torrents une de ces fortes pluies que les nuages électriques du mois de juin versent brusquement et qui finissent de même. C'était chose si naturelle, que Raphaël, après avoir regardé dans le ciel quelques nuages blanchâtres emportés par un grain de vent, ne songea pas à regarder sa Peau de chagrin. Il se remit dans le coin de sa voiture, qui bientôt roula sur la route.

Le lendemain il se trouva chez lui, dans sa chambre, au coin de sa cheminée. Il s'était fait allumer un grand feu, il avait froid ; Jonathas lui apporta des lettres, elle étaient toutes de Pauline. Il ouvrit la première sans empressement, et la déplia comme si c'eût été le

---

1. *Trognes* : figures rubicondes de gros buveurs. \ 2. *Se rigolaient* : forme archaïque pour « se divertissaient ». \ 3. *Ménétrier* : violoniste de village qui faisait danser les invités. \ 4. *Grimaud* : de masque.

papier grisâtre d'une sommation sans frais, envoyée par le percepteur. Il lut la première phrase : « Parti, mais c'est une fuite, mon Raphaël. Comment ! Personne ne peut me dire où tu es ? Et si je ne le sais pas, qui donc le saurait ? » Sans vouloir en apprendre davantage, il prit froidement les lettres et les jeta dans le foyer, en regardant d'un œil terne et sans chaleur les jeux de la flamme qui tordait le papier parfumé, le racornissait, le retournait, le morcelait.

Des fragments roulèrent sur les cendres en lui laissant voir des commencements de phrase, des mots, des pensées à demi brûlées, et qu'il se plut à saisir dans la flamme par un divertissement machinal.

« ... Assise à ta porte attendu... Caprice j'obéis... Des rivales... moi, non ! ta Pauline... aime... plus de Pauline donc ?... Si tu avais voulu me quitter, tu ne m'aurais pas abandonnée... Amour éternel... Mourir... »

Ces mots lui donnèrent une sorte de remords : il saisit les pincettes et sauva des flammes un dernier lambeau de lettre.

« ... J'ai murmuré, disait Pauline, mais je ne me suis pas plainte, Raphaël ! En me laissant loin de toi, tu as sans doute voulu me dérober le poids de quelques chagrins. Un jour, tu me tueras peut-être, mais tu es trop bon pour me faire souffrir. Eh bien, ne pars plus ainsi. Va, je puis affronter les plus grands supplices, mais près de toi. Le chagrin que tu m'imposerais ne serait plus un chagrin : j'ai dans le cœur encore bien plus d'amour que je ne t'en ai montré. Je puis tout supporter, hors de pleurer loin de toi, et de ne pas savoir ce que tu... »

Raphaël posa sur la cheminée ce débris de lettre noirci par le feu, il le rejeta tout à coup dans le foyer. Ce papier était une image trop vive de son amour et de sa fatale vie.

— Va chercher monsieur Bianchon, dit-il à Jonathas.

Horace vint et trouva Raphaël au lit.

— Mon ami, peux-tu me composer une boisson légèrement opiacée qui m'entretienne dans une somnolence continuelle, sans que l'emploi constant de ce breuvage me fasse mal ?

— Rien n'est plus aisé, répondit le jeune docteur ; mais il faudra cependant rester debout quelques heures de la journée, pour manger.

— Quelques heures, dit Raphaël en l'interrompant, non, non, je ne veux être levé que durant une heure au plus.

— Quel est donc ton dessein ? demanda Bianchon.

— Dormir, c'est encore vivre, répondit le malade.

— Ne laisse entrer personne, fût-ce même mademoiselle Pauline de Witschnau, dit Valentin à Jonathas pendant que le médecin écrivait son ordonnance.

— Eh bien, monsieur Horace, y a-t-il de la ressource ? demanda le vieux domestique au jeune docteur qu'il avait reconduit jusqu'au perron.

— Il peut aller encore longtemps, ou mourir ce soir. Chez lui, les chances de vie et de mort sont égales. Je n'y comprends rien, répondit le médecin en laissant échapper un geste de doute. Il faut le distraire.

— Le distraire ! monsieur, vous ne le connaissez pas. Il a tué l'autre jour un homme sans dire ouf ! Rien ne le distrait.

Raphaël demeura pendant quelques jours plongé dans le néant de son sommeil factice. Grâce à la puissance matérielle exercée par l'opium sur notre âme immatérielle, cet homme d'imagination si puissamment active s'abaissa jusqu'à la hauteur de ces animaux paresseux qui croupissent au sein des forêts, sous la forme d'une dépouille végétale, sans faire un pas pour saisir une proie facile. Il avait même éteint la lumière du ciel, le jour n'entrait plus chez lui. Vers les huit heures du soir, il sortait de son lit : sans avoir une conscience lucide de son existence, il satisfaisait sa faim, puis se recouchait aussitôt. Ses heures froides et ridées ne lui apportaient que de confuses images, des apparences, des clairs-obscurs sur un fond noir. Il s'était enseveli dans un profond silence, dans une négation de mouvement et d'intelligence. Un soir, il se réveilla beaucoup plus tard que de coutume, et ne trouva pas son dîner servi. Il sonna Jonathas.

— Tu peux partir, lui dit-il. Je t'ai fait riche, tu seras heureux dans tes vieux jours ; mais je ne veux plus te laisser jouer ma vie. Comment ! misérable, je sens la faim. Où est mon dîner ? Réponds.

Jonathas laissa échapper un sourire de contentement, prit une bougie dont la lumière tremblotait dans l'obscurité profonde des

immenses appartements de l'hôtel ; il conduisit son maître rede-
venu machine à une vaste galerie et en ouvrit brusquement la
porte. Aussitôt Raphaël, inondé de lumière, fut ébloui, surpris par
un spectacle inouï. C'était ses lustres chargés de bougies, les fleurs
les plus rares de sa serre artistement disposées, une table étince-
lante d'argenterie, d'or, de nacre, de porcelaines ; un repas royal,
fumant, et dont les mets appétissants irritaient les houppes nerveuses du palais. Il vit ses amis convoqués, mêlés à des femmes
parées et ravissantes, la gorge nue, les épaules découvertes, les chevelures pleines de fleurs, les yeux brillants, toutes de beautés
diverses, agaçantes sous de voluptueux travestissements : l'une
avait dessiné ses formes attrayantes par une jaquette irlandaise,
l'autre portait la basquina [1] lascive des Andalouses ; celle-ci, demi-
nue en Diane chasseresse, celle-là, modeste et amoureuse sous le
costume de mademoiselle de La Vallière [2], étaient également
vouées à l'ivresse. Dans les regards de tous les convives brillaient la
joie, l'amour, le plaisir. Au moment où la morte figure de Raphaël
se montra dans l'ouverture de la porte, une acclamation soudaine
éclata, rapide, rutilante comme les rayons de cette fête improvisée.
Les voix, les parfums, la lumière, ces femmes d'une pénétrante
beauté frappèrent tous ses sens, réveillèrent son appétit. Une délicieuse musique, cachée dans un salon voisin, couvrit par un torrent
d'harmonie ce tumulte enivrant, et compléta cette étrange vision.
Raphaël se sentit la main pressée par une main chatouilleuse, une
main de femme dont les bras frais et blancs se levaient pour le serrer, la main d'Aquilina. Il comprit que ce tableau n'était pas vague
et fantastique comme les fugitives images de ses rêves décolorés, il
poussa un cri sinistre, ferma brusquement la porte, et flétrit son
vieux serviteur en le frappant au visage.

— Monstre, tu as donc juré de me faire mourir ? s'écria-t-il.
Puis, tout palpitant du danger qu'il venait de courir, il trouva des
forces pour regagner sa chambre, but une forte dose de sommeil et
se coucha.

---

1. *Basquina* : jupe élégante. \ 2. *Mademoiselle de La Vallière* : maîtresse de Louis XIV (1644-
1710).

— Que diable ! dit Jonathas en se relevant, monsieur Bianchon m'avait cependant bien ordonné de le distraire.

Il était environ minuit. À cette heure, Raphaël, par un de ses caprices physiologiques, l'étonnement et le désespoir des sciences médicales, resplendissait de beauté pendant son sommeil. Un rose vif colorait ses joues blanches. Son front gracieux comme celui d'une jeune fille exprimait le génie. La vie était en fleurs sur ce visage tranquille et reposé. Vous eussiez dit d'un jeune enfant endormi sous la protection de sa mère. Son sommeil était un bon sommeil, sa bouche vermeille laissait passer un souffle égal et pur ; il souriait transporté sans doute par un rêve dans une belle vie. Peut-être était-il centenaire, peut-être ses petits-enfants lui sou-haitaient-ils de longs jours ; peut-être de son banc rustique, sous le soleil, assis sous le feuillage, apercevait-il, comme le prophète, en haut de la montagne, la terre promise, dans un bienfaisant lointain !

— Te voilà donc !

Ces mots, prononcés d'une voix argentine, dissipèrent les figures nuageuses de son sommeil. À la lueur de la lampe, il vit assise sur son lit sa Pauline, mais Pauline embellie par l'absence et par la douleur. Raphaël resta stupéfait à l'aspect de cette figure blanche comme les pétales d'une fleur des eaux, et qui, accom-pagnée de longs cheveux noirs, semblait encore plus blanche dans l'ombre. Des larmes avaient tracé leur route brillante sur ses joues, et y restaient suspendues, prêtes à tomber au moindre effort. Vêtue de blanc, la tête penchée et foulant à peine le lit, elle était là comme un ange descendu des cieux, comme une apparition qu'un souffle pouvait faire disparaître.

— Ah ! j'ai tout oublié, s'écria-t-elle au moment où Raphaël ouvrit les yeux. Je n'ai de voix que pour te dire : Je suis à toi ! Oui, mon cœur est tout amour. Ah ! jamais, ange de ma vie, tu n'as été si beau. Tes yeux foudroient. Mais je devine tout, va ! Tu as été chercher la santé sans moi, tu me craignais... Eh bien.

— Fuis, fuis, laisse-moi, répondit enfin Raphaël d'une voix sourde. Mais va-t'en donc. Si tu restes là, je meurs. Veux-tu me voir mourir ?

— Mourir ! répéta-t-elle. Est-ce que tu peux mourir sans moi ? Mourir, mais tu es jeune ! Mourir, mais je t'aime ! Mourir ! ajouta-t-elle d'une voix profonde et gutturale en lui prenant les mains par un mouvement de folie.

— Froides, dit-elle. Est-ce une illusion ?

Raphaël tira de dessous son chevet le lambeau de la Peau de chagrin, fragile et petit comme la feuille d'une pervenche, et le lui montrant : — Pauline, belle image de ma vie, disons-nous adieu, dit-il.

— Adieu ? répéta-t-elle d'un air surpris.

— Oui. Ceci est un talisman qui accomplit mes désirs, et représente ma vie. Vois ce qu'il m'en reste. Si tu me regardes encore, je vais mourir…

La jeune fille crut Valentin devenu fou, elle prit le talisman, et alla chercher la lampe. Éclairée par la lueur vacillante qui se projetait également sur Raphaël et sur le talisman, elle examina très attentivement et le visage de son amant et la dernière parcelle de la Peau magique. En la voyant belle de terreur et d'amour, il ne fut plus maître de sa pensée : les souvenirs des scènes caressantes et des joies délirantes de sa passion triomphèrent dans son âme depuis longtemps endormie, et s'y réveillèrent comme un foyer mal éteint.

— Pauline, viens ! Pauline !

Un cri terrible sortit du gosier de la jeune fille, ses yeux se dilatèrent, ses sourcils violemment tirés par une douleur inouïe, s'écartèrent avec horreur, elle lisait dans les yeux de Raphaël un de ces désirs furieux, jadis sa gloire à elle ; mais à mesure que grandissait ce désir, la Peau, en se contractant, lui chatouillait la main. Sans réfléchir, elle s'enfuit dans le salon voisin dont elle ferma la porte.

— Pauline ! Pauline ! cria le moribond en courant après elle, je t'aime, je t'adore, je te veux ! Je te maudis, si tu ne m'ouvres ! Je veux mourir à toi !

Par une force singulière, dernier éclat de vie, il jeta la porte à terre, et vit sa maîtresse à demi nue se roulant sur un canapé. Pauline avait tenté vainement de se déchirer le sein, et pour se donner une prompte mort, elle cherchait à s'étrangler avec son châle. « Si je meurs, il vivra ! » disait-elle en tâchant vainement de serrer le nœud. Ses cheveux étaient épars, ses épaules nues, ses vêtements en désordre, et dans cette lutte avec la mort, les yeux en pleurs, le visage enflammé, se tordant sous un horrible désespoir, elle présentait à Raphaël, ivre d'amour, mille beautés qui augmentèrent son délire ; il se jeta sur elle avec la légèreté d'un oiseau de proie, brisa le châle, et voulut la prendre dans ses bras.

Le moribond chercha des paroles pour exprimer le désir qui dévorait toutes ses forces ; mais il ne trouva que les sons étranglés du râle dans sa poitrine, dont chaque respiration creusée plus avant, semblait partir de ses entrailles. Enfin, ne pouvant bientôt plus former de sons, il mordit Pauline au sein. Jonathas se présenta tout épouvanté des cris qu'il entendait, et tenta d'arracher à la jeune fille le cadavre sur lequel elle s'était accroupie dans un coin.

– Que demandez-vous ? dit-elle. Il est à moi, je l'ai tué, ne l'avais-je pas prédit ?

[annotations manuscrites en marge : derniers moments]

[notes manuscrites :]
- Sa propre follie
- Ironie
- on croit au fantastique : peau est vrai
- tourmenté psychologiquement
- performativité : déclaration de la réalité

Épilogue

Et que devint Pauline ?

— Ah ! Pauline, bien. Êtes-vous quelquefois resté par une douce soirée d'hiver devant votre foyer domestique, voluptueusement livré à des souvenirs d'amour ou de jeunesse en contemplant les rayures produites par le feu sur un morceau de chêne ? Ici la combustion dessine les cases rouges d'un damier, là elle miroite des velours ; de petites flammes bleues courent, bondissent et jouent sur le fond ardent du brasier. Vient un peintre inconnu qui se sert de cette flamme ; par un artifice unique, il trace au sein de ces flamboyantes teintes violettes ou empourprées une figure supernaturelle et d'une délicatesse inouïe, phénomène fugitif que le hasard ne recommencera jamais : c'est une femme aux cheveux emportés par le vent, et dont le profil respire une passion délicieuse : du feu dans le feu ! elle sourit, elle expire, vous ne la reverrez plus. Adieu fleur de la flamme, adieu principe incomplet, inattendu, venu trop tôt ou trop tard pour être quelque beau diamant.

— Mais Pauline ?

— Vous n'y êtes pas ? Je recommence. Place ! place ! Elle arrive, la voici la reine des illusions, la femme qui passe comme un baiser, la femme vive comme un éclair, comme lui jaillie brûlante du ciel, l'être incréé, tout esprit, tout amour. Elle a revêtu je ne sais quel corps de flamme, ou pour elle la flamme s'est un moment animée ! Les lignes de ses formes sont d'une pureté qui vous dit qu'elle vient du ciel. Ne resplendit-elle pas comme un ange ? N'entendez-vous pas le frémissement aérien de ses ailes ? Plus légère que l'oiseau, elle s'abat près de vous et ses terribles yeux fascinent ; sa douce, mais puissante haleine attire vos lèvres par une force magique ; elle fuit et vous entraîne, vous ne sentez plus la terre. Vous tressaillez de tous vos nerfs, vous êtes tout désir, tout souffrance. Vous voulez passer une seule fois votre main chatouillée, votre main fanatisée sur ce corps de neige, froisser ses cheveux d'or, baiser ses yeux étincelants. Une vapeur vous enivre, une musique enchanteresse vous charme. Ô bonheur sans nom ! vous avez touché les lèvres de cette femme ; mais tout à coup une atroce douleur vous réveille. Ha ! ha ! votre tête a porté sur l'angle du lit, vous en avez embrassé l'acajou brun, les dorures froides, quelque bronze, un amour en cuivre.

— Mais, monsieur, Pauline !

— Encore ! Écoutez. Par une belle matinée, en partant de Tours, un jeune homme embarqué sur *la Ville d'Angers* tenait dans sa main la main d'une jolie femme. Unis ainsi, tous deux admirèrent longtemps, au-dessus des larges eaux de la Loire, une blanche figure, artificiellement éclose au sein du brouillard comme un fruit des eaux et du soleil, ou comme un caprice des nuées et de l'air. Tour à tour ondine ou sylphide, cette fluide créature voltigeait dans les airs comme un mot vainement cherché qui court dans la mémoire sans se laisser saisir ; elle se promenait entre les îles, elle agitait sa tête à travers les hauts peupliers ; puis devenue gigantesque elle faisait ou resplendir les mille plis de sa robe, ou briller l'auréole décrite par le soleil autour de son visage ; elle planait sur les hameaux, sur les collines, et semblait défendre au bateau à vapeur de passer devant le château d'Ussé. Vous eussiez dit le fantôme de la Dame des Belles Cousines[1] qui voulait protéger son pays contre les invasions modernes.

— Bien, je comprends, ainsi de Pauline. Mais Foedora ?

— Oh ! Foedora, vous la rencontrerez. Elle était hier aux Bouffons, elle ira ce soir à l'Opéra, elle est partout, c'est, si vous voulez, la Société.

Paris, 1830-1831.

---

1. *Dame des Belles Cousines* : noble dame dont est épris le héros dans *Le Petit Jehan de Saintré* d'Antoine de la Salle (1451).

DOSSIER

LIRE L'ŒUVRE

QUESTIONNAIRE DE LECTURE

LE TITRE

1. Recherchez les différents sens de l'expression « peau de chagrin » et donnez les significations possibles du titre.

2. À votre avis, de quoi la peau de chagrin est-elle pour Balzac le symbole ? Proposez une interprétation symbolique du conte. Pour répondre, relisez par exemple le discours du vieillard dans le magasin d'antiquités.

LA STRUCTURE

3. Combien de parties Balzac a-t-il définies ? Quel sens donnez-vous à cette structure ?

4. Identifiez les différents épisodes qui composent la troisième partie (« l'Agonie »). Quel sens donnez-vous à leur succession ?

5. Quel sens donnez-vous à l'épilogue du roman ?

L'ESPACE ET LE TEMPS ROMANESQUES

6. Grâce aux repères temporels fournis dans le texte, proposez une chronologie du roman. Quelles remarques cette chronologie vous inspire-t-elle ?

7. Dans quels lieux Balzac situe-t-il successivement l'action ? Pourquoi ? Pour répondre, pensez par exemple à la manière dont Balzac utilise les oppositions, classiques dans le roman du XIXᵉ siècle, entre Paris et la province d'une part, entre la ville et la campagne d'autre part.

LES PERSONNAGES

8. Montrez que Raphaël n'a pas toutes les qualités du héros classique. Quelles sont les conséquences de cette « déficience » pour l'histoire ?

9. Que représentent les deux principaux personnages féminins du roman ? Pour répondre, relisez l'épilogue du roman.

10. Quelle vision de la société le roman donne-t-il ? Quelles sont les valeurs dominantes, comment les rapports humains s'y organisent-ils ?

LE GENRE

11. Balzac a toujours refusé de considérer *La Peau de chagrin* comme un roman. Montrez que *La Peau de chagrin* comporte des passages caractéristiques de plusieurs genres différents (roman, conte, confession, parabole).

12. Relevez les passages descriptifs dans le roman. Quelles sont les différentes fonctions de ces descriptions ?

13. Peut-on considérer *La Peau de chagrin* comme un conte fantastique ? Vous répondrez dans un paragraphe argumenté.

14. La préface de la première édition présentait *La Peau de chagrin* comme une œuvre de dérision. En quoi *La Peau de chagrin* peut-elle être considérée comme une œuvre comique ?

L'ŒUVRE DANS L'HISTOIRE

En 1831, *La Peau de chagrin* est doublement une œuvre d'actualité. *Sur le plan historique*, le texte reflète le malaise d'une génération déçue par les suites de la révolution de 1830 ; *sur le plan personnel*, il s'apparente, dans le récit de Raphaël, à une autobiographie fictionnelle de la vie d'Honoré de Balzac. Par la suite, l'auteur a opéré d'importantes modifications du texte original pour l'éloigner de l'actualité et renforcer la dimension philosophique du récit.

LE CONTEXTE HISTORIQUE :
1830, UNE RÉVOLUTION MANQUÉE

Lorsque *La Peau de chagrin* paraît en juin 1831, la France « digère » les conséquences de la révolution de juillet 1830. Après l'Empire de Napoléon Ier (1805-1815), période guerrière et enflammée, après le règne assez bien accepté de Louis XVIII (1815-1825), la France est entrée avec Charles X, roi rigoriste et conservateur, dans une ère de mécontentement. Le cléricalisme se renforce, étend son contrôle sur l'université et l'armée. L'énorme indemnité d'un demi-milliard, versée en avril 1825 aux aristocrates qui avaient émigré pendant la Révolution pour les dédommager de la perte de leurs propriétés vendues comme biens nationaux, inquiète les nouvelles classes de propriétaires, qui ont bénéficié de transfert de biens pendant la période révolutionnaire. Ils craignent une réorientation de la politique économique et fiscale en faveur des aristocrates. En août 1829, après l'intermède plus libéral du ministère Martignac, l'ultra – c'est-à-dire le très conservateur – Polignac arrive au pouvoir. Sa politique réactionnaire provoque un divorce entre l'opinion publique et le régime. Sous son influence, dans un véritable coup de force politique, Charles X tente, par quatre ordonnances promulguées le 26 juillet 1830, de suspendre le régime constitutionnel et de contrôler la presse. Sous la conduite des journalistes, le peuple se soulève. Beaucoup d'écrivains croient alors en un retour de la république.

Mais les trois jours de révolution n'aboutissent qu'à un piètre changement : une autre dynastie, celle des Orléans, remplace les Bourbons. Louis-Philippe devient le roi des Français. Il dirige une monarchie bourgeoise, loin de la république et des changements radicaux dont certains rêvaient. Balzac écrit le 31 mars 1831, dans un journal intitulé *Le Voleur* : « Nous nous sommes agités pour déplacer le pouvoir, mais le pouvoir n'a pas changé. » Pendant le banquet de *La Peau de chagrin*, un convive désabusé s'écrie de même : « Est-ce ma faute, à moi, si le catholicisme arrive à mettre un million de dieux dans un sac de farine, si la république aboutit toujours à quelque Napoléon, si la royauté se trouve entre l'assassinat de Henri IV et le jugement de Louis XVI, si le libéralisme devient La Fayette ? » Ce convive souligne ainsi la vanité de tout projet de changement politique.

LA PEAU DE CHAGRIN COMME MÉTAPHORE DE LA DÉSILLUSION

Cet état d'esprit désenchanté apparaît métaphoriquement dans tout le roman à travers l'utilisation de la peau de chagrin par le personnage de Raphaël. Celui-ci, pourtant doté de tous les pouvoirs, préfère vivre reclus dans ses appartements au lieu de décider de changer le monde. L'art, la science et la politique, qui pourraient incarner des moyens d'action sur le monde ou des formes de puissance possibles, sont dévalorisés. La littérature est représentée par un marchand de phrases (Finot), la science est incarnée par des savants caricaturaux (Lavrille, Planchette et Spieghalter) ou par des docteurs engagés dans des querelles stériles. La politique est complètement neutralisée lors du banquet de journalistes, elle se réduit à d'interminables palabres cyniques. L'aristocratie apparaît dégénérée et inutile aux eaux d'Aix... Même l'amour ne contient aucune possibilité de rédemption : Fœdora n'est sensible qu'aux baisses de la rente boursière et Pauline suscite un désir porteur de mort. Balzac lui-même, dans sa préface, annonce une « littérature des sociétés expirantes ».

Écrite pendant l'année 1831, *La Peau de chagrin* reflète la grande crise politique, sociale et morale qui a suivi la révolution de Juillet. Balzac, dans ce texte, veut saisir l'ensemble de la société, évoquer tous les sujets, toutes les couches de la population, Paris, la province. Il veut figurer la société française telle qu'elle est pour mettre en évidence le malaise de la jeunesse et dénoncer une révolution sans effet. *La Peau de chagrin* prouve que la révolution de Juillet n'était qu'un leurre. De façon tout à fait significative, le texte « oublie » de raconter cette révolution : la confession de Raphaël néglige cet événement historique et ne le rapporte pas, exactement comme s'il n'avait pas eu lieu.

Examinons la chronologie de la confession. Au début de mai 1830, Raphaël dans le boudoir de Fœdora lui fait ses derniers aveux (voir p. 150). Le 15 mai 1830, il remet à Pauline ses économies (voir p. 155) et, le lendemain, loue son appartement rue Taitbout et commence son existence de viveur. Le récit de Raphaël, centré sur le naufrage de sa propre personne, ne fait aucune allusion aux troubles qui ont précédé la révolution de Juillet ni à l'événement lui-même. La révolution politique est neutralisée comme non-événement. À la lecture précise des pages de la confession, il apparaît même que la révolution de Juillet pourrait prendre place lors d'une absence de Raphaël : un voyage en province organisé pour la vente de l'île maternelle (voir p. 166). Cette hypothèse est rendue plausible par la perspective quasi autobiographique de la confession : Balzac, en juillet 1830, était sur les bords de Loire en villégiature avec Mme de Berny et à son retour à Paris, il constatait que malgré la révolution, rien n'avait changé (voir p. 283).

On retrouve d'ailleurs le même escamotage de la révolution de Juillet dans *Le Rouge et le Noir* de Stendhal. Pourtant, ce roman a pour sous-titre « chronique de 1830 » et son héros Julien Sorel est mêlé aux intrigues politiques et diplomatiques de la vie parisienne. Mais le récit omet là aussi l'événement politique majeur de cette année 1830. Cette ellipse prouve que, pour Stendhal comme pour Balzac, la révolution de Juillet peut vraiment être oubliée. Elle n'a rien changé à l'Histoire et n'a pas permis à la jeunesse d'échapper à l'ennui. Le terrible destin de Raphaël, condamné à réprimer tout désir et à vivre dans un demi-sommeil, illustre bien le destin de toute une génération.

LE CONTEXTE IDÉOLOGIQUE : ROMANTISME ET « MAL DU SIÈCLE »

La Peau de chagrin traduit donc le malaise ressenti par toute une génération de jeunes hommes autour de 1830. Ce malaise historique devient rapidement une maladie psychologique appelée « mal du siècle », dont le nom désigne la difficulté, voire l'impossibilité, à vivre dans le monde tel qu'il est. Après la Révolution et l'Empire, l'Histoire offre peu de perspectives aux jeunes gens mal intégrés dans une société qu'ils jugent mercantile et égoïste. La jeunesse est victime d'un ennui existentiel engendré par la vacuité de l'Histoire. Avant Balzac, la littérature illustre ce phénomène en mettant en scène des jeunes gens mélancoliques : *René* (1802) de Chateaubriand présente le type de ce héros languide et sombre, incapable de s'arracher au sentiment vertigineux de la vanité des choses : « Une langueur secrète s'emparait de mon corps. Ce dégoût de la vie que j'avais ressenti dès mon enfance revenait avec une force nouvelle. » Nul ne comprend l'âme sensible de René : « Je n'étais occupé qu'à rapetisser ma vie, pour la mettre au niveau de la société. » *Adolphe* (1806) de Benjamin Constant incarne une autre expression de ce mal de vivre : « Je trouvais qu'aucun but ne valait la peine d'aucun effort. » Musset, dans *La Confession d'un enfant du siècle* (1836), met en parallèle l'échec personnel de son héros et cette situation historique stérile (voir p. 281). Le héros négatif du mal du siècle ne sait plus éprouver ni plaisir ni chagrin. Usé avant l'âge, mort en sursis, il éprouve une souffrance intérieure dont la force est telle qu'elle influence durablement la sensibilité. Après le déclin du romantisme, la poésie de Baudelaire l'évoque encore dans des images très fortes : « Elle est dans ma voix, la criarde ! C'est tout mon sang, ce poison noir » (*Les Fleurs du mal*, 1857).

Raphaël incarne à de multiples égards ce mal du siècle. Comme René et Adolphe, c'est un solitaire. Il fuit ses amis, ses amours et préfère se retirer loin du monde, d'abord dans son hôtel parisien puis en province, à Aix, et à la campagne, au Mont-Dore. Incapable d'achever son œuvre littéraire, il restreint volontairement son champ d'action politique et même l'exercice de sa pensée. Jamais il n'envisage d'utiliser ses pouvoirs pour transformer le monde. Le texte le montre vieilli avant l'heure par l'inactivité et corrompu par son expérience de viveur : « En sondant mon âme, je la trouvai gangrenée, pourrie. Le démon m'avait imprimé son ergot au front » (p. 167). À la fin du roman, c'est son idéal de vie qu'il réclame à Bianchon : un état d'apathie maximale, une heure d'éveil par jour (voir p. 261).

Comme Hernani, Raphaël est un héros romantique, c'est-à-dire contradictoire. Lucide devant les malheurs de son époque, marqué par son opposition critique à la société, doté de qualités multiples (talent, beauté), il éprouve aussi le sentiment de son impuissance et demeure un personnage velléitaire. Comme les grands héros romantiques, il assiste, passif et seul, au naufrage d'un monde qu'il déteste et qui l'engloutit avec lui.

LE CONTEXTE BIOGRAPHIQUE

UNE CONFESSION DE JEUNESSE

Peinture d'une génération, *La Peau de chagrin* est également la confession de jeunesse de Balzac. Au centre du roman, Balzac livre quelques souvenirs personnels transposés. Car sa jeunesse et celle de Raphaël présentent bien des points communs. Honoré de Balzac est né le 20 mai 1799 à Tours. Son père, Bernard-François Balzac, y était directeur des vivres de la 22ᵉ division militaire depuis quatre ans. Le 22 juin 1807, à l'âge de huit ans,

Honoré entre comme pensionnaire au collège de Vendôme puis de sa seizième à sa dix-septième année, il est inscrit dans deux pensions parisiennes. En septembre 1816, l'ambition de sa mère étant d'en faire un notaire, Balzac entre comme petit clerc chez l'avoué Jean-Baptiste Guyonnet-Merville. Quelques semaines plus tard, il prend sa première inscription à la faculté de droit, en vue de la préparation du baccalauréat. Comme Raphaël, Balzac vit les souffrances de celui qui entre dans le monde sans les avantages de la richesse.

En 1818, Balzac renonce aux brillantes études d'avoué et s'installe, comme Raphaël, dans une mansarde. Il se donne un an pour mettre à l'épreuve sa vocation d'écrivain. Son premier essai, une tragédie, *Cromwell*, ne rencontre que peu de succès auprès de ses rares lecteurs. Comme Raphaël chargé d'écrire des mémoires apocryphes, Balzac se lance alors dans la littérature industrielle, celle qui fait (mal) vivre. Il publie des romans populaires et des brochures journalistiques. *La Physiologie du mariage* en 1826, traité un peu licencieux sur le mariage, est son premier succès. *Le Dernier Chouan*, roman paru en 1829, est un échec commercial mais c'est la première œuvre que Balzac signe de son vrai nom. Peu à peu, Balzac devient célèbre en insérant des nouvelles et des articles dans les journaux. *La Peau de chagrin* est l'œuvre qui va véritablement le lancer.

DE *LA PEAU DE CHAGRIN* À *LA COMÉDIE HUMAINE*

La première édition de *La Peau de chagrin* paraît en août 1831, avec le sous-titre « roman philosophique » par M. de Balzac. C'est une œuvre sensiblement différente de celle que nous lisons aujourd'hui, beaucoup plus ancrée dans l'actualité. En effet, Balzac, au cours des réimpressions successives, a supprimé la plupart des allusions d'actualité pour éviter des effets d'illisibilité dus à la péremption du texte.

Dès septembre 1831, l'œuvre reparaît dans un recueil intitulé *Romans et Contes philosophiques* par M. de B. Cette seconde édition réunit, en trois volumes, *La Peau de chagrin* et douze contes de dimension réduite. Une introduction de Philarète Chasles, inspirée par Balzac, présente l'ensemble. Balzac tente de revaloriser son œuvre en la présentant non comme un roman (genre subalterne), mais comme un traité de philosophie. Il souligne alors la dimension allégorique de son texte et invite le lecteur à y voir une parabole de la société moderne : « Outre son intérêt dramatique, le livre renferme un intérêt de philosophie allégorique qui s'attache aux plus minces détails et poursuit sans pitié cette science d'égoïsme que la civilisation fait naître. »

En 1834, Balzac a l'intuition géniale qui fonde l'unité de son œuvre : il a l'idée de faire revenir les mêmes personnages d'un roman à l'autre. Il applique immédiatement ce principe et fait reparaître, dans *Le Père Goriot*, Eugène de Rastignac, jeune arriviste entrevu dans *La Peau de chagrin*. Les personnages qui resurgissent épisodiquement d'un roman à l'autre commencent dans leurs rencontres et leurs croisements, à former ce vaste réseau d'intrigues, d'intérêts, de passions et d'aventures, dans lequel, comme en un gigantesque filet, le romancier enveloppe la société entière de son temps. Dorénavant, le système de l'œuvre est défini. Balzac devient un romancier reconnu qui, année après année, écrit les grands romans de *La Comédie humaine* : *Le Père Goriot* (1835), *Le Lys dans la vallée* (1836), *Illusions perdues* (1836-1839), *Splendeurs et Misères des courtisanes* (1839), *La Cousine Bette* (1846)... Il réécrit aussi ses premières œuvres en systématisant le retour des personnages. Ainsi, dans *La Peau de chagrin*, une allusion à Victor Hugo dans l'épisode du banquet est remplacée par une évocation de Canalis, le personnage imaginaire d'écrivain dans *La Comédie humaine* (voir p. 54).

En 1835, la troisième édition de *La Peau de chagrin* paraît sous le titre d'*Études philosophiques*. Dans cette nouvelle édition, une introduction de Félix Davin précède le roman proprement dit : son intérêt est double. D'une part, elle rend compte du projet balzacien de réunir sa production romanesque en deux sous-ensembles articulés l'un par rapport à l'autre : les études de mœurs et les études philosophiques. « Après avoir accusé dans ses *Études de mœurs au dix-neuvième siècle* toutes les plaies sociales, dépeint toutes les professions, parcouru toutes les localités, exploré tous les âges, montré l'homme et la femme dans toutes les transformations civiles ou naturelles, physiques ou morales, après nous avoir enfin dépeint les effets sociaux, ici [dans les *Études philosophiques*] l'auteur tend à remonter aux causes de ces effets. Dans les premières assises de cette construction sont pressées et foulées les individualités typisées, dans la seconde se dressent des types individualisés. »

Effectivement, à l'exception de Raphaël, les personnages présentés dans *La Peau de chagrin* sont des types plus que des individualités. Ils assument des fonctions (l'antiquaire-tentateur, le valet fidèle Jonathas) ou incarnent des professions (savants et médecins) souvent ridiculisées par une tradition littéraire (voir Molière ou Rabelais) que Balzac perpétue. Même les principaux personnages féminins du roman n'échappent pas à cette typification : Fœdora incarne « la femme sans cœur », Pauline représente l'amour véritable et impossible. La plupart des personnages incarnent un type général même si, comme l'ensemble des personnages balzaciens, ils sont pourvus de caractéristiques qui contribuent à les individualiser : un état civil, un caractère propre, voire une biographie.

En outre, dans cette préface de 1834, Félix Davin (écrivant sous le contrôle de Balzac) précise la place essentielle qu'occupe *La Peau de chagrin* dans les études philosophiques proprement dites : « Donc après avoir poétiquement formulé, dans *La Peau de chagrin*, le système de l'homme, considéré comme organisation, et en avoir dégagé cet axiome : « la vie décroît en raison directe de la puissance de désirs ou de la dissipation des idées », l'auteur prend cet axiome comme un cicérone prend la torche pour vous introduire dans les souterrains de Rome, il vous dit : « Suivez-moi ! [...] »

En 1845, *La Peau de chagrin* trouve sa place définitive dans l'œuvre de Balzac. *La Comédie humaine* comprend 91 romans achevés et 46 autres à l'état de projets. Les récits achevés sont groupés en trois grandes rubriques : *Études de mœurs*, *Études philosophiques* et *Études analytiques*. Cette troisième et dernière série d'études analytiques était censée expliquer les principes du fonctionnement de la société, mais elle n'est qu'ébauchée au moment de la mort de Balzac. Seuls deux essais portant sur le mariage y trouvent place : *Physiologie du mariage* (1829) et *Petites Misères de la vie conjugale* (1844). Au début des *Études philosophiques* figure *La Peau de chagrin*, placée ainsi en position charnière, comme l'explique Balzac dans l'*Avant-propos à la Comédie humaine* : « Le premier ouvrage, *La Peau de chagrin*, relie en quelque sorte les *Études de mœurs* aux *Études philosophiques* par l'anneau d'une fantaisie presque orientale, où la vie elle-même est peinte aux prises avec le Désir, principe de toute passion. » Ce roman est donc bien défini comme un texte de passage du monde réel au monde idéal, ce qui en autorise, nous le verrons (p. 295), à la fois une lecture réaliste et une lecture fantastique.

LA RÉCEPTION DE L'ŒUVRE

LE SUCCÈS INITIAL

La Peau de chagrin constitue le premier grand succès romanesque de Balzac, comme en témoignent les multiples réimpressions de l'œuvre. Le roman est enlevé rapidement chez les libraires. Charles Philipon, directeur du journal *La Caricature* et ami de Balzac, lui écrit en août 1831 : « Mon excellent Seigneur, vous croirez facilement qu'on ne peut se procurer *La Peau de chagrin* [...]. Audibert et moi nous avons fait de vains efforts pour obtenir ce livre diabolique, il est retenu longtemps à l'avance. »

Balzac a su orchestrer la mise en scène publicitaire de son roman. Il a lui-même rédigé l'un des comptes rendus qui paraissent dans la presse et en a suscité un certain nombre d'autres. *Le Figaro*, *L'Artiste*, *Le Messager des chambres*, *Le Globe* et *L'Avenir*, *Le Cabinet de lecture* sont favorables ou enthousiastes : « Ce sont partout des passions d'homme exprimées avec bonheur par un pinceau d'artiste ou disséquées avec le scalpel d'un homme profondément observateur » (*Le Cabinet de lecture*, 5 juin 1831). Le sentiment général est que l'esprit nouveau et la société moderne trouvent leur expression dans l'œuvre. Les deux plus grandes revues littéraires du temps, la *Revue des Deux Mondes* et la *Revue de Paris*, ont chacune publié en mai un extrait de l'œuvre. *La Peau de chagrin* a donc bénéficié d'une des premières grandes campagnes publicitaires littéraires.

Outre le dynamisme de cette campagne, un autre facteur peut expliquer le succès du roman. *La Peau de chagrin* s'inscrit en effet dans la veine fantastique qui connaît un grand succès alors en France avec les nouvelles de Charles Nodier et de Théophile Gautier.

Après *La Peau de chagrin*, Balzac est consacré romancier du monde moderne. Auteur à la mode, il est publié par de grandes revues comme la *Revue des Deux Mondes*. Seul le critique Sainte-Beuve, dans le secret de sa correspondance, se moque d'un ouvrage qu'il juge un peu trop aguicheur (voir p. 309).

UNE DISGRÂCE TEMPORAIRE

Le succès de *La Peau de chagrin* dure quelques années, puis il décroît progressivement. En 1855, ce texte est encore le troisième roman de Balzac le plus souvent réédité séparément. Mais ensuite il n'apparaît plus jusqu'à la fin du siècle dans les meilleures ventes des romans balzaciens. Les romanciers des générations suivantes, réalistes et naturalistes, sont plus sensibles aux tentatives de description d'une société entière plus explicites dans d'autres œuvres (*Eugénie Grandet*, *Illusions perdues*). Les commentaires sur *La Peau de chagrin* se font donc plus rares. Les naturalistes sont sans doute gênés par tout l'aspect fantastique et oriental du roman (voir p. 309). *La Peau de chagrin* ne bénéficie pas non plus du retour de Balzac sur la scène universitaire à la fin du XIXe siècle. La critique universitaire, avec Émile

Faguet dès 1887, puis Ferdinand Brunetière dans son *Manuel de la littérature française* en 1898 font de Balzac un modèle du réalisme classique, oubliant le Balzac excentrique et fantastique des années de jeunesse. Alain, philosophe français, remet l'œuvre au goût du jour dans les années 1930 mais il en propose une lecture de moraliste peut-être un peu restrictive (voir p. 313).

Le succès revient pour *La Peau de chagrin* avec les critiques marxistes qui y voient une œuvre dénonçant les méfaits du capitalisme naissant (voir p. 310). Pierre Barbéris réhabilite le texte original d'août 1831. À la suite de cette nouvelle édition, *La Peau de chagrin* devient l'objet de plusieurs lectures psychanalytiques, structuralistes, historico-sociales menées notamment par le Groupe international de recherches balzaciennes et publiées dans un recueil collectif sous la direction de Claude Duchet [1].

Dans les lycées, à la fin du xxe siècle, ce roman balzacien atypique revient à la mode. Jusqu'à la réforme de 1996 c'était, après *Le Père Goriot*, le roman de Balzac le plus souvent lu en classe de seconde ou de première [2].

GROUPEMENT DE TEXTES : LITTÉRATURE ET HISTOIRE

Lisez les textes de 1 à 5, puis répondez aux questions suivantes.

1. Quelles sont les positions de Balzac par rapport à la révolution de Juillet ?

2. De quelle actualité *La Peau de chagrin* témoigne-t-elle ?

3. Quelle est l'explication historique du « mal du siècle » ?

4. Pourquoi Raphaël peut-il être considéré comme un enfant du siècle ?

5. Plusieurs de ces extraits invitent à une lecture allégorique de *La Peau de chagrin*. Lesquels ? Pourquoi ? Vous répondrez dans un paragraphe argumenté.

---

1. *Balzac et « La Peau de chagrin »*, études réunies par C. Duchet, Sedes-CDU, 1979. \ 2. *Cf. Texte, Thème, Problématique*, Bernard Veck dir., INRP, 1992, et Catherine Robert-Lazès, Marc Robert (Bernard. Veck, dir.), *Observatoire des listes d'oral, sessions 1992-1995*, INRP, 1996.

Au début de ce roman, Musset décrit le malaise de la génération née pendant l'Empire, celle de Raphaël.

Pendant les guerres de l'Empire, tandis que les maris et les frères étaient en Allemagne, les mères inquiètes avaient mis au monde une génération ardente, pâle, nerveuse. Conçus entre deux batailles, élevés dans les collèges au roulement des tambours, des milliers d'enfants se
5 regardaient entre eux d'un œil sombre, en essayant leurs muscles chétifs. De temps en temps leurs pères ensanglantés apparaissaient, les soulevaient sur leurs poitrines chamarrées d'or, puis les posaient à terre et remontaient à cheval.

Un seul être était en vie alors en Europe ; le reste des êtres tâchait de se
10 remplir les poumons de l'air qu'il avait respiré. Chaque année, la France faisait présent à cet homme de trois cent mille jeunes gens ; c'était l'impôt payé à César, et, s'il n'avait ce troupeau derrière lui, il pouvait suivre sa fortune. C'était l'escorte qu'il lui fallait pour qu'il pût traverser le monde, et s'en aller tomber dans une petite vallée d'une île déserte sous un saule
15 pleureur.

Jamais il n'y eut tant de nuits sans sommeil que du temps de cet homme ; jamais on ne vit se pencher sur les remparts des villes un tel peuple de mères désolées ; jamais il n'y eut un tel silence autour de ceux qui parlaient de mort. Et pourtant jamais il n'y eut tant de joie, tant de vie, tant de
20 fanfares guerrières, dans tous les cœurs. Jamais il n'y eut tant de soleils si purs que ceux qui séchèrent tout ce sang. On disait que Dieu les faisait pour cet homme, et on les appelait ses soleils d'Austerlitz. Mais il les faisait bien lui-même avec ses canons toujours tonnants, et qui ne laissaient des nuages qu'aux lendemains de ses batailles.
25 [Napoléon meurt. La jeunesse est désemparée.]

Alors s'assit sur un monde en ruines une jeunesse soucieuse. Tous ces enfants étaient des gouttes d'un sang brûlant qui avait inondé la terre ; ils étaient nés au sein de la guerre, pour la guerre. Ils avaient rêvé pendant quinze ans des neiges de Moscou et du soleil des Pyramides. Ils n'étaient
30 pas sortis de leurs villes, mais on leur avait dit que, par chaque barrière de ces villes, on allait à une capitale d'Europe. Ils avaient dans la tête tout un monde ; ils regardaient la terre, le ciel, les rues et les chemins ; tout cela était vide, et les cloches de leurs paroisses résonnaient dans le lointain.

De pâles fantômes, couverts de robes noires, traversaient lentement les
35 campagnes ; d'autres frappaient aux portes des maisons, et, dès qu'on leur avait ouvert, ils tiraient de leurs poches de grands parchemins tout usés,

avec lesquels ils chassaient les habitants. De tous les côtés arrivaient des
hommes encore tout tremblants de la peur qui leur avait pris à leur départ,
vingt ans auparavant. Tous réclamaient, disputaient et criaient ; on s'éton-
40 nait qu'une seule mort pût appeler tant de corbeaux.

Le roi de France était sur son trône, regardant çà et là s'il ne voyait pas
une abeille dans ses tapisseries. Les uns lui tendaient leur chapeau, et il
leur donnait de l'argent ; les autres lui montraient un crucifix, et il le
baisait ; d'autres se contentaient de lui crier aux oreilles de grands noms
45 retentissants, et il répondait à ceux-là d'aller dans sa grand'salle, que les
échos en étaient sonores ; d'autres encore lui montraient leurs vieux
manteaux, comme ils en avaient bien effacé les abeilles, et à ceux-là il
donnait un habit neuf.

Les enfants regardaient tout cela, pensant toujours que l'ombre de César
50 allait débarquer à Cannes et souffler sur ces larves ; mais le silence continuait toujours, et l'on ne voyait flotter dans le ciel que la pâleur des lis.
Quand les enfants parlaient de gloire, on leur disait : « Faites-vous
prêtres » ; quand ils parlaient d'ambition : « Faites-vous prêtres », d'espérance, d'amour, de force, de vie : « Faites-vous prêtres ! » [...]

55 Trois éléments partageaient donc la vie qui s'offrait alors aux jeunes gens :
derrière eux un passé à jamais détruit, s'agitant encore sous ses ruines, avec
tous les fossiles des règnes de l'absolutisme, devant eux l'aurore d'un
immense horizon, les premières clartés de l'avenir ; et entre ces deux
mondes... quelque chose de semblable à l'Océan qui sépare le vieux conti-
60 nent de la jeune Amérique, je ne sais quoi de vague et de flottant, une mer
houleuse et pleine de naufrages, traversée de temps en temps par quelque
blanche voile lointaine ou par quelque navire soufflant une lourde vapeur ;
le siècle présent, en un mot, qui sépare le passé de l'avenir, qui n'est ni l'un
ni l'autre et qui ressemble à tous les deux à la fois, et où l'on ne sait, à
65 chaque pas qu'on fait, si l'on marche sur une semence ou sur un débris.
Voici dans quel chaos il fallut choisir alors ; voici ce qui se présentait à ces
enfants pleins de force et d'audace, fils de l'Empire et petits-fils de la Révolution...

Or du passé, ils n'en voulaient plus car la foi en rien ne se donne ; l'avenir,
70 ils l'aimaient : mais quoi ! comme Pygmalion Galatée : c'était pour eux
comme une amante de marbre, et ils attendaient qu'elle s'animât, que le
sang colorât ses veines.

Il leur restait donc le présent, l'esprit du siècle, ange du crépuscule qui
n'est ni la nuit, ni le jour : ils le trouvèrent assis sur un sac de chaux plein
75 d'ossements, serré dans le manteau des égoïstes, et grelottant d'un froid
terrible. L'angoisse de la mort leur entra dans l'âme, à la vue de ce spectre...

TEXTE 2 • Honoré de Balzac, *Lettres sur Paris* (1830)

Après la révolution de Juillet, Balzac publie dans *Le Voleur* une série d'articles intitulés *Lettres sur Paris*. Il feint de s'adresser à des interlocuteurs provinciaux et de les renseigner sur la situation post-révolutionnaire.

À M. F***, À TOURS
26 septembre 1830

En revenant à Paris j'ai cru, d'après les récits des voyageurs et les articles de journaux, que j'allais trouver les rues, les boulevards à moitié détruits, et les maisons encombrées de blessés ; mais rassurez-vous, mon cher ami, la garde nationale n'a guère perdu qu'un millier d'hommes, et le peuple de Paris n'a pas huit cent braves à pleurer. La plaie la plus déplorable saigne dans les hôpitaux et dans les hospices
5 improvisés. Ce n'est pas d'Arcole immortel que je plains, ce sont de pauvres blessés qui resteront méconnus peut-être. Ne croyez que je veuille rire de l'emphase et des déclamations suscitées par la victoire ; car tout est devenu fort triste depuis quelques jours. Les théâtres retentissent bien d'éloges que le peuple français se donne à lui-même comme
10 toujours ; il y a bien des drapeaux tricolores à plus d'une fenêtre ; mais les véritables vainqueurs sont, comme dans toutes les batailles assez maltraités. C'est chose pitoyable que l'accueil à eux fait dans certains ministères : encore un peu les bureaucrates les appelleraient factieux. Les rues ont repris leur aspect accoutumé : les cabriolets élégants, les
15 voitures, les fashionables roulent ou courent comme ci-devant ; et, sauf quelques arbres de moins, les boulevards sont toujours semblables à eux-mêmes. Les sommes destinées aux blessés s'encaissent, les blessures se guérissent, et tout s'oublie.

TEXTE 3 • Honoré de Balzac, préface originale de *La Peau de chagrin* (1831)

Enfin, les auteurs ont souvent raison dans leurs impertinences contre le temps présent. Le monde nous demande de belles peintures ? où en seraient les types ? Vos habits mesquins, vos révolutions manquées, vos bourgeois discoureurs, votre religion morte, vos pouvoirs éteints,
5 vos rois en demi-solde, sont-ils donc si poétiques qu'il faille vous les transfigurer ?...
Nous ne pouvons aujourd'hui que nous moquer. La raillerie est toute la littérature des sociétés expirantes... Aussi l'auteur de ce livre, soumis à toutes les chances de son entreprise littéraire, s'attend-il à de nouvelles
10 accusations.

Quelques auteurs contemporains sont nommés dans son ouvrage ; il espère que son estime profonde pour leurs caractères ou leurs écrits ne sera pas mise en doute ; et proteste aussi d'avance contre les allusions auxquelles pourraient donner lieu les personnages mis en scène dans son
15 livre. Il a tâché moins de tracer des portraits que de présenter des types.

Enfin, le temps présent marche si vite, la vie intellectuelle déborde partout avec tant de force, que plusieurs idées ont vieilli, ont été saisies, exprimées, pendant que l'auteur imprimait son livre : il en a sacrifié quelques-unes ; celles qu'il a maintenues, sans s'apercevoir de leur mise
20 en œuvre, étaient sans doute nécessaires à l'harmonie de son ouvrage.

___

TEXTE 4 • **Philarète Chasles, _Introduction aux Romans et Contes_ (1831-1833)**

Le vaste plan, caché sous ces fantaisies, a dû échapper à plusieurs yeux. Des critiques n'ont pas vu que _La Peau de chagrin_ est l'expression de la vie humaine, abstraction faite des individualités sociales ; la vie avec ses ondulations bizarres, avec sa course vagabonde et son allure
5 _serpentine_, avec son égoïsme toujours présent sous mille métamorphoses. La même signification se trouve cachée sous les plus légers incidents de cette fiction. Outre son intérêt dramatique, le livre renferme un intérêt de philosophie allégorique qui s'attache aux plus minces détails et poursuit sans pitié cette science d'égoïsme que la civilisation fait
10 naître. Voyez Raphaël ? Comme le sentiment de sa conservation étouffe en lui toute autre idée ! Comme, dans la scène du duel, chez les paysans, dans son hôtel de Paris, le même sentiment l'absorbe ! Soumis à ce talisman terrible, il vit et meurt dans une convulsion d'égoïsme. N'est-ce pas la vie toute pure ?
15 C'est cette personnalité qui ronge le cœur et dévore les entrailles de la société où nous sommes. À mesure qu'elle augmente, les individualités s'isolent ; plus de liens, plus de vie commune. La personnalité règne ; c'est son triomphe et sa fureur que _La Peau de chagrin_ a reproduits. Dans ce livre, il y a encore toute une époque.

___

TEXTE 5 • **Pierre Barbéris, _Balzac et le mal du siècle_**
Gallimard, 1970, tome II.

La Peau de chagrin conte l'histoire d'une jeunesse douloureuse sur le fond d'une révolution trahie. Entre les épisodes initiaux de la rencontre avec l'antiquaire et du banquet, et ceux qui en découlent directement (la visite de Raphaël aux savants et tout ce qui précède sa mort), s'intercale
5 la première _Confession d'un enfant du siècle,_ admirable retour en arrière, qui

fait du drame de Juillet comme le prolongement du drame de l'enfance. C'est tout naturellement que le vague des passions, la révolte juvénile, la volonté de puissance individuelle, viennent prendre place à côté des rancœurs sociales, et l'élégie de Raphaël en son grenier se fond et s'élargit
10 en celle d'une époque. Un monde qui condamnait la jeunesse à un absurde et cruel « ilotisme », ne trouve à lui offrir au moment où elle croyait pouvoir émerger dans la lumière qu'une ignoble comédie dominée par la puissance de l'argent. C'est pourquoi nous est dite d'une seule voix la triste odyssée de l'étudiant pauvre, et l'odyssée d'une génération volée. Raphaël
15 n'est pas seulement un personnage, Raphaël est le symbole. Il n'est pas seulement un héros mythique, il est un être de chair et de sang. De tous les héros de Balzac, il est sans doute le premier qui relève à la fois du souvenir et de la vision. C'est dans les profondeurs du passé, dans le mystère des expériences accumulées, que Balzac nous amène à chercher les raisons
20 profondes de la sensibilisation universelle à l'affaire de Juillet.

L'ŒUVRE DANS UN GENRE

À quel genre littéraire *La Peau de chagrin* appartient-elle ? Cette question simple appelle une réponse complexe. Balzac, dans la tradition voltairienne, a classé son texte parmi les *Romans et Contes philosophiques*. Même si aujourd'hui, l'œuvre peut être considérée comme un *roman* et même comme un roman d'actualité *réaliste*, le récit dérive à deux reprises, vers *l'autobiographie* dans la partie centrale, vers le *conte fantastique* dans la troisième partie.

LE ROMAN, UN GENRE PROBLÉMATIQUE

Parler de *La Peau de chagrin* comme d'un roman va de soi pour des lecteurs du XXIe siècle. Il n'en va pas de même dans la première moitié du XIXe siècle. Le genre romanesque, traditionnellement mal considéré, doit encore conquérir sa légitimité et prouver son aptitude à traiter des sujets sérieux. Il est donc nécessaire de retracer brièvement l'historique du genre.

Le terme de *roman* est apparu au Moyen Âge. Il désigne des récits rédigés d'abord en vers (jusqu'au début du XIIIe siècle), puis en prose, et écrits en langue vulgaire (et non en latin, langue réservée aux textes sacrés). Au XIVe siècle, le mot devient synonyme d'écrit composé directement en français et recouvre des récits aussi bien en vers qu'en prose.

UN GENRE FICTIONNEL

Défini d'abord comme un récit, le roman affirme son identité autour de l'idée de fiction. Dès le XIXe siècle, chaque dictionnaire centre sa définition, floue et imprécise, autour de ce concept d'univers fictif. Pour le *Dictionnaire de la langue française* de Littré (publié entre 1863 et 1877), le roman est « une histoire feinte, écrite en prose, où l'auteur cherche à exciter l'intérêt par la peinture des passions, des mœurs, ou par la singularité des aventures. » Le *Grand Dictionnaire universel* (1865) de Pierre Larousse oppose le roman ancien, « un récit vrai ou faux », au roman moderne, « récit en prose d'aventures imaginaires inventées et combinées pour intéresser le lecteur ». Le *Dictionnaire alphabétique et analogique de la langue française* (1950) de Paul Robert donne la définition suivante du roman : « Œuvre d'imagination en prose, assez longue qui présente et fait vivre dans un milieu des personnages donnés comme réels, nous fait connaître leur psychologie, leur destin, leurs aventures. » Univers fictif, imaginaire, différent de la réalité : ces éléments de définition minimaliste définissent l'identité d'un genre qui inspira longtemps la méfiance, voire le mépris.

UN GENRE SANS RÈGLES

L'Antiquité et l'époque classique refusent au roman le statut de genre littéraire authentique. Pour les théoriciens antiques que sont Aristote (*Poétique*, vers 334 av. J.-C.) ou Horace (*Épître aux Pisons* ou *Art poétique*, entre 20 et 8 av. J.-C.), pour Boileau, le théoricien classique auteur de *L'Art poétique* (1674), le roman est tout juste autorisé pour le divertissement :

> Dans un roman frivole aisément tout s'excuse.
> C'est assez qu'en courant la fiction amuse :
> Trop de rigueur alors serait hors de saison.
> (chant III, vers 119-121.)

Un peu méprisé, le roman n'est pas soumis, comme la tragédie, à des règles précises. L'absence de règles formelles est une donnée constitutive du genre, qui se développe en tirant parti de cette liberté. Cette absence de règles a longtemps nui au roman, fréquemment condamné au nom du respect de l'Histoire, de la morale, de la vérité. Le roman souffre d'abord de la concurrence avec l'épopée, le grand genre historique seul habilité à raconter le destin d'un peuple (l'*Iliade*). Dès le XVIIe siècle, on condamne en outre l'immoralité du roman. Pierre Nicole, penseur d'inspiration janséniste, fulmine contre les romanciers dans sa première *Lettre sur l'hérésie imaginaire* (1665) : « Un faiseur de romans et un poète de théâtre est un empoisonneur public, non des corps, mais des âmes des fidèles, qui doit se regarder comme coupable d'une infinité d'homicides spirituels, ou qu'il a causés en effet ou qu'il a pu causer par ses écrits pernicieux. » On reproche enfin au roman d'être mensonger. Il est vrai qu'avant 1660 le roman est tout sauf vraisemblable, il est le lieu de tous les excès, de toutes les inventions. En réaction, les romanciers du XVIIIe siècle, dans de nombreuses préfaces, affirmeront presque tous le caractère rigoureusement authentique des histoires qu'ils publient.

UN GENRE EN PLEINE ÉVOLUTION

Le faiseur de romans ne jouit donc pas d'une grande considération au XVIIIe siècle. Le roman est un genre mineur, bon pour des tâcherons littéraires, ou tout juste admis comme la distraction d'un grand seigneur.

Beaucoup de romans, à l'exemple des *Lettres persanes* (1721) de Montesquieu, paraissent dans l'anonymat le plus complet. La plupart des romanciers affichent une certaine désinvolture vis-à-vis de leur production. Ils s'excusent dans leur préface de s'être livré à un passe-temps futile et avouent sans vergogne beaucoup de fautes d'impression. Certains auteurs prétendent n'être que l'éditeur de leurs ouvrages. Rousseau, dans la préface de *Julie ou la Nouvelle Héloïse* (1761), affirme n'être que l'éditeur d'une correspondance. De même, Choderlos de Laclos fait précéder *Les Liaisons dangereuses* (1782) de la préface d'un rédacteur qui déclare avoir sélectionné et mis en ordre des lettres authentiques des protagonistes.

Mais la vogue du roman historique, incarnée par le succès européen du romancier écossais Walter Scott (1771-1832), auteur d'*Ivanhoé* (1819), fait évoluer les mentalités. Dans l'*Avant-propos* de *La Comédie humaine* (1842), Balzac salue le romancier écossais qui a su imprimer « une allure gigantesque à un genre de composition injustement appelé secondaire » en y faisant entrer l'Histoire. Balzac, dans la lignée de Walter Scott, revendique pour le roman un pouvoir d'explication de la société. Chargé d'une mission d'investigation du social, doté de la méthode de l'observation, s'appuyant sur les découvertes récentes des sciences naturelles, Balzac, en écrivant *La Comédie humaine*, se définit comme le commissaire priseur de la société française, chargé de dresser la nomenclature des professions et d'enregistrer le bien et le mal.

Dans la première moitié du xixe siècle, les préjugés anti-romanesques restent assez forts pour que Balzac ait toujours évité d'employer ce terme de romancier pour se désigner. Il refuse d'assimiler *La Peau de chagrin* à un roman. Il écrit le 22 janvier 1838 à Mme Hanska : « [...] il y a encore des gens qui s'obstinent à voir un roman dans *La Peau de chagrin*. »

LES CONSTANTES RHÉTORIQUES ET POÉTIQUES DU ROMAN

En dépit des dénégations tactiques de Balzac, son œuvre, il faut le reconnaître, répond aux caractéristiques poétiques et rhétoriques du genre romanesque. On peut distinguer, pour l'étude du genre, les questions de la *narration*, de la *description*, des *dialogues* et du *personnage*.

LA NARRATION > TEXTE 6, P. 299

Le narrateur

Le lecteur d'un roman doit distinguer deux instances : *l'auteur/roman-cier*, dont le nom figure sur la couverture du livre, et le *narrateur*. Le romancier est une personne réelle, tandis que le narrateur fait partie du texte. Balzac lui-même fait état de la distinction narrateur auteur dans la préface de *La Peau de chagrin* : « Il est cependant bien difficile de persuader au lecteur qu'un auteur peut concevoir le crime sans être criminel !... »

La narration est le geste fondateur du récit, qui décide de la façon dont l'histoire est racontée. L'étude de la narration consiste à identifier le statut du narrateur et les fonctions qu'il assume dans un récit donné. Outre la fonction *narrative*, le narrateur peut assumer :
– une fonction *communicative* (il s'adresse alors directement au destinataire pour agir sur lui : « Émile, j'ai des trésors, je te donnerai des cigares de La Havane », p. 168),
– une fonction *métanarrative* (le narrateur commente son récit, il en souligne l'organisation interne : « Cette lente et longue douleur qui a duré dix ans peut aujourd'hui se reproduire par quelques phrases dans lesquelles la douleur ne sera plus qu'une pensée, et le plaisir une réflexion philosophique », p. 79),
– une fonction *modalisante* (le narrateur exprime le rapport qu'il entretient avec l'histoire qu'il raconte : « Je juge, au lieu de sentir... », p. 79),
– une fonction *idéologique* (le narrateur émet des jugements généraux sur le monde : « Il existe je ne sais quoi de grand et d'épouvantable dans le suicide », p. 15).

Dans un roman, le lecteur peut être confronté soit à un narrateur *homo-diégétique*, présent dans l'univers spatio-temporel du roman, soit à un narrateur *hétérodiégétique*, situé hors de cet univers spatio-temporel. Le narrateur de *La Peau de chagrin* est la plupart du temps hétérodiégétique. Il n'est pas partie prenante dans l'histoire racontée. Ce narrateur résume, commente, prend de la distance par rapport au récit. En revanche, lorsque Raphaël raconte sa propre histoire, ce personnage devient le narrateur homo-diégétique et secondaire de *La Peau de chagrin*. Il s'agit d'un personnage qui raconte sa propre vie : la narration se fait donc à la première personne du singulier. Elle trouve son premier destinataire en la personne d'Émile, représentation intradiégétique du lecteur[1]. Le jeu entre les différents types

---

1. Pour toutes ces distinctions, cf. Gérard Genette, *Figures III*, Le Seuil, 1983, p. 251.

de narration permet d'introduire de la variété dans le roman, il modifie également la perception des événements. Ainsi la jeunesse de Raphaël racontée par le protagoniste lui-même prend une tonalité beaucoup plus pathétique que sa tentative de suicide qui était présentée, elle, par une narration hétérodiégétique.

Les focalisations

On parle de *focalisation interne* lorsque le narrateur adapte son récit au point de vue d'un personnage. L'effet habituel de la focalisation interne est une identification au personnage dans la perspective duquel l'histoire est présentée. On parle de *focalisation externe* lorsque l'histoire est racontée d'une façon neutre, comme si les événements se déroulaient devant l'œil fixe d'une caméra. Dans ce cas, le narrateur, incapable de pénétrer les consciences, ne saisit que l'aspect extérieur des êtres et des choses et donne l'impression de ne pas comprendre le sens des événements qu'il raconte. Lorsque le narrateur a une connaissance complète de l'histoire, du passé et du présent, il est omniscient. On parle alors de *focalisation zéro*.

Le choix par le narrateur de tel ou tel type de focalisation varie selon les passages d'un récit. Le début de *La Peau de chagrin*, comme souvent chez Balzac, est rédigé en *focalisation externe* pour renforcer le suspense. Raphaël est longtemps décrit et suivi comme un inconnu à l'identité problématique et aux motivations mystérieuses.

Lorsqu'il sort de la maison de jeu, le texte passe en *focalisation zéro* : « L'inconnu fut assailli par mille pensées semblables, qui passaient en lambeaux dans son âme, comme des drapeaux déchirés voltigent au milieu d'une bataille » (p. 16).

Les scènes suivantes, la visite du magasin d'antiquités et le banquet, vont être vues par le regard de Raphaël, ce qui permet de mettre en évidence les différentes émotions (désespoir/espoir) qui assaillent le héros, l'attraction vertigineuse du pacte et la prise de conscience des enjeux du contrat passé. Cette *focalisation interne* conduit tout naturellement à la scène de la confession, où Raphaël revient sur son passé dans une démarche introspective.

La dernière partie alterne les focalisations. La *focalisation zéro* permet de prendre des distances avec Raphaël, d'activer le récit, de lui conférer une dimension inéluctable. La *focalisation interne* permet, au contraire, de revenir sur le désespoir de Raphaël et de l'évoquer de l'intérieur.

LA DESCRIPTION > TEXTE 7, P. 300

Le roman balzacien est un roman très descriptif. L'étude des rapports entre le narratif et le descriptif conduit pour l'essentiel à considérer les fonctions de la description, c'est-à-dire le rôle joué par les passages ou les aspects descriptifs dans l'économie générale du récit. Sans tenter d'entrer ici dans le détail, on retiendra quatre fonctions relativement distinctes.

Une fonction décorative

La première fonction est d'ordre décoratif. La rhétorique traditionnelle range la description, au même titre que les autres figures de style, parmi les ornements du discours : la description étendue et détaillée apparaît comme une pause et une récréation dans le récit. Son rôle est esthétique, comme celui de la sculpture dans un édifice classique. La description du magasin d'antiquités a, entre autres fonctions, ce rôle décoratif. Elle permet de manifester la virtuosité du descripteur habile à convoquer des objets hétéroclites. La description d'Aquilina la courtisane (voir p. 68) convoque toute une série de références artistiques (sculpteurs, peintres) qui montre la volonté du romancier de rivaliser avec d'autres arts.

Une fonction réaliste

Une autre finalité de la description consiste à produire l'illusion de la réalité. On parle alors de fonction réaliste ou référentielle : les mots prétendent produire l'illusion de la réalité. Ce type de description apporte au roman une caution d'objectivité. Elle s'attarde longuement sur des lieux, dont l'existence est connue ou tout au moins vraisemblable, et atteste ainsi de la réalité des événements rapportés. Le romancier laisse alors place à l'observateur. La longue description du Mont-Dore se veut référentielle. Elle est située géographiquement et renvoie à toute une série d'images témoins picturales : « Le lendemain de son arrivée, il gravit, non sans peine, le pic de Sancy, et visita les vallées supérieures, les sites aériens, les lacs ignorés, les rustiques chaumières des Monts-Dore, dont les âpres et sauvages attraits commencent à tenter les pinceaux de nos artistes » (p. 249).

Une fonction didactique

La description peut permettre de diffuser un savoir sur le monde. Elle est alors informative ou didactique. Un romancier comme Jules Verne (1828-1905) y a fréquemment recours. Dans *La Peau de chagrin*, la description de la machine à presser chez le savant Planchette appartient à la famille de descriptions presque pédagogiques. Le roman proclame ainsi sa légitimité dans cette tentative de rendre compte du monde et des découvertes scientifiques du temps.

Une fonction narrative

La quatrième grande fonction de la description, la plus manifeste aujourd'hui, est celle que Balzac a imposée dans la tradition romanesque. Elle est d'ordre à la fois *explicatif* et *symbolique* : les portraits physiques, les descriptions d'habillements et d'ameublement tendent, sous la plume de Balzac et de ses successeurs réalistes, à révéler et en même temps à justifier la psychologie des personnages, dont ils sont à la fois signe, cause et effet. La description devient ici, ce qu'elle n'était pas à l'époque classique, un élément majeur de l'exposition.

Toutes les descriptions de Balzac ont une fonction narrative, c'est-à-dire qu'elles ne sont jamais gratuites pour le récit : elles explicitent certaines caractéristiques des personnages, elles préparent des événements à venir, elles éclairent les aspects symboliques du texte. Le portrait du vieillard dans *La Peau de chagrin* renvoie au lieu, ce magasin extraordinaire dont il est le propriétaire : « Ses yeux verts, pleins de je ne sais quel malice calme, semblaient éclairer le monde moral comme sa lampe illuminait ce cabinet mystérieux. » La fonction de ce portrait est de susciter aussi un sentiment de mystère et d'évoquer la présence de l'au-delà : « La robe ensevelissait le corps comme dans un vaste linceul. » La tonalité fantastique est également présente dans la double lecture convoquée de ce personnage, l'une merveilleuse, l'autre réaliste : « Vous y auriez lu la tranquillité lucide d'un Dieu qui voit tout, ou la force orgueilleuse d'un homme qui a tout vu. »

LE DIALOGUE > TEXTE 8, P. 301

La narration romanesque, outre les descriptions, intègre aussi la parole directe des personnages sous forme de dialogue. Le dialogue a longtemps participé à la déconsidération du roman. À l'âge classique, il semble que la facture des dialogues, essentiellement leur caractère oral et donc inachevé, ait contribué au discrédit esthétique qui frappait le genre. On considérait que la présence de dialogues rapprochait le roman de la langue parlée et tirait cette prose du côté du vulgaire. Au XVIIIe siècle, la vogue des salons littéraires réhabilite la parole et fait de Paris la capitale de la conversation brillante. De nombreux manuels de conversation sont édités, les essais philosophiques se publient sous forme de dialogue comme *Le*

Neveu de Rameau (1762-1774) de Diderot. Le succès du théâtre au XVIIIe siècle (Marivaux, Beaumarchais) et au XIXe siècle (le drame romantique d'Alexandre Dumas et de Victor Hugo avec *Hernani* par exemple) contribue encore à réhabiliter littérairement le dialogue. Le roman du XIXe siècle avec Balzac notamment ou avec le romancier Barbey d'Aurevilly (*Les Diaboliques*, 1874) s'exerce à insérer des conversations brillantes.

La difficulté du dialogue est de mettre en scène la parole d'individus avec leurs propres registres de langue, leurs origines professionnelles et sociales et leurs tics de langage personnels. L'autre difficulté est de trouver un moyen terme entre un langage écrit peu crédible et la retranscription brutale du réel, peu littéraire. Il faut ainsi trouver un équivalent écrit aux mimiques, aux accents… Balzac a été l'un des fondateurs du style oralisé, équivalent écrit du langage oral. On en trouve un des premiers exemples dans la scène du banquet. Balzac réussit à rendre compte d'un débat d'idées sans queue ni tête, parsemé d'interjections et d'insultes (p. 62) :

> – Écoutez !
> – Silence !
> – Mettez des sourdines à vos mufles !
> – Te tairas-tu, chinois !
> – Donnez-lui du vin, et qu'il se taise, cet enfant !
> – À toi, Bixiou !

LE PERSONNAGE > TEXTE 9, P. 301

Le *personnage* de roman est un être de fiction auquel sont attribués des traits plus ou moins nombreux et précis appartenant d'ordinaire à la *personne*, c'est-à-dire à un être humain évoluant dans la réalité. Mais le personnage en littérature est toujours un *être de papier* qui n'existe que dans les mots du texte. Il est représenté en train de parler, de penser, d'agir et il suscite des réactions affectives, mais cette illusion de vie réelle est provoquée par le romancier.

L'héritage du théâtre et du conte

Une riche tradition fait du personnage un être franchement imaginaire, destiné à illustrer des catégories d'humanité, des vices ou des vertus, des théories. Dans ce cas, il n'est nullement question de son assimilation avec un individu réellement vivant.

Le théâtre occidental, né dans la Grèce antique, présente des personnages qui incarnent des grands types de comportements humains devant la divinité : Œdipe, l'homme victime du destin, Prométhée, l'homme révolté contre les dieux... Dans le roman, ce modèle prédomine généralement dans les genres anciens (romans médiévaux), ou les genres brefs, souvent à vocation didactique (romans courts, nouvelles, romans et contes de Voltaire). Les personnages secondaires des romans modernes relèvent de cet héritage. Dans *La Peau de chagrin*, les personnages féminins doivent beaucoup à cette vision typisante comme en témoigne l'épilogue du conte. Ils représentent en effet plus qu'eux-mêmes : Pauline, la « reine des illusions », représente une sorte d'Idéal féminin. Quant à Fœdora, dure et égoïste, elle incarne la Société.

Vers une psychologie du personnage

L'autre tradition est plus récente. Elle se manifeste à la Renaissance et surtout au xviie siècle avec le roman réaliste et satirique (*Le Roman bourgeois* de Furetière, 1666). Construire un personnage littéraire revient alors à favoriser au contraire une identification à un personnage réel. Elle semble due à l'influence, sans cesse grandissante, des récits biographiques et autobiographiques, qui se réclament d'une fidélité à la réalité vécue.

Les *Essais* de Montaigne constituent le point de départ de cette évolution. Au fur et à mesure que s'affirme, dans la société, la notion d'individu, la littérature présente des personnages plus élaborés, insérés dans un cadre de vie précis, entourés d'une famille, d'un groupe social, plongés dans la mentalité du temps. L'écrivain, adoptant un point de vue omniscient, nous fait plonger dans les sentiments et les pensées de ses créatures. Tous ces éléments renforcent la connaissance individuelle du personnage par le lecteur. Le personnage acquiert une identité particulière, symbolisée par un nom propre et la somme de ses caractéristiques peut aller jusqu'à constituer de véritables dossiers signalétiques. Les personnages de Balzac, dotés d'un état civil et d'une biographie, marqués par leurs parentés et leurs amitiés, se rencontrent et se côtoient dans les romans de *La Comédie humaine* comme des personnages de la vie réelle. Ainsi Balzac racontera plus tard (*Le Père Goriot*, 1835) que Rastignac et Bianchon ont vécu une partie de leur jeunesse dans la même pension. Quant à Rastignac et Blondet, ils se croiseront dans d'autres salons que ceux de *La Peau de chagrin* (*Les Secrets de la princesse de Cadignan* [1839], *Autre Étude de femme* [1842]).

Dans la seconde moitié du xixᵉ siècle, Émile Zola fera même l'étude de l'hérédité de ses personnages et dressera leur arbre généalogique avant d'écrire la première ligne de ses romans.

Ainsi s'est développée la conception du personnage littéraire comme être fictif certes, mais construit à partir d'éléments pris à la réalité, empruntés à des personnes, à l'histoire, aux activités pratiques d'une époque, aux arts, le plus important dans cette construction semblant résider dans l'imitation et les effets de réel. Le personnage de Raphaël au physique précisément décrit (voir p. 12), à la biographie complète (voir « La femme sans cœur »), en prise avec un vrai dilemme, participe de cette vision psychologisante des personnages, dont la conscience est déchirée par des débats, la focalisation interne permettant d'en rendre compte.

LA PEAU DE CHAGRIN, AU CROISEMENT DES GENRES

La composition de *La Peau de chagrin* montre que Balzac hésite entre plusieurs genres. L'œuvre commence comme un texte réaliste, voire journalistique, se poursuit comme une confession (texte autobiographique) et s'achève comme un conte fantastique. On n'a pas manqué de reprocher à Balzac cette hétérogénéité. Elle prouve pourtant que Balzac s'est inspiré de l'actualité littéraire : en 1830, outre le roman, deux genres sont à la mode, les mémoires et le conte fantastique depuis la traduction des nouvelles d'Hoffmann, maître du genre.

UN ROMAN RÉALISTE > TEXTE 6, P. 299

La Peau de chagrin rend compte avec précision d'une société et des milieux divers qui la constituent. Le parcours de Raphaël à travers Paris et la France permet de mettre en scène des classes sociales et leurs caractéristiques : les journalistes très influents au début de la monarchie de Juillet sont dépeints lors du banquet Taillefer, l'aristocratie est décrite dans les salons et les théâtres lors de la confession de Raphaël et caricaturée comme oisive et dépassée politiquement aux eaux d'Aix. Les scientifiques sont l'objet d'une triple description avec la visite de Raphaël dans leur laboratoire et leur atelier. La consultation des médecins permet de réactualiser le type moliéresque du docteur prétentieux et inefficace (*cf. Le Médecin malgré lui, Le Malade imaginaire*). Même les paysans, qui en 1831 sont encore rarement évoqués dans les romans, font l'objet de quelques pages (voir

p. 252). Grâce à des descriptions précises et la convocation de quelques types (l'aristocrate prétentieux, le paysan égoïste, le journaliste sans foi), la société française est présentée comme la juxtaposition complexe de plusieurs milieux qui ne se fréquentent guère. Le talisman de Raphaël a donc le pouvoir de lui ouvrir toutes les portes et de rendre compte de l'émergence d'une nouvelle classe bourgeoise, héritière de la Révolution française, celle représentée par le banquier Taillefer.

Car Balzac prend en compte l'héritage historique de la société française. Non seulement il décrit la désillusion de 1830 (voir p. 44) et la montée de cette classe sociale sans légende qu'est la bourgeoisie, mais il évoque aussi le poids de la période révolutionnaire et de l'Empire. La France, bouleversée par les mutations révolutionnaires, ne parvient pas à relever le flambeau de l'Histoire laissé à terre par Napoléon. Le père de Pauline, le héros Gaudin, de retour après quinze ans d'absence, miraculé et fortuné, s'éteint victime de la tuberculose comme si les héros napoléoniens ne pouvaient symboliquement supporter le climat délétère de la monarchie de Juillet. *La Peau de chagrin* rend compte d'une nouvelle donne historique et de nouveaux rapports sociaux.

Roman réaliste, *La Peau de chagrin* l'est également parce qu'elle n'hésite pas à mettre en scène des personnages communs avec des préoccupations dérisoires. Les héros dotés de tous les pouvoirs des contes de fées, prêts à combattre le monde et ses injustices n'existent plus. Ainsi Raphaël restreint de plus en plus son domaine d'action. Cantonné chez lui, il réclame à Bianchon… une heure par jour pour s'alimenter. Comme dans *L'Éducation sentimentale* (1869) de Flaubert qui raconte une autre révolution ratée, celle de 1848, les héros modernes sont pitoyables.

UN CONTE FANTASTIQUE > TEXTE 11, P. 302

La littérature fantastique française naît dans la filiation du littérateur allemand Hoffmann, traduit en 1829. Dans ses contes, on trouve de la sorcellerie, de la magie, des histoires de fantômes et de vampires. Sous son influence, les contes fantastiques fleurissent dans les années 1830 avec Charles Nodier. Pierre-Georges Castex définit ainsi le fantastique : « Le fantastique […] ne se confond pas avec l'affabulation conventionnelle des récits mythologiques ou des féeries, qui implique un dépaysement de l'esprit. Il se caractérise au contraire par une intrusion brutale du mystère dans le cadre de la vie réelle ; il est lié généralement aux états morbides de la conscience qui, dans les phénomènes de cauchemar ou de délire, projette devant elle des images de ses angoisses ou de ses terreurs [1]. » Dans *La Peau de chagrin*, l'objet magique intervient lors d'un épisode de dépression liée à l'approche du suicide, dans l'univers inattendu du magasin d'antiquités, collusion improbable de plusieurs époques.

Selon Tzvetan Todorov [2], le fantastique résulte de la permanence d'une hésitation du lecteur – un lecteur qui s'identifie au personnage principal – quant à la nature d'un événement inhabituel. Cette hésitation peut se résoudre de deux façons. Soit on admet que l'événement appartient bien à la réalité, soit l'on décide qu'il est le fruit de l'imagination ou le résultat d'une illusion ; autrement dit on peut décider que l'événement est ou n'est pas. Dans les deux cas, mettre fin à l'hésitation signifie mettre fin au fantastique. Cette définition de Todorov a le mérite de montrer le rôle essentiel du lecteur dans la littérature fantastique : il hésite entre deux options.

La Peau de chagrin exhibe cette hésitation. À certains moments, Raphaël se croit simplement victime d'une illusion. Il jette alors le talisman au fond d'un puits (p. 203). Dans le premier projet de Balzac, d'ailleurs, le talisman n'était qu'imaginaire, et Raphaël mourait de frayeur au moment où le créancier lui révélait que la peau n'avait rétréci que très naturellement et qu'il avait été victime de sa propre crédulité. Dans la version finale, le narrateur cède expressément la parole à des garants qui ont pour mission, au sein même de la folie, de maintenir l'hésitation, de donner une version sinon raisonnable, du moins objective, des événements. Pauline pense ainsi que Raphaël est atteint de la tuberculose : « Tu as, pendant ton sommeil une petite toux sèche, absolument semblable à celle de mon père qui meurt d'une phtisie. » En d'autres circonstances, pourtant, Raphaël est persuadé du pouvoir de la peau.

L'écriture fantastique produit encore l'hésitation en alternant des épisodes à vocation réaliste et des épisodes à vocation fantastique, moments de tremblement, d'accélération, de clair obscur, où des formes se brouillent. Ces descriptions fantastiques s'accompagnent de visions imprécises, de bruits inquiétants, de métaphores contradictoires : « Il monta tout chagrin dans sa voiture. Quand il regarda sur la place, il vit la joie effarouchée, les paysannes en fuite et les bancs déserts. Sur l'échafaud de l'orchestre, un ménétrier aveugle continuait à jouer sur sa clarinette une ronde criarde. Cette musique sans danseurs, ce vieillard solitaire au profil grimaud, en haillons, les cheveux épars, et caché dans l'ombre d'un tilleul, était comme une image fantastique du souhait de Raphaël. »

---

1. *Le Conte fantastique en France*, Corti, 1951, p. 8. \ **2.** Tzvetan Todorov, *Introduction à la littérature fantastique*, Le Seuil, coll. « Points », 1976.

Le fantastique peut être envisagé comme un recours devant un monde corrompu qui ne présente aucune issue. C'est une fuite possible devant le pessimisme suscité par le réalisme.

LA CONFESSION > TEXTE 10, P. 301

Il existe en France une tradition mémorialiste de l'écriture à la première personne. Au xviie siècle et au xviiie siècle, des personnages aristocratiques comme le cardinal de Retz (1613-1679) ou le duc de Saint-Simon (1675-1755) ont, en racontant leur parcours social, laissé un témoignage sur la haute société qu'ils fréquentaient. Dans les mémoires, l'auteur se comporte comme un témoin du groupe social auquel il appartient. *La Peau de chagrin* rappelle cette mode des mémoires lorsque Raphaël conclut un traité avec Finot pour l'écriture de souvenirs aristocratiques.

L'autobiographie apparaît en France en 1782, lors de la publication posthume des six premiers livres des *Confessions* de Jean-Jacques Rousseau (1712-1778). L'avant-propos souligne l'aspect novateur du projet de Rousseau, qui veut raconter sa vie personnelle sans rien omettre, sans mentir. « Je forme une entreprise qui n'eut jamais d'exemple et dont l'exécution n'aura point d'imitateur. Je veux montrer à mes semblables un homme dans toute la vérité de la nature, et cet homme ce sera moi. » En prétendant ne censurer aucune de ses faiblesses, Rousseau lève un certain nombre de tabous et change complètement la perspective de l'écriture à la première personne. Il ne s'agit plus d'évoquer un homme dans sa dimension sociale, mais de livrer le récit complet des événements intimes qui permettent de reconstituer la genèse du parcours d'un individu spécifique.

L'époque romantique accentue encore cette tendance. Elle affirme la légitimité des singularités individuelles, s'opposant en cela à la Révolution qui se vantait d'avoir accompli l'idéal des Lumières en déclarant qu'il n'y avait plus « pour aucune partie de la Nation, ni pour aucun individu, aucun privilège, ni exception au droit commun de tous les Français. » La littérature romantique se construit au contraire autour de l'affirmation de l'individualité singulière, elle s'engage dans une étude approfondie du moi.

L'écriture à la première personne est donc très en vogue en 1831. Le journal intime est en train d'apparaître, même si peu sont encore publiés. L'autobiographie est un genre à la mode, les mémoires surtout connaissent un grand succès. Pensons par exemple à l'entreprise exemplaire de

Chateaubriand (1768-1848) qui se consacre pendant de longues années aux *Mémoires d'outre-tombe* (publiées en 1850).

C'est dans sa deuxième partie, lors du récit de la vie de Raphaël, que le roman *La Peau de chagrin* se transforme en une autobiographie fictive. Raphaël raconte son existence et la narration à la troisième personne s'efface devant un « je » qui prend le contrôle du texte. L'autobiographie met l'accent sur la vie individuelle, en particulier sur l'histoire du moi. C'est le récit d'une vie considérée dans ses soubresauts intimes : « Vue à distance, ma vie est comme rétrécie par un phénomène moral », déclare Raphaël. L'autobiographie est souvent centrée sur le récit d'enfance et d'adolescence : elle propose ainsi une genèse de la personnalité. Raphaël conte le parcours qui l'a mené de sa mansarde jusqu'à la société corrompue. Le personnage est imaginaire et la confession fictive, mais les biographes de Balzac n'ont pas manqué de relever les points communs entre cette confession et la propre vie de l'auteur (voir p. 275).

La Peau de chagrin se situe au croisement de plusieurs genres. Est-ce à dire qu'elle n'appartiendrait à aucun genre ? Non pas, car si l'on reprend la définition première du roman, on remarque qu'il se caractérise justement par cette capacité à intégrer tous les genres, même le fantastique et le modèle autobiographique. Selon les théories de Mikhaïl Bakhtine[1], la caractéristique du roman est d'être un genre dialogique, voire polyphonique, propre à intégrer tous les genres, toutes les voix.

GROUPEMENT DE TEXTES : POÉTIQUE DU ROMAN

TEXTE 6 • *La Peau de chagrin*, « Le Talisman »

Vers la fin du mois d'octobre [...] il faut se faire un costume de joueur.

> PAGES 7-8

Un incipit

Un incipit de roman remplit trois fonctions. Le narrateur peut choisir d'avantager l'une ou l'autre et créer ainsi un effet de lecture.

---

1. Cf. *Esthétique et théorie du roman*, Gallimard, coll. « Bibliothèque des idées », 1978.

Il informe, explique et décrit. L'exposition donne les termes de la narration. L'incipit répond aux questions suivantes : qui ? où ? quand ? Le début de roman renseigne le lecteur sur les personnages principaux, le lieu et l'époque de l'action.

Il provoque l'intérêt, ce qui suppose d'entrer le plus vite possible au cœur de l'action. Pour intéresser, le texte doit d'emblée camper une atmosphère, susciter des questions, laisser présager un mystère, un conflit, créer du suspense.

Il propose un contrat de lecture, c'est-à-dire que l'incipit précise le genre auquel se rattache le texte et indique quelle lecture peut en être faite. Ainsi un texte fantastique propose un autre contrat de lecture qu'un roman réaliste.

1. Quel est le genre de narration adopté ici ? En quoi l'énonciation de ce début de roman est-elle inattendue ?

2. Quels sont les éléments qui rattachent l'incipit au genre réaliste ? Trouve-t-on également des indices de fantastique ?

3. Comment Balzac crée-t-il un effet de mystère autour du héros ? Quel effet Balzac veut-il produire sur le lecteur ?

TEXTE 7 • *La Peau de chagrin,* « Le Talisman »

Cet océan de meubles [...] épandu dans son être intérieur ?

PAGES 24-27

Une description

1. Quelles sont les marques stylistiques de la description utilisées ici (temps, vocabulaire, indices spatiaux, syntaxe, figures de style spécifiques) ?

2. En quoi cette description relève-t-elle du fantastique ?

3. Quelle est la fonction de cette description ?

<u>TEXTE 8</u> • *La Peau de chagrin,* « Le Talisman »

Hé! tais toi donc, animal […] À toi, Bixiou !

PAGES 60-62

Un dialogue

1. Quels sont les signes typographiques du dialogue ?

2. Relevez les indices du style oralisé.

3. Quelle est la fonction de ce dialogue ?

<u>TEXTE 9</u> • *La Peau de chagrin,* « Le Talisman »

Assis sur un moelleux divan […] la guerre est devenue comme un jouet.

PAGES 68-69

Un portrait

1. Quelle est la structure de cette description ?

2. Montrez que derrière la description d'une jeune fille séduisante transparaît un inquiétant personnage, voire un monstre.

3. De quoi Aquilina est-elle l'allégorie ? Justifiez-le précisément.

<u>TEXTE 10</u> • *La Peau de chagrin,* « La Femme sans cœur »

Aussi, pour ne pas abuser […] franchement à ses projets.

PAGES 79-85

Une confession

1. Pourquoi peut-on dire que le texte romanesque se transforme ici en un texte autobiographique ?

2. Qu'est-ce que l'épisode du jeu prouve sur le caractère de Raphaël ? Pourquoi peut-on dire que cet épisode illustre d'une certaine manière son destin (*cf.* le thème de la faiblesse, le rôle de la tentation) ?

Il arriva bientôt [...] un phénomène dans un miracle.

PAGES 207-223

Réalisme et fantastique

1. Montrez que les savants font l'objet d'une caricature dans ce texte.

2. Relevez les jeux de mots dans le texte et explicitez-les. Cherchez les raisons possibles à la présence de cet intermède comique.

3. Pourquoi peut-on dire que cette confrontation avec la science renforce la perspective fantastique ?

VERS L'ÉPREUVE

L'ARGUMENTATION DANS L'ŒUVRE

L'étude de l'argumentation dans l'œuvre intégrale privilégie deux objets :
▪ L'argumentation dans l'œuvre. *Chaque genre littéraire, chaque œuvre intégrale exprime un point de vue sur le monde. Un roman, une pièce de théâtre, un recueil de poésies peuvent défendre des thèses à caractère esthétique, politique, social, philosophique, religieux, etc. Ordonner les épisodes d'une œuvre intégrale, élaborer le système des personnages, recourir à tel ou tel procédé de style, c'est aussi, pour un auteur, se donner les moyens d'imposer un point de vue ou d'en combattre d'autres. Ce premier aspect est étudié dans une présentation synthétique adaptée à la particularité de l'œuvre étudiée.*
▪ L'argumentation sur l'œuvre. *Après publication, les œuvres suscitent des sentiments qui s'expriment dans des lettres, des articles de presse, des ouvrages savants… Chaque réaction exprime donc un point de vue sur l'œuvre, loue ses qualités, blâme ses défauts ou ses excès, éclaire ses enjeux. Une série d'exercices permet d'analyser des réactions publiées à différentes époques, dans lesquelles les lecteurs de l'œuvre, à leur tour, entendent faire partager leurs enthousiasmes, leurs doutes ou leurs réserves.*
Quelle vision du monde, quelles valeurs une œuvre véhicule-t-elle, et comment se donne-t-elle les moyens de les diffuser ? Quelles réactions a-t-elle suscitées, et comment les lecteurs successifs ont-ils voulu imposer leur point de vue ? L'étude de l'argumentation dans l'œuvre et à propos de l'œuvre permet de répondre à cette double série de questions.

UNE MÉDITATION MÉTAPHYSIQUE SUR LA DESTINÉE HUMAINE

La Peau de chagrin a été placée en tête des *Études philosophiques* de *La Comédie humaine*, façon de prouver que ce roman développe une thèse essentielle pour Balzac. La mort de son père en 1829 vient de relancer pour lui la question de la longévité humaine et de l'énergie. Dans *La Peau de chagrin*, l'énergie vitale est le thème central du roman. La thèse balzacienne est simple : chaque être humain a devant lui une somme d'énergie qu'il choisit de dépenser en prodigue ou en avare. Le dilemme est clair : la vie peut être soit courte et intense en plaisirs, soit longue et paisible mais sans ardeurs. Ces idées étaient d'ailleurs propagées vers 1830 par des scientifiques. En médecine, l'école des vitalistes, opposée à celle des matérialistes, soutenait en effet que l'être humain doit modérer la dépense de son énergie s'il veut préserver le plus longtemps possible son intégrité physique.

Cette théorie est symbolisée dans *La Peau de chagrin* par un mythe qui illustre la longévité humaine. La peau d'onagre, symbolisant la vie, se réduit inéluctablement au fil de la résolution des désirs de Raphaël[1]. Dans le roman, la question est évoquée à plusieurs reprises par des personnages affirmant avec force des partis pris qui s'expliquent à la lumière de ce conflit symbolique entre économie et dépense. L'antiquaire explique clairement qu'il a pris le parti du Savoir et de la Sagesse contre le Vouloir qui brûle et le Pouvoir qui détruit. Au cours de l'orgie, cette théorie est illustrée par des personnages qui prennent le parti adverse. Euphrasie affirme : « J'aime mieux mourir de plaisir que de maladie. » Plus loin, l'antiquaire converti s'écrie au bras d'Euphrasie : « Il y a toute une vie dans une heure d'amour. »

C'est Raphaël évidemment qui illustre le mieux cette théorie. Quelques souhaits de débauchés (la fortune, l'orgie) lui ayant coûté des années de vie, il réduit peu à peu son activité à quelques gestes minimaux. Il végète dans un demi-sommeil pour éviter la mort, puis se tue avant le terme faute de pouvoir résister à une pulsion sexuelle.

La vie que Raphaël choisit de vivre dans sa mansarde pourrait figurer une solution permettant d'échapper à l'alternative offerte aux hommes : l'épuisement de l'ivresse d'un côté, la paix et la sérénité de l'ennui de l'autre. La vie dans la mansarde esquisse une synthèse possible. Elle montre qu'il existe des charmes infinis à la contemplation et à l'étude, que certaines sensations enivrent mais n'épuisent pas. « Ce que les hommes appellent chagrins, amours, ambitions, revers, tristesse, est pour moi, des idées que je change en rêveries ; au lieu de les sentir, je les exprime, je les traduis ; au lieu de leur laisser dévorer ma vie, je les dramatise, je les développe, je m'en amuse comme de romans que je lirais par une vision intérieure. » Dans le roman, la vie de la pensée offrirait ainsi un exemple d'activité synonyme à la fois d'intensité et de plaisir, mais aussi d'épargne et de sagesse. On est loin des représentations romantiques du créateur dévoré par son œuvre.

---

1. On retrouve ici une transposition du mythe grec du fil des Moires (les Parques dans la mythologie romaine) dont dépend aussi la durée de chaque vie humaine. Filles de Zeus et de Themis, les trois Moires commandent la vie des hommes. Lachesis attribue à chaque homme sa part de fil, c'est-à-dire une certaine longueur de vie ; Clôthô file et Atropos tranche le fil à l'heure fixée.

UNE MÉTAPHORE DE LA CRÉATION LITTÉRAIRE

Ce conflit entre le principe d'économie et celui de dépense concerne non seulement les hommes, mais aussi le texte littéraire lui-même. Celui-ci est toujours soumis à une double tentation : celle de la brièveté et celle de l'expansion. On a souvent accusé Balzac de s'étendre dans des narrations complexes et des descriptions interminables. *La Peau de chagrin* illustre cette double tentation : on y trouve des textes longs (la confession de Raphaël qu'Émile demande à voir abrégée) et des moments d'accélération (la course à la mort de Raphaël est symbolisée par les changements de lieux rapides de la fin du roman).

Métaphore du texte lui-même, la peau de chagrin est aussi un symbole clé pour un Balzac qui craignait de s'épuiser en produisant une œuvre plus forte que lui. Balzac a toujours pressenti que son œuvre démesurée, *La Comédie humaine*, ambition de création d'un monde entier, allait le conduire à la mort prématurément.

UNE FICTION ANTI-CAPITALISTE

La Peau de chagrin présente enfin un éloquent réquisitoire contre la société de son temps, contre les dérives politiques des régimes en place et contre la désillusion de la révolution de Juillet (voir p. 272). Balzac critique la bassesse, le mensonge et l'hypocrisie de la Restauration et de la monarchie de Juillet en mettant en scène leur mentalité misérablement cupide et mesquine.

Certains critiques, Georg Lukacs (1885-1971) d'abord puis Pierre Barbéris, ont même voulu voir dans *La Peau de chagrin* une fiction anti-capitaliste, une dénonciation animée du capitalisme naissant. Balzac y décrit le règne de l'argent et la corruption d'une société sans valeurs. Il dépeint la désagrégation de la culture aristocratique française sous l'effet des progrès du capitalisme. Le banquier Taillefer, un assassin (voir *L'Auberge rouge* de Balzac[1]) fait la loi à Paris tandis que l'aristocratie meurt dans des villes d'eaux à Aix.

La Peau de chagrin est, avant *Illusions perdues*, le premier roman de la désillusion. Raphaël, le jeune homme pur du début du roman, échoue dans un monde qui évolue autrement que lui. Raphaël montre sa naïveté

---

1. *L'Auberge rouge* est un récit publié en août 1831 dans *La Revue de Paris* : le banquier Taillefer a assassiné dans une auberge un riche Allemand pour lui voler sa fortune. Il se trouve mal quand on raconte dans un salon l'histoire de l'homme innocent qui a été exécuté pour ce crime.

lorsqu'il prétend réussir en 1827, à l'époque de la littérature industrielle, en écrivant des essais philosophiques. Les essais de Raphaël, les traités d'idées notamment, ont peu de chances de s'imposer dans la réalité d'une économie capitaliste qui préfère les grands journaux à la littérature. La transformation de la littérature en marchandise apparaît dans la rencontre avec Finot : Raphaël, pour survivre, est contraint de galvauder la mémoire de ses ancêtres en écrivant des mémoires apocryphes qui se vendent bien. L'héroïsme, l'idéal deviennent des ornements superflus. Les spéculateurs comme Fœdora, qui représente la Société et joue en Bourse, prennent le pas sur les créateurs.

On peut s'étonner du choix du genre fantastique pour composer un réquisitoire contre le capitalisme. Lukacs l'explique (voir p. 310) en affirmant que le fantastique est, pour Balzac, un détour pour parvenir au réalisme. Le fantastique autorise le recours à des objets symboliques, telle cette peau de chagrin dont le rétrécissement implacable figure, à travers le personnage de Raphaël, l'échec inéluctable d'une génération. La disparition finale de Raphaël manifeste le triomphe d'une société capitaliste dans laquelle les jeunes hommes vertueux n'ont pas leur place. Il reste Fœdora, nous dit l'épilogue. « Elle était hier aux Bouffons, elle ira ce soir à l'Opéra, elle est partout, c'est, si vous voulez, la Société. »

GROUPEMENT DE TEXTES : JUGEMENTS CRITIQUES

TÉMOIGNAGES DE CONTEMPORAINS

TEXTE 12 • Philarète Chasles, *Le Messager des chambres*, 6 août 1831

Vous plaît-il de voir apparaître, sous forme vivante, notre civilisation d'hier et d'aujourd'hui, toute parée, toute folle, d'ennui et de luxe, avec son dégoût, son désespoir, ses bons mots, ses velléités de science et de religion, ses créations qui avortent, ses vertus qui ne sont pas écloses, son état
5   phosphorique, semblable à la lueur émanée des endroits infects ; ses prétentions de grandeur, de sévérité, de patriotisme, d'énergie, de rénovation, de génie et d'organisation, de conservation, de durée et son néant réel, son mal intime, son manque de foi, sa faiblesse de volonté, son inanité, sa décrépitude, sa force factice, comme celle de l'ivresse, passagère, comme celle que
10   le galvanisme communique à un corps mort ? Lisez ce livre. [...] Il y a dans l'œuvre de M. de Balzac, le cri de désespoir d'une littérature expirante.

TEXTE 13 • Jules Janin, *L'Artiste* (1831)

Vous entendez un grand bruit ; on entre, on sort, on se heurte, on crie, on hurle, on joue, on s'enivre, on est fou, on est fat, on est mort, on est crispé, on est tout balafré de coups, de baisers, de morsures, de volupté, de feu et de fer. Voilà toute *La Peau de chagrin*.

5   C'est un livre-brigand qui vous attend au coin du bois, dans votre salon, dans votre lit d'asthmatique, au théâtre, à la chapelle, à cheval, à pied, en voiture, en bateau ; le livre vous guette pistolet en main, poignard en main : La bourse ou la vie ! Vous donnez votre bourse, votre vie, votre œil, votre souffle, votre poumon, vos entrailles, tout vous-même, pour un morceau
10   de peau de chagrin pas plus gros que le doigt.

1. Ces deux textes critiques emploient les mêmes procédés stylistiques pour décrire *La Peau de chagrin* : lesquels ?

2. Peut-on justifier l'emploi de ces procédés stylistiques par certaines caractéristiques de l'œuvre ? Vous répondrez dans un paragraphe argumenté.

3. Par quels procédés ces deux critiques entendent-ils convaincre le lecteur d'acheter le roman ?

4. Rédigez selon le même procédé un court article critique pour soutenir un roman de votre choix.

TEXTE 14 • *La Caricature* (1831)

LA PEAU DE CHAGRIN
ROMAN PHILOSOPHIQUE
par M. de Balzac
Deux volumes en in-8°, avec des dessins
de Tony Johannot. Prix : 15 francs. Chez Ch. Gosselin,
rue Saint-Germain-des-Prés, n°9.

Si nous dérogeons à nos habitudes satiriques, et si nous adoptons le pouvoir de la moquerie en faveur de ce livre ;

Ce n'est pas parce qu'il a le plus brillant succès ;

Ni parce qu'il tire violemment le lecteur de l'époque actuelle, de ses misères,
5   de ses grandeurs, de la politique boiteuse, de la propagande qui marche ;

Ni parce qu'il a une haute portée de morale et de philosophie ;

Ni parce que, suivant l'admirable expression du premier critique qui en ait parlé, notre société cadavéreuse y est fouettée et marquée en grande pompe sur un échafaud, au milieu d'un orchestre tout rossinien ;

10   Ni parce que la vie humaine y est représentée, formulée, traduite comme Rabelais et Sterne, les philosophes et les étourdis, les femmes qui aiment et les femmes qui n'aiment pas la conçoivent ; drame qui serpente, ondule, tournoie, et au courant duquel il faut s'abandonner, comme le dit la très spirituelle épigraphe du livre :

(Sterne, *Tristram Shandy*, chapitre CCCXXII)

15   Ni parce que le style le plus éblouissant encadre ce conte oriental fait avec nos mœurs, avec nos fêtes, nos salons, nos intrigues et notre civilisation qui tourne sur elle-même, et augmente l'intensité de son tourbillon sans y mettre plus de bonheur qu'il n'y en avait hier, qu'il n'y en aura demain ;

20   Ni parce que l'amour y est ravissant comme l'amour, l'amour jeune, l'amour trompé, l'amour heureux ;

      Ni parce que la vie du jeune homme riche de cœur et pauvre d'argent y est jetée comme un brandon entre l'insensibilité de la coquetterie et la passion réelle de la femme.

25   Mais nous recommandons cet ouvrage à ceux qui aiment la belle littérature et les émotions, parce que nous avons autant d'amitié que d'admiration pour M. de Balzac.

      Si ce n'est pas de l'adresse, au moins il y a dans cet aveu de la franchise, ce qui est rare en fait de journalisme.

      LE COMTE ALEXANDRE DE B***.

1. Est-il possible de deviner que ce texte est de Balzac ? Pourquoi ?

2. Quel est le sens de l'épigraphe empruntée à Sterne ?

3. Peut-on considérer ce texte comme une plaidoirie en faveur de *La Peau de chagrin* ? Vous justifierez votre réponse par un examen des arguments avancés.

TEXTE 15 • *Le National,* 8 septembre 1831

      Serait-ce donc là, dites-moi, ce que la philosophie nous avait promis, le but atteint des longs efforts de l'humanité ? Serait-ce qu'il n'y aurait que vide et néant entre la perte des croyances du passé et les croyances de l'avenir, que déception dans ce monde, qu'un froid égoïsme ?

1. Quelle interprétation *Le National* propose-t-il de *La Peau de chagrin* ?

2. Quel est le procédé rhétorique utilisé ici ?

3. Pourquoi peut-on dire que ce texte développe une stratégie argumentative différente des trois précédents ?

TEXTE 16 • Sainte-Beuve, Lettre du 18 septembre 1831

> Rien de bien nouveau à Paris ; il y a un roman de Balzac, *La Peau de chagrin*, fétide et putride, spirituel, pourri, enluminé, papilloté et merveilleux par la manière de saisir et de faire briller les moindres petites choses, d'enfiler des perles imperceptibles et de les faire sonner d'un cliquetis d'atomes.

1. Sainte-Beuve formule-t-il ici une louange ou un blâme ? Justifiez votre réponse dans un paragraphe argumenté.

LA POSITION NATURALISTE

TEXTE 17 • Émile Zola, *Les Romanciers naturalistes* (1881)

Zola formule ici sa conception du roman moderne, qu'il qualifie de « réaliste ». Pour lui, *La Peau de chagrin,* œuvre de jeunesse de Balzac, à cause de ses inventions extraordinaires ne fait pas partie des réussites réalistes de Balzac.

> Toute invention extraordinaire en est donc bannie. On n'y rencontre plus des enfants marqués à leur naissance, puis perdus, pour être retrouvés au dénouement. Il n'y est plus question des meubles à secret, des papiers qui servent, au bon moment, à sauver l'innocence persécutée. Même toute
> 5 intrigue manque, si simple qu'elle soit. Le roman va devant lui, contant les choses au jour le jour, ne ménageant aucune surprise, offrant tout au plus la matière d'un fait divers ; et, quand il est fini, c'est comme si l'on quittait la rue pour rentrer chez soi. Balzac, dans ses chefs-d'œuvre : *Eugénie Grandet, Les Parents pauvres, Le Père Goriot,* a donné ainsi des images d'une
> 10 nudité magistrale, où son imagination s'est contentée de créer du vrai. Mais avant d'en arriver à cet unique souci des peintures exactes, il s'était longtemps perdu dans les inventions les plus singulières, dans la recherche d'une terreur et d'une grandeur fausse : et l'on peut même dire que jamais il ne se débarrassa tout à fait de son amour des aventures extraordinaires,
> 15 ce qui donne à une bonne moitié de ses œuvres l'air d'un rêve énorme fait tout haut par un homme éveillé.

1. Comment Zola définit-il le roman réaliste ?

2. D'après cette définition, *La Peau de chagrin* appartient-il au champ réaliste ? Justifiez votre réponse.

3. Rédigez une critique de *La Peau de chagrin* en vous plaçant dans la perspective d'Émile Zola. Vous pourrez par exemple souligner la présence d'inventions extraordinaires et invraisemblables dans *La Peau de chagrin*.

LECTURES MARXISTES de *La Peau de chagrin*

TEXTE 18 • Georg Lukacs, *Balzac et le Réalisme français* (1935)
La Découverte coll. « Poche », 1999.

En 1935, Georg Lukacs, à partir d'une lecture par Goethe de *La Peau de chagrin*, propose une explication de l'intervention du fantastique dans le roman.

Dans les dernières années de sa vie il [Goethe] lut presque en même temps *La Peau de chagrin* de Balzac et *Notre-Dame de Paris* de Hugo. Sur le premier roman il écrit dans son journal : « J'ai continué la lecture de *La Peau de chagrin* et me suis occupé pendant le reste du temps à
5 chercher comment je parviendrais au bout de la deuxième partie cette nuit même. C'est une œuvre remarquable d'un type très nouveau, qui se caractérise cependant par le fait qu'elle se meut avec énergie et avec goût entre l'impossible et l'insupportable et sait utiliser le merveilleux comme moyen de dépeindre de façon très logique les états d'âme et les
10 événements les plus curieux ; ce sur quoi on pourrait dire dans le détail beaucoup de bien. » Goethe voit donc clairement que Balzac n'utilise les éléments romantiques, ce qui est grotesque, fantastique, bizarre, horrible, ironiquement ou pathétiquement exagéré, qu'au service de la reproduction réaliste de faits humains et sociaux essentiels. Pour
15 Balzac, tout cela n'est qu'un moyen, qu'un détour pour parvenir à un réalisme qui, en assimilant tous les nouveaux éléments de la vie, conserve la grandeur artistique et la portée humaine de la vieille littérature de qualité.

1. Pourquoi Lukacs cite-t-il Goethe ?

2. Pour Lukacs, à quoi sert le fantastique dans *La Peau de chagrin* ? Vous illustrerez sa thèse à partir d'exemples précis choisis dans le roman.

Le livre de poche, 1972.

L'argent, la loi d'airain de la réussite, de l'ambition, de l'affirmation de soi aux dépens des autres, usent et brisent les êtres, les condamnant au dilemme : vivre, jouer et se perdre, ou se réserver, se préserver et ne pas vivre ; participer à l'élan du siècle et se dégrader, ou demeurer à l'écart et se détruire
5 d'une autre manière. Si la pensée tourne en poison, si les désirs tuent, la faute n'en est ni aux désirs ni à la pensée, mais bien à l'usage que la société nous condamne à en faire. Dans cette optique, *La Peau de chagrin* n'est en rien un essai moraliste récupérable par les idéologies défaitistes, pessimistes et sceptiques, et qui serait d'ailleurs en absolue contradiction avec la philo-
10 sophie profonde de Balzac. *La Peau de chagrin* est le premier grand livre qui ne soit pas d'intentions réactionnaires et qui démystifie les révolutions de surface dont on se sert, précisément, pour mystifier le bon peuple de France.

1. Quelle est la thèse de Pierre Barbéris ?

2. Montrez, à l'aide d'arguments précis, que l'argent dans *La Peau de chagrin* est l'élément essentiel qui fait mouvoir la société. Voyez-vous dans le roman des contre-exemples à cette théorie ?

AUTRES LECTURES de *La Peau de chagrin*

Pierre-Georges Castex, *Nouvelles et Contes de Balzac* Sedes-CDU, 1961.

Pierre-Georges Castex est un éminent universitaire, chercheur spécialiste de Balzac, à qui l'on doit la réalisation de la dernière édition complète de Balzac dans l'édition « La Pléiade ».

Ce roman contient presque toute la philosophie de Balzac, et il est important d'en rappeler de façon élémentaire, les éléments principaux, puisque nous les retrouverons mis en œuvre dans la plupart des contes philosophiques [...].
5 Le héros, Raphaël, a acquis chez un antiquaire un talisman, une peau de chagrin, qui doit lui permettre de satisfaire les tumultueuses passions de sa jeunesse. Il s'abandonne alors à sa frénésie ; mais à chaque joie nouvelle qu'il se procure, la peau se rétrécit : il s'aperçoit un jour qu'elle est réduite à quelques pouces ; il s'alarme ; car elle est taillée à la mesure de sa vie et
10 il disparaîtra avec elle.

L'intention du romancier est naturellement de proposer aux hommes une image symbolique de l'alternative devant laquelle ils se trouvent placés du fait de leur condition. Chacun de nous possède un certain capital de vie et dispose d'une certaine latitude pour en user ; celui qui économise
15 ses forces a chance de vivre longtemps, mais son existence sera morne ; celui qui les engage sans réserve à la conquête des jouissances vivra avec intensité, mais il mourra jeune, car le plaisir, comme le génie créateur, est un terrible consommateur d'énergie.

Il est permis de voir dans ce mythe moderne de la peau de chagrin une
20 illustration nouvelle de cette loi que mettait déjà en évidence, dans la mythologie grecque, la légende d'Achille. On sait que le héros grec a eu un choix à accomplir entre deux conduites possibles et que ce choix devait commander son destin. Il pouvait décider de vivre dans l'obscurité et se ménager ainsi, en renonçant à toute ambition comme à tout orgueil, une
25 existence longue, ou bien céder à l'appel de la gloire et s'assurer par ses exploits une réputation immortelle parmi les hommes, mais en se résignant à une mort prématurée. Achille a choisi la seconde des options ainsi offertes.

De telles fables sont pleines de sens, car il est incontestable qu'un choix
30 de cette sorte s'offre à chacun de nous lorsque nous nous engageons dans la vie. […] Naturellement la loi ne s'applique pas en toute circonstance avec une rigueur infaillible. […] Il demeure vrai que les épreuves nous usent, et aussi les passions, alors qu'une vie calme nous entretient dans une sorte de torpeur en économisant nos nerfs et notre cœur. Il demeure
35 vrai que, dans une certaine mesure et sauf circonstances imprévisibles, nous déterminons nous-même notre avenir en exerçant nos forces avec avarice ou avec prodigalité.

Dans cette option se révèle le caractère de chacun d'entre nous. Raphaël, le héros de Balzac, révèle le sien en déclarant : « Je veux vivre
40 avec excès. » Il voudra revenir sur son choix, d'ailleurs trop tard, lorsqu'il prendra une conscience trop aiguë de la mort imminente. Mais un tel choix convenait à sa nature et il importe de préciser que c'est le choix personnel de Balzac. Aucune conduite, à cet égard, n'a été plus lucide et plus méritée que la sienne. Balzac à trente ans a jugé
45 que sa vie serait manquée s'il n'en savourait pas les jouissances et s'il n'en exerçait pas les ressources avec intensité. Il a choisi de s'installer au cœur de la société parisienne, de participer avec ardeur à ses plaisirs comme à ses luttes et d'y imposer son génie grâce à l'ascèse quotidienne du travail. Dans les moments de fatigue et de dépression, il se
50 disait que cette frénésie le condamnait à mourir avant l'âge, il rêvait de repos, de retraite en province. Mais son naturel reprenait le dessus.

Ainsi s'édifia pierre à pierre *La Comédie humaine*. Ainsi se ruina lentement, par les excès de toute sorte, un tempérament vigoureux. Balzac
est mort à cinquante et un ans, comme Napoléon qu'il admirait tant,
55 après avoir consumé à un rythme effrayant les ressources d'une énergie
immense.

1. Quel exemple Pierre-Georges Castex développe-t-il pour illustrer ce
mythe ? Quelles réserves peut susciter la comparaison entre le personnage antique et Raphaël ?

2. Comment Balzac, selon Pierre-Georges Castex, a-t-il personnellement
illustré cette théorie ? En quoi la peau de chagrin pourrait-elle être la métaphore, le symbole de la vie de Balzac ?

TEXTE 21 • La leçon de *La Peau de chagrin* (1935)

Alain, *Balzac*, Gallimard, coll. « Tel », 1999.

Alain est un philosophe français (1868-1951) qui exerça une profonde influence sur la vie intellectuelle dans la première moitié du xxᵉ siècle. Opposé à toutes les tyrannies, il incarne une
pensée du bon sens souvent lue comme une modernisation de l'humanisme cartésien. Toute
sa vie, il a lu et relu Balzac qu'il appelait un « Homère moderne ».

Maintenant quelle est la leçon de cette *Peau de chagrin* ? Il est clair
que nul ne vit selon la loi d'avarice, si ce n'est dans un âge avancé. Et
la loi d'avarice signifie que tout luxe de vie raccourcit la vie. Fonte-
nelle recommandait aux gens d'âge d'économiser le mouvement. Tout
5 mouvement inutile est une dépense folle ; toute émotion aussi ; et l'émotion résulte toujours d'un brusque départ. Ces remarques impliquent
qu'on ne désire rien, si ce n'est de vivre longtemps. Or, ce régime
convient aux vieillards parce qu'ils ne peuvent mieux ; ils en font
sagesse. Mais la loi de jeunesse est au contraire la folle dépense, l'im-
10 prudence, la course pour rien, la vitesse pour rien. Ce que représente
l'orgie chez Taillefer, où de toute façon chacun dispose d'un certain
capital de vie. Il se peut que la sagesse soit punie, et qu'une vie ralentie
s'empoisonne d'elle-même. Toutefois le mythe naturel exprime qu'on
dépense la vie comme l'argent ; et du reste l'erreur est partout ici, car
15 l'argent n'a nullement le sens d'un trésor que l'un dépense et l'autre
garde. Et pour la vie il en est de même, car elle consiste dans un système
de rapports, comme l'argent ; et thésauriser peut bien être une folie
dans les deux cas. Maintenant faites parler ce mythe, par une image
simple et frappante, et vous obtiendrez cet effet de terreur, commun à
20 tous ceux qui pensent à se soigner. Il faudrait savoir que la vie dépend

25 de mille hasards et fort peu de la prudence. Gobseck n'a pas toujours
été avare ; il ne l'est que par l'âge. Il faut donc jeter la peau de chagrin
dans le puits. Y restera-t-elle ?

J'ai entrevu quelquefois un autre sens de ce mythe, qui est que nos
souhaits sont toujours réalisés. On se récrie, mais il faut que chacun
30 sache bien ce qu'il veut. Les enchantements inconnus ne nous punis-
sent pas souvent comme dans le célèbre conte, où dix mètres de saucisse
pendent au nez de la bonne femme. Il ne s'agit pas de ce qu'on dit, ni
même de ce qu'on rêve, mais du genre de vie qu'on ne cesse de choisir,
par des souhaits continuels et appliqués. Ce genre de succès, on l'a
35 toujours. Et les passions de l'amour illustrent ce paradoxe, quoiqu'on
ne veuille pas y croire. Vouloir être aimé, c'est le moyen le plus commun
d'être aimé ; seulement encore y trouve-t-on exactement ce qu'on
voulait, et quelquefois ce n'est pas grand-chose. Il en est de l'amour
comme de l'ambition, qui souvent n'est que vaine. On veut les signes ;
40 on les aura. Je ne dis pas qu'on aura plus. Plus, ce serait le pouvoir réel,
science, volonté, amour ; mais encore plus évidemment il n'y a d'autre
chemin d'avoir ces biens que de les vouloir de tout son cœur. Ne voit-
on pas les politiques arriver ? Et quand ils sont arrivés, communément
ils n'ont rien à montrer ; ils jouissent niaisement des signes. Ce qu'ils
45 ont voulu, ils l'ont. Le plus beau du roman est lorsque Raphaël s'écrie :
« Je veux être aimé de Pauline », et court à la peau de chagrin pour
savoir ce qu'il lui en coûtera de vie. Mais rien ne bouge ; c'était déjà
fait. Cette sublime idée ne fait que passer. Semblable aux contes, le
roman ne sait pas ce qu'il veut prouver. Semblable aux contes, il se
50 meut d'après un rapport littéral entre le souhait et l'événement, cette
peau de chagrin.

1. Quelles sont pour Alain les deux leçons de *La Peau de chagrin* ?

2. Explicitez le passage dans lequel Alain écrit que « nos souhaits sont
toujours réalisés ». Quels exemples Alain donne-t-il pour le prouver ?

3. « Semblable aux contes, le roman ne sait pas ce qu'il veut prouver. »
Réfutez ou étayez cette hypothèse en choisissant vos exemples dans *La
Peau de chagrin*.

SUJETS

INVENTION ET ARGUMENTATION

Sujet 1

TEXTE 22 • Première édition de *La Peau de chagrin*

Dans la première édition de *La Peau de chagrin*, le roman se terminait sur une moralité. Balzac s'y plaçait dans la postérité de Rabelais, maître Alcofribas Nasier, qui à la fin du *Gargantua* (1534) décrivait l'abbaye de Thélème, monde de la tempérance et du bonheur, régie par une seule règle « fais ce que voudras ».

> Moralité
>
> François Rabelais, docte et prude homme, bon Tourangeau, Chinonnais de plus, a dit : Les Thélémites[1] estre grands mesnagiers de leur peau et sobres de chagrins[2].
>
> Admirable maxime ! Insouciance ! – Égoïste ! – Morale éternelle !...
> Le Pantagruel fut fait pour elle ; ou elle, pour le Pantagruel.
>
> L'auteur mérite d'être grandement vitupéré pour avoir osé mener un corbillard sans saulce, ni jambons, ni vin, ni paillardise, par les joyeux chemins de maître Alcofribas, le plus terrible des dériseurs, lui, dont l'immortelle satyre avait déjà pris, comme dans une serre, l'avenir et le passé de l'homme.
>
> Mais cet ouvrage est la plus humble de toutes les pierres apportées pour le piédestal de sa statue par un pauvre Lanternois du doux pays de Touraine.

1. Comparez cette moralité à la version définitive du roman. Quels changements constatez-vous ? Pourquoi, selon vous, Balzac a-t-il substitué l'épilogue à la moralité ?

2. Laquelle des deux versions du dénouement préférez-vous ? Vous présenterez votre réflexion sous la forme d'un article critique dans lequel vous ferez l'éloge ou le blâme de cette version ou de celle choisie par Balzac pour terminer son roman.

Sujet 2

Félix Davin, dans sa préface aux *Études philosophiques*, donne cet axiome balzacien : « La vie décroît en raison directe de la puissance des désirs [...]. »

À l'aide d'exemples précis choisis dans l'histoire, dans la littérature ou dans l'actualité, vous réfuterez cette thèse balzacienne.

---

1. Habitants de l'abbaye de Thélème. \ **2.** La tempérance permet le bonheur.

Sujet 3

TEXTE 23 ● Lettre de Roger Martin du Gard à Pierre Margaritis, 6 septembre 1918

Roger Martin du Gard, romancier du début du xxᵉ siècle, confie à un ami son désarroi devant Balzac.

> Je suis bien un peu embarrassé pour t'avouer que je n'ai jamais pu lire Balzac. Impossible. Je n'arrive pas au bout. J'en ai refait récemment une tentative avec *Le Colonel Chabert* et *La Physiologie du mariage*. Impossible. Comme toi avec les pieds de moutons. Ça ne passe Pas. Je ne l'avoue presque jamais (pas encore). Peu d'amis le savent. J'espère toujours que ça va venir, et que je me frapperai la poitrine, à la russe, en m'appelant « triple veau ! » Et alors, tout Balzac à lire, ce sera une longue joie.
>
> Mais jusqu'ici, im-po-ssi-ble. L'ennui me tue avant la centième page. Et je remets lâchement la suite à plus tard. Je suis arrivé à peu près à la fin des chefs-d'œuvre consacrés. (J'ai même repris deux fois *La Cousine Bette*, *César Birotteau* et la *Grandet*. Avec la même dépense de courage, à chaque fois !) Je ne nie pas la puissance, etc. Je sens même très intensément l'apport inouï de Balzac, et sa place historique. Je lui rends justice, je m'incline humblement. Mais je me dérobe. Ce n'est peut-être ni assez près, ni assez loin de moi ? je n'engage pas l'avenir. Je suis prêt à changer. Mais pour l'instant, je suis aussitôt rebuté, au-delà des forces humaines, par une impression de connu, archi-connu, de fabriqué, de littéraire ; je m'enlise dans les longueurs ; j'ai compris depuis vingt minutes et il m'explique toujours, et je m'entête à continuer, et vingt minutes après il continue à m'expliquer, comme un avocat qui répète cent fois son argument sous des formes différentes. À la fin je me sauve, je le laisse continuer sans moi. Il s'étonne de tout, il m'explique tout ce que je sais de naissance ; il inventorie les mobiliers ou des passions comme un huissier ; et je paie de six pages compactes un petit trait qui me fait plaisir. Je n'ai jamais trouvé dans Balzac une page à recopier pour moi, à relire. [...] Je te devais cette confession hâtive. Je renierai peut-être un jour mon impression actuelle. Mais je vais avoir quarante ans, et je n'aime toujours pas Balzac ; c'est du domaine des faits.
>
> À toi. Roger

1. Pourquoi selon vous Roger Martin du Gard, le romancier de la trilogie romanesque des Thibault, est-il ennuyé de ne pas aimer Balzac ?

2. Quels arguments utilise-t-il pour justifier son sentiment ?

3. Écrivez la réponse de Pierre Margaritis qui, lui au contraire, admire Balzac. Vous choisirez vos exemples dans *La Peau de chagrin*.

COMMENTAIRES

Les extraits choisis pour faire l'objet de commentaires sont accompagnés d'un questionnaire de lecture visant à dégager une cohérence dans l'approche, une problématique possible pour l'analyse du texte et la rédaction du devoir.

Sujet 4

TEXTE 24 • *La Peau de chagrin,* « Le Talisman »

Figurez-vous un petit vieillard sec […] ce cabinet mystérieux.

PAGES 31-32

Après avoir répondu aux questions qui suivent, vous présenterez un commentaire de ce texte en prouvant par exemple que ce texte est travaillé par deux projets contradictoires : l'intention réaliste et la tentation fantastique.

1. Quels sont les procédés utilisés pour donner un effet réaliste à ce portrait ?

2. En quoi ce portrait est-il aussi fantastique ?

3. Montrez que le personnage présenté dessine une esthétique paradoxale.

Sujet 5

TEXTE 25 • *La Peau de chagrin,* « Le Talisman »

Le jeune homme se leva brusquement […] son jouet nouveau.

PAGES 35-36

Après avoir répondu aux questions qui suivent, vous présenterez un commentaire de ce texte en montrant par exemple qu'en dépit de la dissection opérée par le regard scrutateur et scientifique de Raphaël, la peau reste un objet étrange et mystérieux pour le lecteur.

1. Pourquoi peut-on dire que ce texte est écrit en focalisation interne ?

2. Montrez que l'objet fantastique est d'emblée ambigu et paradoxal.

DISSERTATIONS

Sujet 6

« On peut considérer l'écrivain selon trois points de vue différents : on peut le considérer comme un conteur, comme un pédagogue, et comme un enchanteur. Un grand écrivain combine les trois : conteur, pédagogue, enchanteur – mais chez lui, c'est l'enchanteur qui prédomine et fait de lui un grand écrivain », écrit Vladimir Nabokov dans *Littérature I*.

Partagez-vous cette opinion ? Vous appuierez votre argumentation sur des exemples précis tirés des œuvres étudiées cette année et de vos lectures personnelles.

■ Indications complémentaires

La Peau de chagrin constitue un excellent support pour cette citation. Elle peut d'abord servir d'exemple et d'illustration à la thèse de Nabokov : Balzac conte, enseigne et *enchante avec La Peau de chagrin*.

Vous vous demanderez ensuite en quoi la fonction d'enchantement prédomine da*ns La Peau de chagrin. Pour* faire cette démonstration, il faudra bien distinguer les trois fonctions mises en place par Nabokov en cherchant éventuellement des synonymes : raconter, enseigner et charmer. Vous chercherez à prouver par exemple en réfléchissant sur l'utilisation du fantastique que la fonction d'enchantement est prépondéran*te dans La Peau de chagrin*.

Sujet 7

La biographie d'un écrivain est-elle indispensable pour comprendre son œuvre ?

Vous illustrerez votre réflexion en vous appuyant sur une ou plusieurs œuvres étudiées en classe et sur vos lectures personnelles.

■ Indications complémentaires

La Peau de chagrin montre tout à la fois l'intérêt et les limites d'une lecture biographique. L'apport de la biographie doit être limité. Les lectures trop autobiographiques des œuvres romanesques sont à proscrire : confondre Raphaël et Balzac serait par exemple commettre un contre-sens profond sur l'œuvre. Vous le montrerez.

Cependant la connaissance de la biographie apporte d'importantes précisions sur le contexte, qui permettent de comprendre la désillusion de 1830 et la confession de Raphaël (voir p. 272). On peut donc montrer qu'il faut être prudent. D'une part, l'œuvre d'art se caractérise par son autonomie : elle peut être comprise et appréciée indépendamment de toute connaissance contextue*lle (La Peau de chagrin* peut être lue comme un conte fantastique). Mais l'apport d'éléments extérieurs (biographie, histoire politique et culturelle) favorise la compréhension de l'œuvre et la richesse de la lecture.

BIBLIOGRAPHIE

Édition de référence

La Peau de chagrin, texte présenté, établi et annoté par Pierre Citron, dans *La Comédie humaine*, Gallimard, coll. « Bibliothèque de la Pléiade », 1979, tome X.

Ouvrages généraux sur Balzac

GENGEMBRE Gérard, *Balzac*, Gallimard, coll. « Découvertes », 1992.

MOZET Nicole, *Balzac au pluriel*, PUF, coll. « Écrivains », 1990.

ROSA Annette et TOURNIER Isabelle, *Balzac*, Armand Colin, coll. « Thèmes et Œuvres », 1992.

VACHON Stéphane, *Les Travaux et les Jours d'Honoré de Balzac*, préface de Roger Pierrot, coédition Presses du CNRS, Presses universitaires de Vincennes, Presses de l'université de Montréal, 1992.

VACHON Stéphane (sous la direction de), *Balzac, une poétique du roman*, Presses universitaires de Vincennes, XYZ éditeurs, 1996.

Ouvrages et articles sur La Peau de chagrin

Balzac et La Peau de chagrin, ouvrage collectif présenté par Claude Duchet, SEDES, 1979.

BARBÉRIS Pierre, *Balzac et le Mal du siècle*, Gallimard, 1970, tome II.

Nouvelles lectures de La Peau de chagrin, ouvrage collectif présenté par Pierre-Georges Castex, Clermont-Ferrand, Faculté des lettres, 1979.

Sites internet

Les études balzaciennes sont encore assez pauvres sur internet. Les grandes associations balzaciennes préparent la sortie de quelques sites. À noter la préparation du site Balzacorama, site de l'actualité balzacienne, soutenu par le groupe international de recherche balzacienne.

On pourra se reporter au site d'acamedia, l'éditeur du cédérom Balzac paru en 1999 (http://www.acamedia.fr). On y trouvera une bibliographie rétrospective aussi complète que possible, avec éditions originales, éditions posthumes, catalogue des manuscrits, catalogues des bibliographies, iconographie, études biographiques, études de genèse, dépouillement des grandes revues d'études balzaciennes, *Les Cahiers balzaciens* (1923-1928), *Le Courrier balzacien* (1948-1950), *Les Études balzaciennes* (1951-1960), *L'Année balzacienne* (1960-1998).

Par ailleurs deux sites proposent le texte de *La Comédie humaine* :

– le site de la Bibliothèque nationale de France : http://gallica.bnf.fr

– le site de François Brunet qui permet une recherche hypertextuelle sur un corpus de quarante-neuf titres : http://lolita.unice.fr/~brunet/BALZAC/balzac.htm

Achevé d'imprimer par 🐜 Grafica Veneta à Trebaseleghe - Italie
Dépôt légal 95880-9/03 - Novembre 2013